マツダの魂

不屈の男 松田恒次

中村尚樹

マツダの魂　不屈の男　松田恒次◉目次

第4章　生産台数日本一　156

第5章 ロータリーエンジン 218

第6章 悪魔の爪痕(つめあと) 263

マツダの魂

不屈の男　松田恒次

松田恒次

はじめに 「日本の自動車王」

広島の自動車メーカー「マツダ」は、一九二〇（大正九）年に「東洋コルク工業」としてスタートした。その後、社名を「東洋工業」に変えてオートバイの製造を始め、一九三一（昭和六）年には「マツダ号」の商標で、オート三輪の製造に乗り出した。一九八四（昭和五十九）年には、社名と自動車のブランド名を統一し、二〇二〇（令和二）年に創業一〇〇年を迎えた。

「トヨタ自動車」は、豊田喜一郎によって「自動車製作部」が設けられた「豊田自動織機製作所」が一九二六（大正十五）年の創業。「日産自動車」は、鮎川義介の「戸畑鋳物」が一九一〇（明治四十三）年創業だから、トヨタや日産と肩を並べる歴史を持っている。

それにしても自動車メーカーには、創業者の名前を冠した社名が多い。海外ではフォードやベンツ、ロールス・ロイスにポルシェ、フェラーリ。日本でも最大手のトヨタ以下、ホンダ、スズキ、そしてマツダである。なぜだろうか。

自動車は、いまや日本を代表する製造業だが、各社が創業した頃は、そうではなかった。欧米と技術力の差が歴然としており、既存の主な財閥は、陸軍からの自動車工業参入要請に対し、投資額が巨大なうえ、すでにフォードとゼネラルモーターズが日本で大量生産を行っていることなどを理由に、「無謀な挑戦だ」として、いずれも要請を断っている。つまり、いま風に言えば自動車製造は、リスクの高いベンチャービジネスだったのである。

そうしたなかで、創業者一族の、自動車作りにかけた情熱は並外れたものがあり、強烈なリーダーシップが発揮された。それが、自身の名前を社名とすることにつながったのだろう。

トヨタには創業者で「国産車の父」とも呼ばれる豊田喜一郎がいる。ホンダには「世界のＨＯＮＤＡ」を作った本田宗一郎。スズキは、創業者ではないが、自社を世界的メーカーに育て上げた鈴木修が有名だ。海外の大手も、創業時は車を手作業で組み立てる町工場だった。彼らの強烈な個性が、クルマ作りに反映されている。

ところで、マツダである。松田姓のかつての社長を知る人は、地元の広島を除けば、よほどのカーマニアか、熱烈なマツダファンくらいであろう。

実は、マツダの創業者である松田重次郎（じゅうじろう）は「技術の天才」と称えられ、大正時代に大阪で一、二を争うほどの財を成して〝大正の今太閤〟と呼ばれた人物なのである。

故郷の広島に戻った重次郎は辣腕を振るい、マツダは、オート三輪とも呼ばれた三輪トラックの分野でトップ企業に躍進する。

戦争で広島は、原爆により一面の焦土と化した。そんな逆境にもめげず、マツダは復興した。重次郎の長男であり、本書の主人公である松田恒次が跡を継ぐと、念願だった四輪への進出を果たし、トラック、そして乗用車の生産に乗り出してゆく。恒次はロータリーエンジンの導入を決断し、世界の各社が失敗するなかで、ロータリーエンジン搭載車の量産を世界で唯一成功させた。

こうした功績で恒次はかつて、西日本を代表する経済人として、松下幸之助と並び称され、自動車の世界では「東の本田、西の松田」と謳われるまでになる。

戦前は満州国で行政トップの国務院総務長官を務め、東条英機、岸信介、鮎川義介、松岡洋右とあわせて「二キ三スケ」と称された一人の星野直樹は、戦前、戦後を通じて財界要人とも交流が深い。その星野をして、「松田恒次の畢生の願望は、日本の自動車王になることである」[1]と言わしめた。星野は恒次の手腕を高く評価し、日本の自動車業界トップに立つのも不可能ではないと見込んだうえでの発言である。

恒次の人生は、波瀾万丈だ。

幼い頃、実の父親を兄と呼んでいた出生にまつわる秘話。若くして、病気による長期入院と片脚切断。原爆被爆による弟の死。戦災復興で獅子奮迅の活躍。専務に上り詰めたものの、会社からの追放。復社して社長となり、トヨタ、日産を抜いて生産台数日本一を達成。他社に先駆けたコンピューターの導入。政治力も駆使して勝ち取った、ロータリーエンジンの技術提携。一転して、〝悪魔の爪痕〟による開発の危機。苦難の末、恒次のリーダーシップによる「コスモスポーツ」の完成。マツダのロータリーエンジンは、「走るというより、飛ぶ感じ」で、一世を風靡した。

恒次はジェットコースターのように、山あり谷ありの人生を駆け抜けた。

現在のマツダは、スカイアクティブエンジンに代表される独創的な新技術と、個性的なデザインが人気で、売り上げは好調である。

経済大国ニッポンの基幹である自動車産業。そのなかで、生産規模はトヨタや日産に劣るとも、独自の価値戦略でユニークな存在感を示すマツダは、これからの日本企業が目指すべきモデルのひとつであろう。

松田家はプロ野球、広島カープのオーナー職にその名を残すものの、マツダの経営からは完全に退き、恒次の名前は忘れ去られた。しかしいまのマツダの、クルマづくりに対するこだわりを見るとき、そこには松田恒次という一人の人間の熱い思いが、確かに受け継がれていると、私には思えてくるのである。

なお、敬称はすべて省かせていただいた。肩書は取材時のもの、あるいは引用した文献記載のものとした。マツダの呼称については読者の煩雑を避けるため、自動車製造が中心となった「東洋工業」以降は基本的に、「マツダ」で統一した。

序章　松田家と父・重次郎

父を「兄」と呼ぶ

「お兄さん」

まだ幼かった松田恒次がそう呼びかけた相手は、松田重次郎である。なんとも奇妙なことに、恒次は、物心がついた頃から、実の父である重次郎のことを、「お兄さん」と呼んでいた。重次郎を父ではなく、兄だと思い込まされていたのだ。

恒次は一八九五（明治二十八）年十一月二十四日、大阪市の天満橋筋にある東屋恒吉（あずまやつねきち）の家で誕生した。問題は、その出生届である。重次郎の長男としてではなく、重次郎が婿養子に入った先の東屋恒吉の戸籍に、東屋恒次として届け出がなされたのである。つまり実際は母方の祖父なのに、戸籍上は東屋恒吉が父親となっていたのだ。

理由のひとつは、父親の重次郎がまだ二十歳の若さだったことである。重次郎は大阪で起業に失敗し、長崎の三菱造船所で技術を学び直すことにしていた。そのためにも身軽なほうがいいと、重次郎が考えたのだ。

もうひとつは、重次郎の義父、東屋恒吉の思惑である。この経緯について恒次は、「いま思うと、父母が若過ぎたせいもあっただろう。が、それよりも祖父母がかわいさあまってのことだったと、これはあとで知った」[1]と書き残している。婿養子に迎えた重次郎はまだ若く、しかも力量がある。場合によっては、東屋の家を出てしまうかもしれないと、恒吉はひそかに惧(おそ)れ、次なる跡継ぎを欲しがったのだ。自分の名前から一字をとって、孫の名前につけたのも、その表れだろう。

恒次の人生を語るとき、偉大な技術者であり、のちに〝大正の今太閤〟とも呼ばれた立志伝中の人物、重次郎を抜きにすることはできない。恒次について語る前に、まずは重次郎の人生から、物語を始めよう。

マツダ発祥の地

広島市南東部、南区青崎の高台にある向洋(むかいなだ)墓地。

ここに、御影石の塀で囲まれた松田重次郎の墓が建っている。重次郎の墓の近くには、長男の恒次、そして恒次の長男、耕平という、マツダ歴代社長の墓が建っている。恒次の弟、宗彌(そうや)の墓もある。

眼下には、全長七キロにも及ぶ広大なマツダの本社と工場群が、圧巻の威容を見せつける。本社地区と、その西側にある宇品地区の工場を結ぶために作られた全長五六〇メートルの東洋大橋は、マツダが建設し、所有している私道であり、建設当時は日本で最長の橋であった。

向洋は、重次郎の生まれ故郷である。

一八七五(明治八)年八月六日、重次郎は父・和吉、母・リヨの十二番目の子どもとして生まれた。重次郎が生まれた頃の向洋は、人家が百戸たらずしかないさびしい村で、生家は貧しい漁師だった。イカを仕入れ、加工して小売りもしていた。

両親は「十二郎」と名づけたのだが、役場に届け出るとき、口頭で「じゅうじろう」と言ったのを、役場の書記が無造作に「重次郎」と書いてしまったものだから、それが本名になったといういきさつがある。

当時は、乳幼児の死亡率が特に高かった時代である。重次郎が生まれたとき、すでに上の四人が亡くなっていた。それにしても、十二人の子どもとは子だくさんだが、それには理由がある。

広島はかつて、「安芸門徒」の地と呼ばれていた。この場合の「門徒」とは、浄土真宗の信者を指している。それほど広島は、浄土真宗の信仰が盛んな土地柄だったのである。その教えに従って、無益な殺生は禁じられていた。かつては飢饉になると、各地で子どもを減らす「間引き」が行われたものだったが、広島では信仰に従って殺生をしなかった。

東洋工業社長時代の重次郎。

人口の増加率が高く、一方で田畑の面積は限られる。広島の人たちがどうしたかというと、出稼ぎをしたのである。明治以降になると、九州の炭鉱や関西の工場で一時的に働いたり、移り住んだりする人も多かった。海外にも出かけていった。ハワイをはじめ、アメリカ本土やブラジルなど南北アメリカにも多くの県民が渡り、広島は全国第一位の移民送出県となっている。重次郎もそうした気風を、自然と受け継いだ。

のちに重次郎は、大阪や長崎へ働きに行ったり、自分の会社が倒産しそうになったときには、南米への移住を考えたりしたことがあった。それは、出稼ぎが当たり前だった頃の人たちの姿が、重次郎の脳裏に焼きついていたからであった。

松田家はというと、一八七八（明治十一）年、重次郎三歳のとき、父の和吉がコレラのため亡くなった。母のリヨは、貧乏なくせに、ひとにごちそうするのが大好きという、温厚で明るい性格だった。手仕事では絣（かすり）染めが上手で、近くの娘たちが競って教わりに来るほどの腕前だった。加えて、針仕事で懸命に働いたが、なにぶん大所帯である。暮らし向きは厳しくなる一方だった。ついに、住み慣れた家も人手に渡るほどであった。

一八八五（明治十八）年、重次郎十歳のとき、母の勧めで長崎県の対馬に渡った。その頃はまだ、義務教育の制度も確立していなかった。ツネは重次郎に苦労をさせて、独立心を学ばせようとしたのだ。

実は対馬と広島とは、昔からゆかりがあった。一八〇〇年代のはじめ、広島藩の浅野家と、対馬藩の宗家との間で姻戚関係が結ばれ、そのときから広島の漁師は対馬での操業を認められるようになったのだ。

重次郎の二人の兄は、対馬でイカ釣り漁に精を出していただけでなく、漁師からイカを買い取り、九州などで売りさばく仕事もしていた。ことに長兄の松之助は、三百石の船で朝鮮半島にまで出かけて、イカの売買をしていた。そんな兄たちの仕事ぶりを間近に見ながら、対馬の親戚の家で働いていた重次郎は、強い独立心を抱くようになる。その親戚が亡くなったため一八八七（明治二十）年、重次郎は対馬での生活を終え、十二歳で向洋に帰ってきた。

ちなみにこの頃、世界の自動車業界はというと、一八八五年にドイツのカール・ベンツが、ガソリンエンジンを載せた後輪駆動の三輪自動車を開発し、翌年、「ガソリンエンジンを動力とする車両」として、ドイツで特許を取得した。これが世界初の自動車である。

同じドイツのゴットリープ・ダイムラーは、やはり一八八五年に二輪車につけたガソリンエンジンの特許を取得した。この二輪車が、世界初のオートバイだ。翌年には馬車にエンジンを取りつけた〝馬なし馬車〟の生産に乗り出した。これが世界初の四輪自動車である。

鍛冶屋から砲兵工廠へ

少年時代の重次郎にとって、興味の的は、向洋の自宅近くにあった鍛冶屋だった。フイゴを開け閉めして風を送り込むと、青い炎を上げて炭火が燃え盛る。真っ赤に焼けた鉄を、職人がやっとこで引き出し、鉄床(かなとこ)の上で赤い火花を散らしながら、打っては伸ばしを何度も繰り返す。それがやがて、クワやスキに形を変えてゆく。そんなモノづくりが、重次郎の心をとらえて離さなかった。鍛冶屋の〝常さん〟は、好奇心盛んな重次郎を嫌がりもせず、招き入れてくれて、ときにはおやつをごちそうしたりもしてくれた。

大阪へ行儀見習いに出たことのある、近所の〝綾さん〟は、ときどき重次郎の家を訪れ、母とよもやま話をしていた。重次郎にも、大阪の話をよく聞かせてくれた。

「私が男じゃったら、おめおめと向洋くんだりに帰って来やせんよ。重ちゃんも、おきうなったらああいう大都会でひと旗あげんにゃ……」

大阪に行けば、夢が叶う。日本一の職人になりたい。重次郎の、大阪に対する憧れが膨らんだ。

家計は苦しく、母は夜も寝ずに機織りや、縫物仕事に追われていた。

三番目の兄の松助は、海外でひと旗あげようと、母が止めるのも聞かず、二十一歳でアメリカに渡っていった。重次郎は、兄の覚悟と実行力に強い影響を受けた。のちの話になるが、松助はハワイで成功し、六十五歳で日本に帰国した。

「ワシもこうして遊んではいられないぞ……」[2]

こうして一八八八（明治二十一）年夏、重次郎は十三歳で大阪に上ったのだった。その頃はまだ、国鉄の山陽線は開通していない。広島から二日間の航海で、ようやく大阪に到着した。

向洋の村長に紹介してもらい、大阪市内中心部の阿波座にあった鍛冶屋で、住み込みの小僧として働くことになった。

「大都会の鍛冶屋は、いったいどんな製品を作っているのだろうか」

期待に胸を膨らませた重次郎だった。

ところが、実際に作っていたものは、ポンプ用の金具だけだった。朝六時から夜十時まで、下働きや荷物運びの重労働が連日、続いた。しかし、鍛冶職人としての仕事は、いっこうに任されない。食事はというと、朝はおかゆ、昼はひじきをまぜたおから、夜は茶漬けの毎日だった。向洋時代にも劣らない粗食である。

ある日、重次郎は得意先に商品を配達する途中、偶然、鉄工所の前を通りかかった。その作業場には、金属を回転させて切削加工する旋盤や、金属に穴をあけるボール盤があった。重次郎は、「鉄が鉄を削る」光景に驚き、たちまち機械の虜になってしまった。重次郎の目標が決まった。機械作りである。

　四年間、大阪で働きづめに働いた。「日本一の職人」を目指して大阪に上った重次郎だった。しかし、自分は何ら進歩していない。このままでは先がない。そう考えた重次郎は十七歳のある日、夜逃げ同然に店を出た。

　どこに行くのか、あてはなかった。しかし、何も告げずに逃げ出した鍛冶屋の親方には、見つかりたくない。お金もわずかしかない。そうなると、大阪以外で手近な大都市は、神戸だ。

　汽船で神戸に着いた重次郎は街を歩き、規模の大きそうな鍛冶屋を見つけた。飛び込みで「雇ってほしい」と頼み込んだ。運よく、雇ってもらえることになった。しかしわずか二か月で、この職場も去ることになった。理由は、ここも機械鍛冶をしておらず、ネジ切り以上に学ぶものがなかったからだ。

　別の鍛冶屋に移った重次郎は、耳寄りな話を聞いた。同僚となった職工が親切な男で、重次郎の熱意を知ると、広島県呉市にある「呉海軍工廠造船部」に行くよう、勧めてくれたのだ。軍の近代化を急ぐ政府の方針で、陸軍や海軍に直属する軍需施設の「工廠」は、最先端の機械設備を誇っていた。

「広島県出身なら、なにもこんなところで苦労することはない。呉工廠なら、機械を勉強するには持ってこいやで……」[3]

思い立ったらすぐ実行するのが、重次郎の習い性となっていた。

一八九三（明治二十六）年七月、呉海軍工廠造船部を訪ねた重次郎は、採用試験に合格して入廠した。鍛冶屋では下働きしかさせてもらえなかったが、重次郎は職人たちの技術を、見よう見まねで覚えていたのだ。重次郎の観察眼と器用さは、天性のものだった。

工廠では腕を買われて、通常の新入りの二倍以上という、破格の給料を得ることができた。しかし手先の器用さを評価されて任された仕事は、真鍮（しんちゅう）の飾り物作りだった。重次郎は、これに満足できなかった。あくまで彼の目的は、機械作りにあったからだ。

重次郎は飾り物作りの傍ら、ポケットには常に手帳を忍ばせていた。工廠にある様々な機械の名前や性能、その操作方法を丹念にメモした。わからないことがあれば、先輩たちに、納得がいくまで質問した。こうした機械類はすべて、オランダやフランスなどからの輸入品だった。

「こりゃ、是非とも国内で生産するようにしなければ……」[4]

こうして機械の知識を得るにつれ、専門的に機械作りを学びたいという気持ちがますます強くなってきた。日清戦争が始まったのはちょうどその頃、一八九四（明治二十七）年七月のことである。聞くと関西では、造船をはじめ各種の工場が大忙しで、活気に満ちているらしい。このまま呉にいては、小物細工作りの職人で終わってしまう。

重次郎は、せっかく得た呉海軍工廠の仕事をなげうち、再び大阪に向かった。重次郎十九歳の夏だった。

今度は、大阪城近くにあった「大阪砲兵工廠」の門をたたいた。アジア最大級の軍需工場で、主に戦車や弾薬類を開発し、製造していた。砲兵工廠は、職工が一万人という大所帯だが、それでも人手不足だったことに加え、重次郎の熱意と技術が尋常ではなかったことから、入廠が認められた。重次郎は工廠のなかの「弾丸製造所」で、精密技術を求められる「仕上げ師」の仕事を任された。重次郎は、ほかの職工だと三日かかる仕事を、一日で仕上げてしまう。熟練工に多くの教えを受け、重次郎はそれまでのうっぷんを晴らすかのように、嬉々として働いた。

婿養子の縁組みと恒次誕生

若いながらにたくましい重次郎の仕事ぶりを、目を細めながら見つめる男がいた。東屋恒吉である。

東屋の役職は「職工頭」で、大阪市から依頼を受けた水道鉄管の製造を主に担当していた。大阪砲兵工廠は軍需製造が中心だが、官公庁からの依頼で、兵器以外の金属製品も製造していたのだ。

水道は、重次郎が大阪で最も驚いた施設であった。

「鉄管で市中の家々に自由に水を供給する設備だという。私はびっくりした。こんな大仕掛けのことも機械力によるのである。これからは機械の世の中だ。（中略）自分はどうしても機械で身を立てなければいけない！」[5]

恒吉は、その水道の部品を作っていたのである。恒吉の兄は村田弥兵衛といって、故郷の長崎でオランダ人から造船や鋳砲、鋳造などの技術を修めた、機械製造の権威だった。恒吉は最初、「東屋」という、長崎でも大手の菓子屋に婿入りし、家業に励んでいた。しかし明治維新を迎え、これからは機械が重要になると考え、兄が大阪の工廠に迎えられたのを機会に、恒吉も兄に従って大阪に出てきたのだ。

その恒吉には、跡継ぎとなる男の子どもがいない。恒吉は、機械作りに野心を燃やす重次郎に、自分と似たものを感じ取ったのだろう。「ぜひ婿養子に」と、重次郎に申し入れたのだ。

有力な後見人ができるのはありがたい話だったが、重次郎はためらった。故郷には、仕送りをしている母がいる。それに何より重次郎は、独立独歩で自分の運命を切り拓いていきたいと考えていた。それを聞いた恒吉は、ますます重次郎を気に入った。母親への送金も承知し、「自分でやりたい道をいきなさい」と励ました。

ついに重次郎は、婿養子となることを承知した。一八九五（明治二十八）年、重次郎二十歳のとき、恒吉の養女、千代と結婚し、東屋重次郎となった。東屋は羽振りも良く、披露宴は料理屋を三日間借り切って行われ、三〇〇人もの客が招かれた。その豪勢さに、重次郎は圧倒されたものだった。

同年三月、日清戦争が終わった。戦争中はあれほど忙しかった工廠も、戦争の終結と同時に閑散としてきた。職工の解雇が始まった。職場を離れる仲間たちを横目に見ながら、たとえ小規模でも、自分で工場を持ちたいと重次郎は考えた。恒吉に相談すると、彼も賛成してくれた。

工廠を辞めた重次郎は、恒吉に出資してもらい、鋳物を作る「東屋鉄工所」を開業した。空いていた工場を借り受け、五〇人の職工を雇い入れた。重次郎の腕は確かだった。しかし、経営についてはまだ、ずぶの素人である。日清戦争後の不景気もあり、借金もかさむ。重次郎最初の会社は、一年ももたず、閉鎖に追い込まれてしまったのである。

重次郎は、自分の未熟さを思い知らされた。重次郎はもう一度、一介の職工に戻り、一から勉強しなおそうと決意した。その頃の日本では、造船業が最先端の製造業だった。恒吉の兄、村田弥兵衛は、地元である長崎の「三菱造船所」にも知己が多かった。そこで重次郎は、村田に紹介状を書いてもらい、長崎で修業しなおすことにしたのだ。

こうしたなか、一八九五（明治二十八）年十一月二十四日に誕生したのが、長男の恒次である。出生届のいきさつは、先に書いたとおりだ。

ちなみに次男の宗彌は一八九七（明治三十）年二月十三日、重次郎二十二歳のときに誕生しているが、出生届は重次郎の籍に出されている。つまり戸籍上、宗彌は重次郎の「長男」として記載されているのだ。

母の千代は産後の肥立ちが悪く、二人の子どもを残し、若くして亡くなった。

大阪で生まれた恒次と宗彌は、本当は祖父である東屋を父と呼び、本当は父である重次郎を兄と呼んで育ったのである。

第1章　父と子

養子縁組の解消

一八九六（明治二十九）年から二年間、重次郎は長崎で、みっちり勉強した。同年には、造船工業を育成するため、基準以上の船舶の建造に補助金を出す「造船奨励法」が施行された。大規模な造船所はこれにより活気づいた。三菱造船所では、日本郵船が発注した「常陸丸」を建造していた。常陸丸は六〇〇〇トンを超える、当時としては日本で最大、最新鋭の貨客船である。重次郎も常陸丸建造に携わり、最新の技術を習得していった。

その間、長崎に寄港したロシアの艦船で、最先端の機械加工技術を見聞したりもした。

さらに友人の勧めで一八九八（明治三十一）年、海軍の「佐世保工廠」に移った。重次郎はその技術が認められ、下士官の「伍長」に任官され、三年間、さらに腕を磨いた。

養父の恒吉は、そろそろ大阪に戻るよう重次郎を促した。一度は事業に失敗した重次郎を、大阪で再起させたいと願ったのだ。

重次郎は考えた。恒吉の申し出はありがたい。しかし、養子となったことで、自分に甘えが出たのではないか。

「養家の資力におんぶすることは、自分の潔しとしない」

いったん大阪に戻った重次郎は、恒吉に養子の解消を申し出た。恒吉は驚き、悩んだ。しかし、いったん言い出したら聞かない重次郎の性格は、よくわかっている。

「お前という人間を完成させるために、わしは手放す。そのかわり、かならず世に出てりっぱな仕事してくれよ」[1]

恒吉も、重次郎の強い思いを汲み取ったのだった。

重次郎は、養父の広い心に感謝し、涙した。

一九〇一（明治三十四）年、重次郎は松田姓に戻った。重次郎の籍に入っている宗彌は、重次郎の戸籍変更に伴って、戸籍上は松田姓となった。一方、恒吉の籍に入っている恒次はそのまま、東屋姓である。こうした事態のために、恒吉は恒次を自分の籍に入れていたのである。

二人の子どもはこれまでどおり、重次郎が父だとは知らされないまま、恒吉夫婦が面倒を見ることになった。

重次郎は松田姓に戻ると、佐世保から、呉海軍工廠に移った。年老いた広島の母を、心配したからだった。しかし、前回のように飾り物ばかり作らされては意味がない。重次郎は、機械を製造する「造機部」を希望し、採用された。

日露戦争最中の一九〇四（明治三十七）年には、戦場で軍艦を修理するため工作船「三池丸」に、三〇人の部下を連れて乗り込んだ。三池丸の重次郎は、八面六臂の活躍ぶりだった。現在は、神奈川県横須賀市に保存されている軍艦「三笠」を修理したとき、司令官室で東郷平八郎にばったり出会ったのが、のちのちまで重次郎の語り草となった。

一九〇六（明治三十九）年、重次郎三十一歳で三たび、大阪に舞い戻り、再び砲兵工廠に入った。腕の立つ重次郎は、瞬く間に先輩たちを追い越して、重要な仕事を任されるようになった。周囲に妬まれ、仕事がやりにくくなることさえ出てきた。

「今度こそ、独立して、成功させよう」

そう決心した重次郎は、同郷の大下（おおしも）嘉一のもとを訪ねた。大下は大阪の淀屋橋で牡蠣船を経営していた。

「儲かる仕事かね？」

大下に尋ねられた重次郎は、むきになって答えた。

「儲かる、じゃなくて、儲けるつもりでやるんです[2]」

大下はにっこり笑って、ぽんと一〇〇円を貸してくれた。今の貨幣価値に換算すると、一〇〇〇万円近い金額である。（週刊朝日編『値段史年表　明治・大正・昭和』を参考にした）

重次郎は七〇円で旋盤を、三〇円で鉄床やフイゴを買った。それで資金はあらかた底をついてしまった。これでは市内に工場を構える余裕はない。現在は大阪市北区となっている中津村に、牛小屋同然の小さな鉄工所を作った。

最初は、小さな部品の修理でも、なんでも請け負った。重次郎は、今度こそ失敗しないようにと真剣に考えた。

重次郎は、水道に目をつけた。養父だった恒吉が水道部品を作っていたこともあって、水道には興味を持っていたのだ。

狙いを、イギリス製水道メーターの修理に絞った。大阪市が輸入したメーターの二割が不良品だった。それを、重次郎が分解して手を加えると、見事、優良品に様変わりしたのである。「今さら返品するわけにもいかない」と困っていた大阪市も大喜びで、次々に依頼がくる。重次郎はこれで大儲けした。毎日、夜遅くまでかかりながら、数万個に上るメーターを修理したのだ。

一九〇八（明治四十一）年には、自分で新しいポンプを考案した。水道メーターの検査場に通ううち、新型ポンプのアイデアがひらめいたのだ。

なんといってもポンプは、工場や工事現場、消防や灌漑はもちろん、家庭でも必要とされた。特に軍艦では必需品だった。そのポンプが、よく故障していたのだ。従来の製品は、部品であるゴムの取り換えが難しいという欠点があった。それを重次郎は改良し、特許をとった。「専売特許 松田式ポンプ」と命名し、売り出したのである。ときに重次郎、三十三歳だった。

「ほんとの父」のもとへ

ところで、恒次である。彼は、自分が重次郎の子どもであることをいつ知ったのだろうか。

大阪で生まれ育った恒次と宗彌だったが、やがて引っ越しすることになる。恒吉が工廠の仕事を引退し、夫婦で二人の孫を連れて、生まれ故郷の長崎に戻ったからだ。隠居仕事に菓子店を開いたが、根っからのエンジニアである恒吉は乞われて、愛媛県の別子銅山に働きに出かけた。ところがそこで、事故死してしまうのである。

恒次と宗彌は、祖母の手で育てられることになった。長崎の勝山尋常小学校時代、恒次は学業が優秀で、級長か副級長に選ばれるのが常だった。一九〇六(明治三十九)年には無事に卒業し、勝山尋常高等小学校に進んだ。ところが、入学して間もなく、ある教師との間にトラブルが起こり、登校拒否になってしまった。

「隅の棚においてある白墨をわざと濡らしたのはお前だろう！」[3]

それは、恒次とは無関係だった。濡れ衣を着せられたという思いで教師に反発する恒次は、かたくなだった。心配した祖母は、ほかの学校への転校も考え、方々に頼んでみたが、うまくいかなかった。恒次の扱いに手を焼いた祖母は、とうとう孫に打ち明けた。

「しようがない。実をいうと、これまで『兄さん』と呼んでいた人がお前のほんとの父親だ。いまは大阪に落ち着いているから、大阪にいこう」

夫に先立たれ、跡継ぎの話に関心を失っていた祖母は、父親のもとに子どもたちを返すことにしたのだ。対する恒次は、きつねにつままれたような気分だった。兄と思っていた人が、父親だったのである。一九〇六（明治三十九）年、ときに恒次は十歳であった。

重次郎は、すでに再婚し、二人の娘をもうけていた。そこに恒次たちは、引き取られた。兄弟のうち、恒吉の籍に入っていた恒次は、重次郎の実子でありながら、戸籍上は養子となったのである。

大阪に帰った翌年、恒次は中津尋常高等小学校に入学した。

やがて恒次は、学校の日課を終えると、重次郎の工場で仕事を手伝うようになる。フイゴを吹いて、現場の仕事を覚えるのである。重次郎は仕事に厳しく、従業員が少しでも手を抜こうものなら、「弁当持って帰れ！」と、怒鳴りとばす日々だった。工具を無造作に放り投げたりしていたら、叱責の声が飛んだ。

「機械師にとって、工具は魂だ。いったい、何たる考えか！」[4]

相手が息子の恒次であろうが容赦せず、平手打ちが飛んだ。重次郎にとって、機械や工具は、何にもまして大切な道具だった。「機械への執念」と呼んだ社員もいたほどである。

もし恒吉が事故死しなければ、そしてもし恒次が登校拒否にならなかったら、恒次はそのまま恒吉の息子として長崎で育っていたはずである。そうなると、恒次がマツダの社長になることもなく、従って、マツダのロータリーエンジンもなかったかもしれない。不思議な人生の綾（あや）である。

松田式ポンプの成功

一九〇九（明治四十二）年、重次郎は三十四歳で、「松田式喞筒（ポンプ）合資会社」を立ち上げた。社長は出資者の天野延助。重次郎は副社長に就任した。松田式ポンプの売れ行きは好調で、工場を拡張した。機械を増設し、職工も多数雇い入れた。たまたま、その年は干ばつとなり、大阪のみならず、各地から注文が殺到した。続いて天満の大火災があり、ポンプの需要はさらに増した。優秀さを認められた松田式ポンプはひっぱりだことなり、専門の販売店が数十軒もできた。

しかし、思わぬ落とし穴が待っていた。さらなる事業拡大のため、合資会社から株式組織に改組することとし、準備を進めていたところ、警察に資金流用の疑いをかけられ、重次郎は業務上横領の容疑で四九日間にわたって拘置される事態になったのだ。

実は、合資会社の支配人が会社の乗っ取りをたくらみ、手続き上の不備を、「重次郎の横領」と訴えたためだった。信用していた支配人に、裏切られたのだ。事件は結局、重次郎の無実が証明され、不起訴となった。

この最中、重次郎の信頼していた別の人物が、やはり会社の乗っ取りをたくらみ、知り合いだった検事を通じて「事業譲渡書」に捺印させようとする事件まで起きた。

東屋鉄工所の閉鎖に次ぐ、第二の失敗であった。のちに恒次は、人を信用しすぎるのが重次郎の欠点だったと指摘している。

「親父は他人のおだてにすぐ乗るほうでしたよ。正直過ぎたのでしょうかね。私達が、あんな人物をと思うような場合にでも、やはりおだてられると、すぐそれに乗るんです。用心深いくせに」

確かに欠点ではあったが、しかし人を信用するからこそ、重次郎は多くの人たちに助けられ、事業を発展させることができたのもまた、事実である。

重次郎はこれまで、よいものを作り、売れさえすればよいと思っていた。それは技術者としての発想だった。しかし、経営者としては、それでは不十分だということを、一連の事件で思い知らされた。

「拘置されている間、同居の囚人たちと話し合ったりして非常に勉強になった。経営の難しさもイヤというほど知らされた[6]」

重次郎は、技術や道具にばかり目を向けて、人を見る目がなかったことに気づかされた。

そんな経緯があったものだから、重次郎はもとの会社にとどまる気にはなれなかった。

一九一二(大正元)年、友人から新たに出資を得て、大阪市上福島に「松田製作所」を興した。時あたかも、元号が大正に改まった。従来の松田式ポンプの製造販売権は、合資会社のものとなっていて、重次郎の自由にはならない。そこで恒次は、特許に触れないよう改良した新式の「大正型松田式ポンプ」を開発し、製造を始めた。

大阪新世界の遊園地「ルナパーク」で〝五色の滝〟の装置作りを依頼されたのは、そんな頃だった。数メートルの高さの大瀑布を作れるような技術を持っているのは、当時の大阪では重次郎の会社以外に見当たらなかった。重次郎は三〇馬力の大ポンプを作り上げた。

その頃、重次郎の唯一の趣味は盆栽だった。重次郎は盆栽で培ったデザイン感覚を

広島市に納入された排水用の大型うず巻ポンプと松田重次郎。
1913(大正2)年。

活かし、緑の樹々や庭石を配置した。街なかに出現した、見事な〝五色の滝〟は、浪花っ子の評判を呼んだ。

重次郎を驚かせたのは、遊園地の完成を祝うパーティーに呼ばれたときのことである。式には輸入されたばかりの消防車が登場し、水を天高く噴き上げたのだ。

「人間ちゅうやつはえらいものをつくりだしよるな。これからは、自動車の時代やで」

重次郎はすぐに外国製の自動車を購入し、自分で運転も始めた。破格の値段だったが、自動車の魅力に取りつかれたのである。

その後も、金策の苦労はあったが、事業は順調に発展していった。経験を積んだ重次郎は、借金する術にも長けてきた。重次郎の部下だった旋盤師で、大阪笹倉製作所顧問、四方惣市の回想である。

「金を作ることは、上手というよりほかなかった。まず、どんな地位のある人物のところへでも堂々と訪れてゆく。会見すると、こちらが不景気ということは口が裂けても言わない。雄弁ではないが、熱心に自分の仕事の計画を説明し、相手が納得のゆくまで徹底的に話す。すぐれたプランナーであり、アイデア・マンであったから、相手の眼前で工場の機械設置図などをたちどころに描いてみせた。とくに機械のスケッチなど非常に巧みで、説明もうまく、金を借りる相手に強い信頼感を与えた。また、百円を借りたいと思うときは、まず『五百円を私に融資してください。そうすれば必ずこれだけの仕事をしてみせます』と説明するのが常だった」[7]

重次郎は、大型ポンプの製造にも乗り出した。広島市には、下水のポンプを納入した。「発動機製造」、現在のダイハツ製のエンジンを使った「排水用大型うず巻ポンプ」である。広島は重次郎の故郷である。それだけに、感慨もひとしおであった。

当時の日本はといえば、一九一〇（明治四十三）年に韓国を併合する。翌年にはアメリカ、イギリスとの間で「通商航海条約」を改定し、関税自主権を獲得した。それまでは、安い外国製品が日本に押し寄せても、政府は自国の産業を守れなかった。それが、関税率を独自に設定できるようになったのだ。自国の産業育成が、本格化することになる。

一九一三（大正二）年、重次郎は舞鶴の海軍兵器廠から演習用魚雷の、信管などを含む頭部の発注を受けた。それがうまくいくと、次は呉の海軍工廠からも、同じ部品を受注した。

ちょうどその頃のことである。アメリカでは、ヘンリー・フォードがベルトコンベアを使った、移動組み立てラインのシステムを導入した。これにより、T型フォードの大量生産に拍車がかかる。生産技術の革新が、大きく起こりつつある時代だった。

“大正の今太閤”

重次郎に、とてつもないチャンスが訪れる。一九一五（大正四）年、ロシアから、「信管」四〇〇万個という、大量の注文を受けたのだ。信管は、爆弾や魚雷を爆発させるための装置である。重次郎の会社に依頼されたのは、砲弾用の信管だった。

なぜロシアから注文が舞い込んできたのだろうか。

事の起こりは一九一四（大正三）年から一九一八（大正七）年にかけての第一次世界大戦にある。ロシア、フランス、イギリスなどの連合国と、ドイツ、オーストリア・ハンガリー帝国などの同盟国が戦う大戦争となった。一方、日本はイギリスと同盟関係にあったことから、ドイツに宣戦を布告して、第一次世界大戦に参戦した。

ところでロシアの軍需工場では、働き手の多くを出稼ぎのドイツ人に頼っていた。それが大戦勃発で、ドイツ人が祖国へ引き揚げたものだから操業率が低下し、軍需品が不足する事態となった。そこで連合国陣営の日本で、信管を調達する計画を立てたのだ。

ではなぜ、重次郎だったのか。

信管は、高度な技術が要求される部品である。使わないときには、移動中で揺れる車内や船内でも火薬が爆発しないよう安全を保たなければならない。しかし使いたいときには、悪天候でも確実に爆発させなければならない。この二つの背反する要素を、常に満たさなければならないのだ。日本では、軍の砲兵工廠で信管を作っている。当然、ロシアは工廠に依頼した。

ロシア側は信管一個につき、四円一〇銭を提示した。しかし工廠側は、「七円五〇銭でも損をするくらいだ」と主張し、価格がまったく折り合わない。ロシア側はやむなく、民間の工場を探すことにした。

そうはいっても、信管を大量に作る技術を持つ会社は、おいそれとは見つからない。関東では引き受け手が見つからなかった。次に関西で探すうち、海軍から受注した魚雷の信管作りで実績のある重次郎の会社に目をつけたのだ。

依頼を受けた重次郎は、考えた。四円一〇銭の信管が四〇〇万個だと、売値は一六四〇万円となる。これを作るのに、いくら経費が必要か。

重次郎は見本を分解し、材料費や人件費、必要な工場を建設し、機械を導入するコストなどを含めて、詳しく計算した。すると、一個当たり、二円二〇銭でできるではないか。これが杓子定規な工廠とは違った、しかも高い技術力を持つ重次郎の強みである。重次郎の計算通りなら、必要経費を差し引いても、実に七六〇万円が儲けとして、手元に残ることになる。

前出の『値段史年表』によれば、第一銀行の初任給が一九一〇（明治四十三）年から一九一八（大正七年）にかけて、いずれも四〇円。一九一八（大正七）年で、東京の小学校教員の初任給が一二円から二〇円という時代である。現在の貨幣価値に換算するのに一万を掛けるとすると、七六〇億円となる。重次郎の儲けが、いかに莫大な金額となるかがわかる。

重次郎は新たに「株式会社松田製作所」を設立すると、まず、工場の用地を手当てした。大阪の「梅田駅」裏にあった五〇〇〇坪（約一万六五〇〇平方メートル）の空き地を、「阪神電鉄」から買い取った。東京ドームで計算すると、三分の一個分の広さがある。坪当たり二〇円と、相場よりかなり高かったが、言い値で買い取った。

重次郎は工場を建てる前、計画が外に洩れないよう、大阪市内で工作機械を扱っている業者を一日で渡り歩き、必要と思われるすべての在庫に、とにかく手付金を打った。名古屋や東京にも注文し、わずか一週間で、すべての機械類を確保した。必要な資材も、一気に買いつけた。重次郎が大量に買いつけをしているという噂が流れると、たちまち値上がりするからである。事実、大阪で銅や鋼の相場が急騰したが、そのときにはすでに、重次郎は買いつけを終えていたのであった。

重次郎は最後に、平屋で延べ床面積三五〇〇坪（約一万一五五〇平方メートル）の工場を建てた。現在、東京渋谷のランドマークとなり、若い人たちで賑わっているファッションビル「ＳＨＩＢＵＹＡ１０９」（地上八階地下二階建て）の商業施設面積が一万二二〇平方メートルであるから、大規模な専門店ビル並みの広さである。

そんな工場が大正初頭の一九一五（大正四）年十二月、大阪中心部の駅裏に出現した。

驚くべきは、建築の速さだ。

「豊臣秀吉は一日で大坂城を築いたそうだが、こりゃつくり話や。だけど、今度は本物の一日で築城した〝今太閤〟が大阪に現われたもんや。梅田駅裏に一晩のうちに、えろうごっつい工場ができて、戦争景気がうなっとるそうやで……」[8]

トタン葺きのバラック建築で、雨露がしのげるという程度の作りだったが、「梅田発箕面行きの電車が一往復する間」、つまり二時間ほどで「一棟できあがる」と言われたほどの、猛スピードであった。〝一日で築城した〟という評判も、あながち誇張ではなかったのである。

大阪梅田駅裏の広大な土地に建設された松田製作所。1916(大正5)年。

松田製作所の工場内部。年間400万個の信管を製造し、莫大な利益を上げた。

ところで、工場の建築に際して、重次郎のリアリストらしいエピソードがある。

それまでの工場は大阪駅西の「上福島」にあったのだが、そこから見ると、新工場の建設現場が東北、すなわち〝避禍招福〟の呪術である陰陽道(おんみょうどう)では「鬼門(きもん)」にあたる。このため、「鬼が出入りする」として、社員が反対したのである。しかし重次郎は、「鬼門であろうと何であろうと、あの広い土地でなければできないのだ」と、意に介さず実行に移した。

同様の話が、松下幸之助にもある。現在の大阪市福島区にあった「松下電気器具製作所」が手狭となり、一九三三(昭和八)年、大阪市の北東に接した「門真村(かどまむら)」に移転したときのことである。それまでの本店の場所から見ると、門真は「鬼門」にあたるのだ。しかし幸之助は、「気にすることはない」と自身を納得させた。「日本は南西から北東に伸びている。ならば日本中が鬼門だらけ」ではないかと理屈をつけたのである。重次郎と幸之助は、似た気質を持っていたようである。

話を戻すと、新工場では、四〇〇〇人近い職工を、高給で採用した。すると、大阪のほかの工場から転職者が続出する事態となり、人手不足となった工場から、重次郎にクレームが来た。文句を言われる筋合いもないのだが、同業者と対立すると、のちのち面倒である。重次郎は、追加の募集を大阪市外で行うことで、他社とのトラブルを回避した。

こうして約一年で、納品を完了した。この間、松田製作所の株主への配当は、なんと五割。株価は大阪取引所で第二位となった。重次郎自身も、三万円の特別賞与を得た。現在の貨幣価値に換算すると、三億円にもなる。

重次郎は同郷で、出資者でもある小西喜代松に経理関係を任せて社長とし、自らは専務として業務全般に目配りした。

その頃、大阪で乗用車は全部で百台程度しかなかったのに、重次郎は二、三台も保有していた。〝大正の今太閤〟と称えられた重次郎は、大阪の経済界で一躍、時の人となったのだった。

恒次、左脚を切断する

一方、恒次である。一家で引っ越しをして、恒次は大阪市の北野尋常高等小学校に転校していたのだが、卒業が近づいてきた。その頃、重次郎は長期出張で四国に出かけていた。恒次は「鬼のいぬ間の洗濯」を決め込んで、仕事を手伝うこともせず、毎日、友人たちと遊びほうけていた。それでも、進学するのか、就職するのか、そろそろ進路を決めないと、重次郎に怒られる。

「それじゃ、工業学校にでもはいろうか」

その程度の気持ちで一九一一（明治四十四）年、恒次は大阪市立工業学校へ入学した。

重次郎も、あまりうるさいことは言わなかった。仕事が忙しく、子どものことにかまう暇などなかったのだ。

将来の夢もまだなく、ろくに勉強もしなかった。だから成績も、後ろから数えたほうが早いくらいだった。

恒次は二年生のとき、野球部に入部した。のちにプロ野球「広島東洋カープ」のオーナーになるが、野球好きはこの頃からのことである。背が低く、小柄であった。足も速いほうではない。器用にチームプレーをこなすキャッチャーではあったが、残念ながらレギュラーの座は射止められなかった。

野球以外では、時間があれば模型飛行機作りに熱中した。モノ作りに関心を持ち始めたのも、この頃のことである。

恒次は一九一五（大正四）年に工業学校を卒業し、京都の「陸軍宇治火薬製造所」に、設計係として入所した。製造設備の図面描きが仕事だった。しかし京都市と違って宇治は、人家もまばらな農村だった。大阪のにぎやかな町並みで育った〝ボンボン〟の恒次には、さびしくて耐えられない。結局、一年ももたずに退所してしまった。

その頃の重次郎は、関西でもトップクラスの超大金持ちである。仕事のない恒次は、父の趣味である盆栽や家事の手伝いをする程度で、時間はたっぷりある。恒次と宗彌は、紺色の羅紗（ラシャ）で作ったおしゃれなマントを羽織り、近所の子どもたちからは「紺マント兄弟」などと呼ばれていた。

当時、宝塚に室内の温水プールがあった。恒次は学生時代から、仲間と連れ立って、よく遊びに出かけていた。ところがある日、プールが廃止された。そこに舞台と観客席がしつらえられた。一九一四（大正三）年、「パラダイス劇場」の誕生である。「宝塚少女歌劇養成会」に入会した少女たちが歌ったり、ダンスを踊ったり、芝居を見せたりするようになった。これが発展して一九一九（大正八）年、「宝塚少女歌劇団」となったのである。

恒次たちは少女歌劇の熱心なファンとなり、工業学校時代の友人や近所の遊び仲間と連れ立って、しばしば観劇に通ったものである。ことに弟の宗彌は、兄以上に宝塚に病みつきになり、タカラジェンヌの篠原浅茅（あさぢ）にゾッコンほれ込んだ。篠原はのちに「宝塚四天王」と呼ばれるスターの一人だが、もともとは父の会社の事務員だったのだ。そんな縁もあり、宗彌は「結婚したい」と言って、重次郎を困らせたこともあった。

のびのびと青春を謳歌していた恒次が左脚に鋭い痛みを感じるようになったのは、一九一七（大正六）年、二十一歳のときだった。

「オイ原田、おれの足をみてくれ、腫れてるやろ。だんだん腫れが大きくなってきよるんや、どないしたらええやろ」[9]

工業学校時代からの親友、原田秀に袴の裾をまくって脚をみせた。見ると、左脚の膝頭の内側が、赤く大きく腫れあがっている。

「お前、こないなるまでよう放っておいたな、早いとこ医者に診てもらわなあかんで」

「そやろか、そんならいってくるわ」

近くの病院で診てもらったが、原因はわからない。大分の別府温泉に出かけて、温泉療法も試してみた。しかし一向によくならない。徴兵検査を目前にした頃のことだった。

「脚が痛むのは、夜遊びしてはおそくなり、門を飛び越してはいってくるからだ」

日頃の恒次の行いを苦々しく思っていた重次郎は、心底そう考えていた。

一九一七（大正六）年の春、大阪の回生病院に入院した恒次は、「結核性関節炎」と診断された。結核性関節炎は結核菌の感染によっておこる関節炎だが、感染初期には気づきにくい病気である。

「脚は切断しなければなりません」

医師の言葉を聞いた瞬間、恒次は身の凍る思いがした。

一九一八（大正七）年一月、恒次は左脚を切断した。最初の手術で膝上から下を切断した。しかし、病状が進んでいたため、二回目の手術が行われ、大腿部のなかほど

左脚を切断して退院した直後。22歳の恒次（右から2人目）。1918（大正7）年。（『松田恒次追想録』より）

から切断した。それでもまだ不十分で三回目には、大腿部の付け根付近から左脚が切り落とされてしまったのである。二十二歳にして直面した、大いなる挫折であった。

「長い入院中、人間の心理なんてほんとうに不思議なものだと思った。他人(ひと)が自分の周囲で、万一を気づかってくれているときには、かえって『なにクソ、これぐらいで死にはせん。死ねるものか』と思うのだが、ハタが自分になにもいわなくなったりすると『やっぱりおれは、こんなに脚を切るようになって……、もう死ぬんかいナ』と、いたたまれない不安にひとりおののいたりしたものだった」[10]

それでも表面上は朗らかで、冗談好

きな質（たち）である。

「切り落とされた方の足の裏が痒（かゆ）うてかなわん」

笑い飛ばすことで、心配をかけまいとした。少年時代から恒次の友人だった中央広告通信取締役の中辻藤三郎は、次のように回想している。

「松田さんは、几帳面な一面、非常な淋しがりやで、脚をわるくされて回生病院に入院中は、毎日友達が七、八人集まってきて病室は集会場の観を呈し、主治医によく叱られたものでした。くる友達の少ない時は、だれとだれはまだきよらんなあ、と心待ちのご様子でした。晩年も、昔の古い友達がつれだって広島を訪ねますと、大変喜んでくださり、またこいや、今度はいつくるのや、と大阪弁まるだしでおっしゃいました。

松田さんは、昔の友達やその遺族などで困っているものがあると非常に心配されて、実にゆきとどいた面倒をみてあげていらっしゃいました。その親切さは言葉ではとてもあらわせません」[11]

脚が不自由で、心細かった。それが恒次の、周囲の人たちに対する思いやりや、やさしさにつながった。それは終生、変わらなかった。

一年三か月に及ぶ入院生活の末、恒次は一九一八（大正七）年夏、慣れない松葉杖をついて退院した。

重次郎の蹉跌

話は再び、重次郎である。一九一六(大正五)年、重役陣は重次郎に対し、社名を「株式会社松田製作所」から「日本兵器製造株式会社」に変更したいと提案した。

戦争が終われば、好景気は終わり、不景気が来る。それは日清戦争や日露戦争で、経験済みだった。重役陣は、戦争終結後の会社運営について、事業の縮小はやむを得ないと考えていた。会社の名前を変更しようとしたのも、積極経営の重次郎色を薄めようという狙いもあった。

これに対して重次郎は、自分の名前が社名から消えるにもかかわらず、あっさり了承した。逆に重次郎はこの機会をとらえ、社名にふさわしい新工場を建設しようと提案した。株価の高いうちに、次なる事業展開に着手しておかないと、手遅れになってしまうと考えたのだ。

輸送の地の利と用地確保のしやすさをポイントに、重次郎は故郷の向洋を候補地とし、五〇万坪の用地を取得すべく、地元と話をつけた。

ところがこの工場移転計画が、重役会議で無期延期とされたのである。現地を見た重役たちは、あまりの広大さに、呆然としてしまったのだ。五〇万坪と言えば一六五ヘクタール。「東京ドーム」で換算すると、三五個分である。確かに、広い。いままでも十分儲かっているのに、なぜそんな冒険をする必要があるのか。会社を取り仕切っている重次郎の提案だから、正面切って反対はできないが、事実上の否決である。

「あんなむやみな計画で、松田は何をやり出すかわからない」

重役たちは、重次郎が暴走していると考えた。そればかりでなく、ある者は、重次郎を疑惑の目で見た。

「松田は、ああして故郷に錦をかざって帰るのが目的なのだ。虚栄心のためにわれわれを犠牲にしようとしているのだ[12]」

確かに向洋は、重次郎の故郷である。故郷に錦を飾りたいという気持ちも、否定はできないだろう。しかし重次郎は、私情にかられて重大な案件を提案したりはしない。地価の高い大阪近郊に比べれば、その百倍もの土地が買えるのである。しかも、勤勉な働き手を格安で確保できる。自然災害も無縁である。海上輸送を使えば国内はもとより、海外も商圏となる。

北海道の室蘭に拠点を持つ「日本製鋼所」が、のちに重次郎と提携して大規模な工場を建設したことでもわかるように、向洋を候補地に選んだ重次郎の判断は、決して間違ってはいなかった。しかし重次郎は、またしても部下に裏切られたのである。

土地買収の話を持ち掛けたことで、重次郎は地元の人たちに迷惑をかけることにもなってしまった。責任を感じた重次郎は、自分で育て上げた会社を去る決断をした。

重次郎、三度目の蹉跌であった。

大儲けしている会社を、まさか辞めるとは思ってもみなかった重役陣は、大あわてだった。なんといっても、重次郎あっての会社なのである。大阪市長や大阪府知事まで、慰留に乗り出す騒動となった。しかし、一度言い出したら、あとには引かないのが重次郎だ。高額の報酬には未練もなく、大阪をあとにした。

その後の「日本兵器製造」はというと、重次郎の退社をきっかけに、株価が下落の一途をたどった。高いときには二七〇円まで跳ね上がった株価が、数年後には五円になった。重役たちが、重次郎の力量をいまさらながらに思い知ったところで、あとの祭りであった。

「マツダ」のスタート地点へ

重次郎は郷里の向洋で改めて、自分の会社を作ることにした。新たな出資者を募り、一九一八(大正七)年六月、故郷の向洋で、日本製鋼所と提携した「広島製作所」が開業した。一九〇七(明治四十)年創業の日本製鋼所は、戦艦に使われる防弾鋼板などを製造していた。広島製作所では、戦艦に搭載される砲身の加工、組み立てがメインとなった。広島に移り住んだ重次郎は、常務に就任した。

左脚を切断して退院した恒次は、父を頼って広島に移り住んだ。約一年間、滞在して元気を取り戻した。はじめてつけた義足にも慣れてくると、恒次は慣れ親しんだ大阪に戻ることにした。

一九一九（大正八）年八月、重次郎は二人の息子のため、外国人居留地跡としてハイカラな雰囲気の残る大阪市西区川口町のビルに、「松田重次郎商店」を設立した。支配人は恒次である。弟の宗彌と共に、事務所近くに下宿した。松田重次郎商店の仕事は、広島産の砥石などを販売する一方、広島製作所に納める機材を調達すること。要は、義足で社会復帰をはじめた恒次に、リハビリ的な仕事を与えたものだった。

同年十一月、重次郎は広島製作所の立ち上げで自分の役割は終わったと、会社を去ることにした。

しかし「金儲けの神様」という異名をとっていた重次郎を、広島の財界が放っておいてはくれない。しかも、まだ四十四歳の働き盛りである。重次郎は広島の二〇を超える会社で、重役や顧問などを引き受ける羽目になった。

さすがの重次郎も、そんなにたくさんの会社を本気になって見ることはできない。いきおい、表面的に資金の流れをチェックし、「どうすれば儲かるか」という思考に傾いていった。

「当時、私の周囲には株屋なども群がっていて、実は、誰にも秘密だったが、私は儲けようとの心で、生涯はじめて株に手を出した。すると、あの暴落。私は元も子も無くした。その金額たるや、日本製鋼所の土地を買い戻せるほどの高だった（ママ）が、殆どを吐き出してしまった。株屋の口に乗った私もどうかしていたが、あちこちの会社に関係していい気になり、自分で働いて事業を伸ばそうともしなかった当時の私は、いちばん恥かしい。わが人生、最大の失敗だと思う。このとき、やはり、一人一業であると深く反省させられた」[13]

一九二〇（大正九）年三月十五日、東京株式市場で株価がいっせいに大暴落を始めた。市場は恐慌状態に陥った。これは一般に「戦後恐慌」と呼ばれる。このとき重次郎は、額に汗して働くこと、そして「一人一業」を心に誓った。

重次郎は、広島でコルク栓を製造、販売していた個人経営の「清谷商会」に乞われ、重役に就任していた。しかし折からの不況で、売掛金の大半が回収不能となり、経営が行き詰まった。このため、メインバンクの「広島貯蓄銀行」が融資の回収と事業の存続をはかるため、一九二〇（大正九）年一月、資本金五〇万円で、「東洋コルク工業」を設立した。

初代社長には広島貯蓄銀行頭取の海塚新八が就任した。海塚は広島屈指の資産家であり、「広島の渋沢栄一」と呼ばれたほどの経済人である。その海塚に懇願され、重次郎も創業者の一人として、取締役に就いた。初代社長は海塚だが、実質的な経営は重次郎に任されることになった。この東洋コルク工業こそ、現在の「マツダ」のスタートである。

やがて海塚は、病気のため辞任を申し入れ、一九二一（大正十）年三月十四日、重次郎が後任の社長に就任した。「マツダ」という社名から、重次郎がマツダ初代社長だと間違われることもあるが、正確には二代目である。

アイデアマンの重次郎は、コルク栓を製造する際に出ていた「屑コルク」に目をつけた。廃棄していたコルクを、有効利用できないだろうか。重次郎は、「圧搾コルク板」の製造に乗り出した。

作り方は、まず屑コルクを粒状に砕き、その後、圧縮して板状に成型する。従来の製品は、澱粉糊などを結合剤として使っていたのだが、耐久性に難があった。そこで重次郎は、広島高等工業学校の協力を得て研究した結果、結合剤を使わず、加熱することで、コルク板の製品化に成功した。コルク自体に含まれる樹脂が熱で溶けだし、それが結合剤となって固まるのである。強度や断熱性、耐久性が、大幅に高まった。それまでは廃棄処分だった屑コルクで、付加価値の高いコルク製品が完成した。研究開発と商品化を決断した重次郎の功績である。

コルク板は、業務用や家庭用の冷蔵庫をはじめとした、各種の断熱材として使われるほか、軍事用では砲弾などを保管する際の緩衝材としても使われる。重次郎は持ち前の人脈で、海軍から大量の注文をとってきたりして、左前だった業績を急回復させた。重次郎は東京や大阪にも出張所を開設し、積極経営を展開したのである。

プライベートでは一九二〇（大正九）年、重次郎の母、リヨが亡くなった。九十一歳であった。

父の激怒と勘当処分

恒次は、そろそろ結婚を考える年頃になってきた。しかし片脚をなくしたというコンプレックスがある。加えて、重次郎の再婚相手である継母が、恒次に冷たかった。

「あんたはうちの子やない」

恒次は、東屋恒吉の長男として育てられた。うちの子ではないと言われるのも、仕方ないかと思った。

「嫁はんは自分で適当にさがしなはれ」

重次郎に相談しようかと思ったのだが、「このことは、おとうさんとも相談したうえでの結論」とも言われてしまった。

そこで恒次は、左脚の手術をした病院で小児科の看護婦をしていた、源美佐子に結婚を申し込んだ。入院中、恒次の係をしてくれていた看護婦の紹介である。意を決してのプロポーズを、彼女は受けてくれた。

一九二一（大正十）年、恒次二十五歳、美佐子二十二歳での結婚式は、新妻の親戚宅であげた。列席者も新婦側は親族、新郎側は少数の友人という簡素なものであった。恒次は新居を、現在の大阪府守口市に構えた。質素ながらも楽しい新婚生活であった。

ところが、重次郎が激怒した。

「わしの知らん女子（おなご）といっしょになった」

勘当同然の扱いになったのだ。恒次にしてみれば、義理の母に結婚の相談をしている。義母からは、父も結婚については恒次の自由に任せていると聞いていた。重次郎がなぜ立腹したのか、わからなかった。

重次郎は仕事でも家庭でも、厳格な人だった。重次郎にしてみれば、恒次が筋を通さなかったことが許せなかったのである。確かに、事前に結婚の報告をしなかった恒次も恒次である。重次郎と恒次の親子関係は、すっかりこじれてしまった。

翌年一月には長男、耕平が生まれた。しかし隻脚の恒次には、ろくな仕事がない。重次郎が作ってくれた松田重次郎商店は、恒次らの不手際で、すでに倒産していたのである。

「おい、恒さん、弱っとるそうじゃないか」

そう声をかけてくれたのは、工業学校時代からの友人、坂田一夫だった。彼の紹介で、電気医療器具を作る仕事を始めた。友人たちと会社を作って「ラジオレーヤー」という高周波治療器や、鉱石ラジオを製造販売した。しかし、大阪での仕事は、満足のいくものではなかった。子どもの将来もある。恒次は家族三人で、広島の父親を頼ってみることにした。

その頃の重次郎は、東洋コルク工業社長として奮闘しているところであった。仕事の鬼であったが、孫の顔を見た重次郎は、相好を崩して喜んだ。仕事のためには家庭を顧みなかった重次郎だが、孫への愛情はひとしおだった。恒次に「家の用事をやれ」と言いつけた。勘当処分も、自然に解消されたのである。

恒次一家は、重次郎の屋敷の横手にある貸家に居を構えることになった。恒次は父の家に出向いては、手紙の代筆をしたり、重次郎の趣味であった骨董品の整理をしたりと、のんびりした日々を過ごしたのである。

東洋コルクに入社する

重次郎の社長就任後、順調だった東洋コルク工業の経営も、わずか二年あまりで苦境を迎えることになった。一九二三（大正十二）年九月、関東大震災が起きたのである。東京に出張所を設け、手広く販売したことがあだになった。売掛金の多くが回収不可能となり、大きな打撃を受けたのだ。

そのとき窮地を救ってくれたのが、重次郎の生涯で最大の支援者となった野口遵（のぐちしたがう）である。

野口は帝国大学工科大学（現在の東京大学工学部電気工学科）を卒業後、福島の紡績会社で水力発電事業に取り組み、さらにドイツ企業の「シーメンス」東京支社に入って電力関係の知識と技術を磨いた。独立後、「日本窒素肥料」を中核とする「日窒コンツェルン」を一代で築き上げた、日本有数の実業家である。鮎川義介の「日産コンツェルン」などと並んで、「昭和財閥」の異名をとった。「電気化学工業の父」と称されたほか、朝鮮半島に大規模な水力発電所や巨大なコンビナートを造成したことから「朝鮮半島の事業王」と呼ばれたこともあった。その流れを汲む企業として、現在の「旭化成」や「積水ハウス」、「信越化学」など著名な会社が生まれている。同時に日本窒素肥料と、戦後の財閥解体に伴って再スタートした「新日本窒素肥料」は、「公害の原点」とも呼ばれる水俣病を引き起こした企業としても知られている。

野口は「中国電力」の社長を務めていたこともあって、広島にも邸宅を構えていた。野口は実業家として成功したが、その本質は最新の知識や技術を受け入れ、開発する有能な技術者だった。技術者どうしで、相通じるものがあったのだろう。野口は、広島の名物男だった重次郎と親交を深めたのである。

その野口が、重次郎を見込んで融資を行い、東洋コルク工業は倒産を免れることができた。

それでも不況は深刻化する。ついに重次郎は、人員整理を強いられることになった。

八八人の従業員のうち、四四人を解雇せざるをえない事態にまで追い込まれた。公平を期すため、解雇者は抽選で決めた。浮き沈みの激しい重次郎の人生だが、もっとも苦しい時期であった。

運命は過酷である。経営がぎりぎりの状態に追い込まれていたさなかの、一九二五（大正十四）年十二月五日のことである。深夜の火災で、コルク工場が全焼したのだ。従業員の一人が、倒れた煙突の下敷きになって死亡した。損害は当時の金額で三三万円。「東洋コルクは再起不能」と新聞に書かれたのも、当然だった。設立五年で東洋コルク工業、つまりマツダは、倒産の危機に直面した。

「私はこの際、南米へ行こうと思う。ブラジルへ行って、新しい気持ちで再出発したい。いつまでたってもうだつのあがらない日本にいても仕方がない……」[14]

失意の重次郎は、ブラジル行きを決意するところまで追い詰められた。海外移住者の多い広島ならではの決断である。重次郎は渡航費用を捻出するため、広島の中心部、八丁堀にあった広大な自邸を、一六万円で日本窒素の野口に買ってもらった。ところがその渡航費用まで、債権者に取り立てられてしまった。

「今までの私は、仕事を愛し、仕事そのもので生きて来た。然るにいつの間にか、仕事するおもしろさよりも、金儲けをするおもしろさのほうに傾いて来た。すくなくとも、あの信管で成功したことは、仕事をしたいという壱念によるものだった。金は仕事に付随したに過ぎなかった。仕事が第一で、金は第二、第三であった。それが広島に帰って来てからは、多くの会社に関係して金儲けが目的となった。これでは金を失うのは当然である。私は仕事をするようにできている人間である。それが天命だと信じている。金儲けに走ったのは天命にそむいたのだ。こんどの火事でもとの裸一貫になったのは、天が私を罰したのだ。私は出直そう」[15]

重次郎は、再起を期した。

そのとき重次郎が考えたのは、自分の得意な機械の製作に乗り出そうということだった。というのは、コルク事業は市場規模がそれほど大きくないのに、コルクメーカーが乱立して過当競争となり、これ以上の発展が望めなくなっていたからだ。

しかし新規事業に着手するためには資金、そして製品の納入先を確保しなければならない。

重次郎がまっさきに訪ねたのは、呉海軍工廠長の伍堂卓雄少将だった。のちには林銑十郎内閣や阿部信行内閣で、商工大臣や鉄道大臣、農林大臣を歴任する人物である。伍堂は、重次郎が呉海軍工廠からの発注で信管を製造した際、「松田はいい仕事をする」と、重次郎の仕事を認め、重次郎という人間に好感を持った。それから重次郎は、伍堂と親しくするようになったのだ。

呉海軍工廠は、横須賀や佐世保など、ほかの工廠には設けられていなかった製鋼部、大砲や機関銃などを作る砲熕部、それに水雷部などがあり、軍需工場として東洋一の規模を誇っていた。のちに日本海軍最大の戦艦「大和」を建造したことでも知られる。その事業規模に従って、関係する会社に製品や部品を注文する発注額も、国内事業所トップクラスであった。

重次郎は伍堂にこれまでの経緯を説明したうえで、「再出発したい」という決意を伝えた。これに対して伍堂は、「相当の援助をしよう」と、支援を約束してくれた。実績のない工場を直ちに、直接受注する資格を持つ「指定工場」とすることはできないため、重次郎と関係の深い日本製鋼所を通して「間接的に注文しよう」と、請け負ってくれた。

海軍からの注文が決まった。次は資金である。そこで力になってくれたのが、またしても野口である。重次郎から「銀行が融資を渋っている」という話を聞くと、野口は何のためらいもなく、重次郎が銀行から融資を受けるための保証人になってくれた。

「機械屋としての君は、銀行よりも僕が信用する。君が機械屋にもどるなら僕は判をおすよ。ことに伍堂君がそういうならよろこんでおすよ。伍堂君は僕と中学時代から竹馬の友なんやから」[16]

ここで再起が可能だったのは、なんといっても重次郎が伍堂、そして野口から得ていた信頼があったからこそである。逆に伍堂、そして野口から見れば、重次郎にはどんな大金にも代えられない才能があったのだ。

恒次が東洋コルク工業に入社したのは、重次郎が会社の再建に向けて奔走している一九二七（昭和二）年七月のことだった。宇治の火薬製造所で設計係として働いた恒次は、図面描きなら腕に覚えがある。

重次郎は、同年九月に社名を改めた。「コルク」の三文字をはずし、「東洋工業」としたのだ。

といっても、コルク製品の製造をただちに止め、機械製作に専念するというわけではない。重次郎はこれまでの経験から、ひとつの事業に特化してしまうと、一時的には成功したとしても、その成功が大きければ大きいほど、揺り戻しも大きいことを、大阪時代の信管事業、そして広島のコルク事業で痛いほど知っていた。景気の良いときもあれば、悪いときもある。会社を経営するうえで大切なのは、不況のときにも、人員整理をすることなく、事業を継続することだ。重次郎はそれを恒次に、ことあるごとに語るようになった。

恒次はすでに東洋コルク工業に入社していたが、社名変更を機に、改めて東洋工業に正式入社した形をとった。父との葛藤、片脚の切断と義足の生活という苦難を乗り越え、広島に移った恒次の、新しい人生の幕が切って落とされたのである。

広島に帰り、父の秘書役をしていた頃の恒次。1924(大正13)年。
(『松田恒次追想録』より)

第2章　オート三輪

オートバイを製造する

「東洋工業」への社名変更に伴って、機械製造部門ができると、社長の重次郎は、当面必要とされる機能以外にも様々に対応可能な、最先端の工作機械を数十台、日本内外の有名メーカーから購入した。フランスの「ヒューレ」社からは、複雑な切削加工ができる「万能フライス盤」。イギリスの「アルフレッドハーバード」社からは、旋回式の刃物台を取りつけた「タレット旋盤」。当時の日本では、陸軍の大阪砲兵工廠しか持っていなかった、光波干渉による精密測定器も買い入れた。いずれも非常に高価だったが、金に糸目はつけなかった。「技術の天才」という異名をとった、重次郎ならではのこだわりである。スパナなどの工具類に至るまで、一流品を選んだ。なぜ重次郎がそれほどこだわったのかというと、多様性を持った機械や装置であれば、重次郎の湧き出るアイデアをそのまま、形にすることができるからだ。これが、マツダならではのモノづくりにつながってゆくのである。

あわせて優秀な人材を、コルク部門から機械部門に配置転換した。

その頃、朝鮮半島で大規模な水力発電所をいくつも建設していた日本窒素の野口は、「工事に必要な削岩機を開発してもらいたい」と重次郎に依頼した。欧米製の削岩機は東洋人にとって大きすぎ、しかも耐久性に問題があったのだ。

国内で大手の削岩機メーカーはまだ存在しない。しかも、精密で高価な商品でありながら、消耗が激しいため、いったん販売したあとも、部品の注文や修理で、継続した売り上げを見込める。マツダの得意な工作技術を活かした、新しい分野として期待できそうだ。重次郎はアメリカの「インガソールランド」社などの製品を参考に、削岩機を作り上げた。完成した「トーヨーさく岩機」は好評で、大量の受注は会社の経営に大いに貢献した。

一九二九（昭和四）年には呉海軍工廠と佐世保海軍工廠の指定工場となり、航空機のエンジンやプロペラ、軍艦の精密機械などを次々に受注した。しかし、良いことばかりではない。軍関係は高い精度が求められるうえ、少量多品種の注文である。しかも数量が一定せず、注文に大きな繁閑の波があるため、量産によるコスト低減を図れないのが、悩みの種であった。

軍需に依存した受注生産では、独自の生産計画が立てられない。なんとか自前で、量産のできる新規事業を開拓したい。独自の製品を持ちたい。そう考えた重次郎の挑戦が、オートバイの製造だった。

「四輪車を作ればいいじゃないですか」

重次郎が車の魅力に取りつかれていることを知っている人たちは、重次郎にそう勧めた。というのも、国産の自動車作りが徐々に始まっていたからである。

一九一八(大正七)年、陸軍省が自動車産業を奨励しようと、「軍用自動車補助法」を制定した。有事には軍用に徴用することを前提に、民間のトラックに補助金を出すという制度である。これが日本初の自動車産業奨励策と言われる。

「東京瓦斯電気工業」、「三菱造船」、「川崎造船所」、「大阪鉄工所」、「汽車製造」、「奥村電機」など、当時、名の知られていた企業が自動車製造に名乗りを上げた。しかし大正の経済恐慌の影響を受けて、その多くが撤退してしまった。

一九二〇(大正九)年、「東京石川島造船所」は、イギリス「ウーズレー」社の自動車製造販売権を得て、乗用車、つづいてトラックの製造を始めた。

一九二三(大正十二)年、関東大震災が起きたことで、自動車に対する関心と需要が、一気に高まった。震災で鉄道や市電が破壊され、物資の運搬や人の輸送を、トラックやバスが担うようになったからである。東京では、「T型フォード」のトラックモデルを改造した、いわゆる「円太郎バス」八〇〇台が市内を走った。一一人乗りの小ささだったが、道路事情の悪かった震災後には、むしろ小型の方が重宝されたのだった。

その「フォード」は、日本法人の「日本フォード」を一九二四（大正十三）年十二月に設立し、翌年三月、横浜市に製造工場を開設してT型フォードの現地生産を始めた。GM（ゼネラルモーターズ）は一九二七（昭和二）年一月、日本法人の「日本GM」を大阪市に設立し、ただちにシボレーの現地生産を開始した。両社とも、部品をすべてアメリカから輸入するノックダウン方式で、最新のベルトコンベアシステムによる大量組み立てを開始した。一九三一（昭和六）年には国内の富裕層向けに、あわせて年間約二万台が生産された。

これに対し、当時、国産の自動車を製造していたのは「東京瓦斯電気工業自動車部」、「東京石川島造船所自動車部」、それに「ダット自動車製造」にとどまり、生産台数もあわせて約四四〇台にすぎなかった。国産車の販売価格はフォードやGMを大きく上回りながら、性能は劣っていたからである。

いずれにしても自動車は高級品であり、庶民にとっては高嶺の花だった。

「大衆向きでなけりゃ、ダメじゃ。量産のきくものをねらわにゃ……」

そのころ、庶民の足は自転車だった。ということは、その一割でもオートバイがとって代わることができれば、大きな商売になる。「技術の天才」であると同時に、「金儲けの神様」とも呼ばれた重次郎は、どうすれば経営が軌道に乗るかを常に考えていた。そのキーワードが「量産」である。軍需関係で得た技術を応用して民生用品を量産できれば、利益もあがる。重次郎は、最終目標を自動車製造に置きながら、まずは二輪車から手をつけることにした。

イギリスの二輪車メーカー、「フランシスバーネット」社などからオートバイを輸入し、分解して研究した。イギリス製のオートバイといえば、「トライアンフ」や「ノートン」が有名だが、高性能の一方、高価だった。一方、フランシスバーネットのオートバイは、性能はそこそこだが、軽量で使いやすく、値段も手ごろ。つまり庶民向きだった。重次郎は、そこに目をつけたのだ。

「会長はやろうとすることはどんなことでも、（中略）まず目的に対する知識を貯えられましたね。（中略）宍戸の自動車工場を見たいといわれるので、御案内したことを覚えています」[1]

元マツダ社員、植田実の回想である。

広島では、宍戸健一と宍戸義太郎の兄弟が一九二四（大正十三）年に創業した「シシドオートバイ製作所」が、マツダに先んじてオートバイを製作していた。第一号車は一九二六（大正十五）年に完成し、苗字の SiSiDo にちなんで「ＳＳＤ号」と命名された。陸軍の自動車学校や海軍工廠がＳＳＤ号を購入し、商工省からは工業研究奨励金として一万円を交付されるなど、その性能と技術は折り紙つきだった。高品質にこだわった製作所は、やがて資金難に陥り、一九三二（昭和七）年に廃業するが、広島ですでに日本最先端のオートバイメーカーが存在していることが、重次郎にはオドロキだった。解雇された従業員のうちの数人は、その技術力が評価されてマツダに迎えられている。

重次郎が技術者として卓越していたのは、ポンプ製造においてもそうだが、先人の技術を参考にしながら、自分のアイデアを加えたオリジナルな製品を作り出してゆくところにある。海外から、自社にふさわしい技術を導入し、重次郎の慧眼でそのときの自社と、社会の状況に適したスタイルに磨き上げる。新しさは必要だが、進み過ぎていてもいけない。

その手法を、恒次は父から受け継ぎ、自分のものとしていく。それがのちに、ロータリーエンジン開発に向かわせる原動力となるのである。

エンジンの製作ははじめてでも、ポンプや信管を製造した経験から、モノづくりの技術はどこにもひけをとらない自信が、重次郎にはあった。試作を始めて一年もたたない一九二九（昭和四）年、早くも第一号車が完成した。

翌一九三〇（昭和五）年には2サイクル、二五〇ccのオートバイ六台が完成した。テスト結果も上々で、最初の製品が三五〇円から三八〇円で販売された。同年十月、広島市の西練兵場、現在の県庁付近で行われたオートバイ競走に、マツダも参加した。当時の広島はオートレースが盛んで、地元の大祭「招魂祭」の余興として毎年開催されるオートバイ競走には、数万人の観客が詰めかけるほどの人気があった。そのオートバイ競走でマツダのオートバイは、優勝候補だったイギリスの「アリエル」を抑えて、見事に優勝した。当時のアリエルは、「トライアンフ」や「ハーレーダビッドソン」、「ＢＭＷ」などと並んで世界的に有名なオートバイである。この優勝で、社員の士気は高まった。歓喜に沸く社員の輪のなかに、恒次もいた。

「荷馬車にエンジンをつけろ」

オートバイ作りの成功をばねに、重次郎は「オート三輪」の製造に乗り出した。二輪車から一足飛びに四輪車を作るのではなく、まずは三輪車で実績を積もうという狙いである。というのは、その頃の貨物輸送は、荷馬車や大八車が主力だったのだが、リヤカーに外国製のエンジンをつけた簡易なオート三輪が人気を呼んでいたからである。内務省の規格審査を通ったものだけでも二六種類もあったが、その多くは手工業的な生産に頼り、品質も一定していなかった。

「荷馬車にエンジンを付けろ。あれくらいのスピードなら、たいした馬力もいるまい[2]」

重次郎は恒次に、オート三輪の開発を命じた。価格面で、四輪車はまだ高価である。しかし操舵装置や駆動方式がオートバイ式で簡易なオート三輪なら、手頃な値段に抑

マツダのオートバイ。1930(昭和5)年発売。(『東洋工業五十年史』より)

えることができる。

運転性能について言えば、オート三輪はスピードを上げたとき、四輪車に比べて安定性に欠けるという弱点があった。わかりやすく言えば、四輪車に比べれば横転しやすい。ひっくり返りやすいのだ。しかし、未舗装の多い当時の道路事情を考えれば、それほどのスピードは必要とされなかった。実際、オート三輪が転倒事故を起こして問題となった事例はない。

逆に利点としては、最小回転半径が小さいため小回りが利いて、急カーブの山道などでは四輪車よりむしろ運転しやすい。道幅の狭い住宅密集地や、小さな農家の庭先にも楽々と入っていける。凸凹道で、四輪車は車輪がひとつ浮いたら不安定となり危ないが、オート三輪は必ず三点が着地しているため、場合によっては四輪車よりむしろ安定していることもある。つまり、当時の道路事情に適していたのだ。

運ぶのは小口の荷物が中心という一般の運送事情にも、オート三輪はぴったりだった。専用の車庫がなくても狭いスペースで駐められるし、税金も安い。

馬車と比較すれば、面倒な馬の世話は必要なく、馬車より多くの荷物を積むことができる。

一九一九（大正八）年の「自動車取締令」で運転免許の制度が始まったが、全長二メートル四〇センチ、最高速度二五・六キロ、最大積載量二二五キロ以下、乗員一人であれば、無免許運転が許可されたことも大きかった。

経営者として重次郎は、信頼性の高いオート三輪を作れば「必ず売れるはず」と、目をつけたのだ。

エンジンは、イギリスの名門オートバイメーカー「トライアンフ」社が採用するなど、信頼性の高さが評価されていたイギリスの「ジョンアルフレッドブレストウィッチ」社製、トランスミッションは、やはりトライアンフが採用していたイギリスの「バーマン」社製を輸入し、仔細に検討した。車体は、のちに「アウディ」の母体となるドイツ「ＤＫＷ」社の三輪車を参考にした。このあたりにも、重次郎の一流志向が見て取れる。

ちなみにオート三輪はその頃、「三輪車」、「三輪自動車」、さらには走行時に出すエンジンの音から「バタンコ」、「バタバタ」などとも呼ばれていた。その愛嬌ある響きは、オート三輪が庶民的な乗り物として親しまれていた証しでもあり、のちにマツダは、「バタンコ・マンの歌」、「バタンコぶし」という宣伝レコードを出したほどである。一方で、マツダが躍進すると、それを快く思わない四輪メーカーの関係者は、マツダを「バタンコ屋」と揶揄した。マツダはオート三輪の生産を開始した一九三一（昭和六）年に三菱商事と販売契約を交わしたが、そこには「自動自転車」と書かれていた。

本書では、主人公である松田恒次が日本経済新聞に連載した『私の履歴書』で「オート三輪車」と書いていることを踏まえ、初期の三輪車については、より一般的な「オート三輪」と表記しておく。オートバイに荷台をつけたイメージの時代である。

重次郎の帝王学

重次郎は、オートバイの生産を開始する前年の一九二九（昭和四）年、恒次に「新商品開発」という社長特命を出した。これを受けて恒次は、技術担当で、のちに専務となる竹林清三とともに東京や大阪をまわって、自動車に関係する具体的な製造方法を調査した。なぜかと言うと、自動車製造は裾野のきわめて広い、組み立て産業だからである。エンジンや車体は自社で作るとしても、タイヤや電装品をはじめ、金具に至るまで、多数の部品を調達する必要が出てくる。それらをどこから手に入れるのか。特に工場が広島にあるマツダの場合、部品の値段だけでなく、輸送費が加算されることも考慮しなければならないのである。

恒次には、もうひとつの特命が課せられていた。「オート三輪の需要調査」だった。どの程度のスピードや輸送能力が求められるのか。輸送業者に聞き取りを重ねた。その結果、経済の発展に伴って輸送量が増し、ある程度のスピードが求められていることがわかってきた。そこで恒次は、「荷馬車程度のスピードでいい」という重次郎に、それでは市場のニーズに対応できないと進言し、重次郎も恒次のアドバイスを受け入れたのである。

製品の規格と部品の調達先が決まれば、重次郎と恒次の仕事は早い。オート三輪の試作車が早くも、一九三〇（昭和五）年秋に完成した。

その年、ロンドンで海軍軍縮会議が開かれ、米英日三国間の補助艦比率がほぼ一〇：一〇：七と決められた。主力艦については五年間、建造を停止することになった。軍艦では弾薬を安全に保管するため大量のコルクを使うのだが、その軍艦向けがぱったり止まった。軍需に関連した機械製造の注文も、打撃を受けた。重次郎がオート三輪に力を入れたのは、いつかこうした日が来ることに備えたものでもあった。

恒次は、もうひとつの重要な仕事も任された。

それまでの広島市吉島町の工場は、コルク専業時代は十分な広さだったが、機械製造部門ができてからは手狭になってきた。オート三輪の本格的な生産開始も迫ってくる。そこで重次郎は、新工場建設用地の購入を決断した。場所は、広島市東部に隣接する安芸郡府中村、現在の府中町で、広さは一万坪(約三万三〇〇〇平方メートル)。ここが、いまのマツダ本社所在地である。ちなみに、重次郎の生まれ育った場所は、目と鼻の先である。

取引先である呉海軍工廠や広島製作所も近い。宇品港や国鉄の向洋駅も近く、従業員の通勤にも便利な場所だった。将来、さらに敷地を拡張する余地も十分ある。

実際、周辺の隣接地や埋め立て地を広島県などから購入し、一九三七(昭和十二)年にはマツダの敷地は三万二五〇〇坪(約一〇万七二五〇平方メートル)となった。さらに兵器工場を建設するため、六万二〇〇〇坪(約二〇万四六〇〇平方メートル)が埋め立てられた。戦後にも、敷地の拡張は続いた。

恒次は、その新工場建設にあたって、陣頭指揮を任されたのである。

恒次はまず、新工場のレイアウトを作り、機械設備をそれまでの四五台から、新工場では九四台と、倍増する規模にした。

そのレイアウトを巡って、恒次と重次郎の間で意見が分かれた。恒次が、オート三輪専用の生産設備が必要だと主張したからだった。これに対して重次郎は、軍関係やオート三輪などの別なく、加工の工程で類似したものがあれば、それらを同一の機械でまとめて加工し、最終の組み立て段階になってはじめて、製品系列別に分ければよいと主張した。重次郎は、重複する投資を避けるべきだという考えであった。合理主義者らしい判断である。

しかし恒次は、自らの意見を貫いた。将来の生産増に、それでは対処できなくなると主張したのだ。最終的に重次郎は、市場調査をもとに生産予測を立てた恒次の方式を受け入れた。この頃からすでに、恒次らしさが窺(うかが)える。将来を見通す先見の明、それを踏まえて大胆に展開する決断力である。

恒次は社員の福利厚生にも配慮した。暖房には、効率のよいユニットヒーターが導入された。衛生環境に配慮して、トイレは水洗とした。いずれも当時の工場では考えられない、まったく新しい施設だった。

一九三〇（昭和五）年秋に着工し、翌年に完成するまで、恒次が現場監督も務めた。

「父としては、目立たないよう配慮しながら、しかもだんだんと、責任ある地位を託してきた[3]」

恒治の回想である。たたきあげの技術者である重次郎は、なんといっても現場にこだわったのだ。

「朝と夕に工場へ行け！　これは経営の秘訣だ」[4]

そう語る重次郎は毎朝、同じ時間に工場の入り口で、両手を腰にあて、胸を張って立つ。作業が始まると、工員の作業をじっくりと見据える。うっかり工員が仕事から手を離そうものなら、すぐに罵声が飛んでくる。

「アカン！」

工場長であろうが、他の工員と同じように叱責された。

恒次に対しては、現場で徹底的に学ばせる。それが重次郎流の帝王学であった。

ちなみに重次郎は、生家の貧しさと修業の旅で、満足に学校教育を受けたことがなかった。故郷の向洋には、読み書きを教える寺子屋式の学校があるにはあったが、ほとんど通った覚えがない。重次郎は、学校で得られる知識以上のものを、工場で得たのである。しかし、学校で習うような基礎的な知識を知らないという弱みがあった。

そこで重次郎は、社内の誰も知らなかったが、夜学に通って基礎的な教養を身につけた。ラジオの英語講座の時間には、自宅の書斎でテキストを広げて、熱心に勉強したものである。

技術者としての重次郎が重んじたのは、学者の意見であった。自分にはない知識を持っている人たちを、重次郎は尊重した。しかし、それに唯々諾々と従うのではなく、それを踏まえて判断するのが、重次郎流であった。

それはともかく、こうしてオート三輪の量産体制が整った。あとは販路である。そのとき、重次郎と恒次の力になったのが、またしても日本窒素の野口だった。

重次郎の力量を認めていた野口は、マツダの大株主となり、取締役にもなったばかりでなく、銀行との間に立って融資の便を図るなど、最大の支援者となっていた。オート三輪の販路について、重次郎から相談を受けた野口は、親友であった「三菱商事」常務の加藤恭平に相談した。その結果、三菱商事が一手に販売を引き受けることになった。

その頃の三菱といえば、圧倒的な力を持つ大財閥だ。その三菱ブランドを背負うということは、一流品のお墨つきを得たということでもある。三菱商事の強力な販売網を利用できるだけでなく、販売代金も確実に回収できる。当時は無名だったマツダにとって、願ってもない取引先だった。

恒次は戦後、「所得倍増計画」の池田勇人首相や、「住銀の法皇」と呼ばれた堀田庄三頭取ら、政財界の要人と深い交流を持ち、それがマツダの発展に大きく役立った。それというのも、重次郎が野口遵をはじめ、多くの有力者から支援を受け、事業は一人だけの力で成り立つものではないことを、目の当たりにしたからだろう。

マツダ号DA型の誕生

商工省は、一九二四(大正十三)年に制定した「小型自動車規格」を、一九三〇(昭和五)年に改正した。いまの小型自動車は、いわゆる「コンパクトカー」クラスの車を指すが、当時は、庶民の足として定着してきたオート三輪のために制定された規格である。それによれば、総排気量はそれまで三五〇ccだったのが、最大で五〇〇ccに、車体寸法もそれまでは約二・四メートルだったのが、約二・八メートルに拡大された。ちなみに戦後は、この「小型自動車規格」が、「軽自動車規格」へと変更されることになる。

一九三一(昭和六)年十月、府中の新工場で、オート三輪の生産が始まった。プレス鋼鈑による単一フレームで、エンジンにはアルミ合金のシリンダーヘッドを採用した。トランスミッションには、マツダが特許をとった、シフトレバーを直線的に操作できる機構を搭載すると同時に、それまでのオート三輪にはなかった後退ギアをつけて、バックもできるようにした。二〇〇キロという、当時としては破格の重量を積載できる荷台など、画期的な機能と性能を満載していた。なかでも特徴的だったのは、後輪の車軸で左右のタイヤの回転数を修正する「ディファレンシャルギア」を搭載し、カーブをスムーズに回れるようにしたことだ。製品の型番も、ディファレンシャルのDをとって、「DA型」と名づけられた。なお、AはABCのAであり、B型への進化を想定したものである。排気量は四八二cc、最高出力は九・四馬力である。

オート三輪の発売にあたって、重次郎と恒次は商標名を、社の内外で募集した。最も多かった応募は「すめら号」だった。「すめら」は、漢字で「皇」と書く。つまり天皇のことである。三菱商事は「天使」を提案した。しかし「すめら号」は畏れ多い。「天使」は死後の世界を予想させ、その響きは事故による「転死」に通じる。重次郎親子は結局、自分たちの苗字をとって、「マツダ号」とすることにした。興味深いのは、アルファベット表記である。ローマ字の「MATSUDA」ではなく、「MAZDA」としたことだ。「自動車産業の光となるように」との思いを込めて、ゾロアスター教の光の神である「アフラマズダ（Ahura Mazda）」にちなんだのだ。ゾロアスター教の歴史は古く、キリスト教や仏教にも影響を与えたと言われる。自分の名前と神様の名前との語呂合わせと言えばそれまでだが、世界に通じる名前を採用したということは、重次郎たちが世界を視野に入れていたことを窺わせるエピソードであり、実際にマツダは輸出に力を注ぐのである。

燃料タンクには、三菱を表すスリーダイヤモンドと「MAZDA」の文字を組み合わせたマークが輝いた。軍需景気でオート三輪の需要が増えていたところに、抜群の性能に加え、販売元となった三菱商事の全国ネットで、「マツダ号DA型」は好評を博した。DA型はその後、単一フレームを二重フレームに変え、同時に軽量化を図っ

マツダ号DA型。1931(昭和6)年発売。(『東洋工業五十年史』より)

た「DB型」に改良された。次いで一九三四(昭和九)年には、部分改良された「DC型」が発売された。

好調な売り上げを背景に、一九三三(昭和八)年の臨時株主総会で、資本金がそれまでの五〇万円から、一気に二〇〇万円に増資された。大阪証券取引所では、申し込み開始からわずか一五分で十数倍の申し込みとなる人気ぶりである。株主もそれまでの一四人から、三五〇人に増えた。

一九三一(昭和六)年に入社した延藤良亮は、マツダの先進性を感じた。

「入社して驚いたことには、当時一町工場に過ぎなかったのに、その着想は常に斬新であり、その施策は他の工場より一歩先んじていた。たとえば、当時検査制度を採用していた工場は、陸海軍工廠は別として、中小企業においてはその例をみなかった。また、時間請負制度の実施により能率の増進をはかるなど、当時としては画期的な経営内容であった」[5]

一九三四（昭和九）年七月、マツダ号は月産一〇〇台を突破した。一九三五（昭和十）年の師走には「ＫＣ36型」が発売された。特徴は、それまでのパイプフレームに変えて、圧延鋼板製のフレームを使ったり、チェーン式をやめてシャフトドライブを採用したりしたことで、外観が一新された。車両の重心を常に中心部に置くことで、運転性能も大幅に向上した。

オート三輪の販売台数は、一九三二（昭和七）年に四五〇台だったのが、一九三三（昭和八）年には七〇〇台、一九三四（昭和九）年には九〇〇台となり、売り上げは急速に伸びた。

販路は海外に広がった。一九三二（昭和七）年には中国の大連、奉天、青島、一九三三（昭和八）年にはインドへ輸出した。一九三五（昭和十）年にはシンガポールやマニラ。一九三六（昭和十一）年にはブラジルなどの南米諸国へ輸出され、世界的にマツダの知名度が上がってゆく。

従業員は一九三一（昭和六）年の約二〇〇人が、一九三四（昭和九）年には四〇〇人、さらに一九三六（昭和十一）年には八〇〇人と、数年ごとに倍々ゲームとなる急増ぶりであった。

社外走行テストに出かけるマツダ号 KC 型。向かって右端に39歳の恒次が乗っている。1935(昭和10)年10月。(『松田恒次追想録』より)

マツダの発展に伴って、恒次の職責も増していった。一九三一(昭和六)年三月には「営業部購買係主任兼作業部コルク工場主任」、同年八月には「作業部作業係主任」となった。一九三五(昭和十)年には、マツダを代表して、「全日本小型自動車協会」理事に就任し、業界のとりまとめにあたることになる。一九三七(昭和十二)年にはマツダの「作業部長代理」、一九三八(昭和十三)年四月には「支配人代理兼経理部長」、同年八月には取締役に昇進した。一九四〇(昭和十五)年夏には常務取締役、一九四三(昭和十八)年春には専務取締役として、社内全般を統括するようになった。重次郎の後継者が恒次であることは、誰の眼にも明らかなように思われた。

オート三輪は蚊帳の外

その頃の、国内の四輪自動車業界の様子である。

一九三五（昭和十）年八月九日、岡田内閣は「自動車工業確立ニ関スル件」について閣議決定した。

それによると、「自動車工業ハ単ニ機械工業ノミナラズ一般工業ノ基礎ヲ為ス工業ニシテ交通上並ニ産業上最重要ナル地位ヲ占メ」、「国防上最重要ナル意義ヲ有」するとしたうえで、「然ルニ本邦ニ於ケル自動車工業ノ現状ハ未ダ頗ル幼稚ニシテ諸外国ノ夫レ」に比べて「著シク遜色アルコトハ産業上並ニ国防上最遺憾」と分析する。

そのうえで「我国ノ現状ヲ見ルニ一面ニ於テハ最有力ナル外国会社系ノ自動車組立工業ガ存在シ我国大衆車ノ殆ド全部ヲ供給シ居ルノ実状ナルガ他面ニ於テ相当大規模ニ大衆車ノ製造計画ヲ有シ現ニ之ヲ進メツツアル者ニ現在ノ処日産自動車株式会社及株式会社豊田自動織機製作所ノ二者アリ、而シテ其ノ計画ハ何レモ未ダ完成ノ域ニ達シ居ラズ更ニ数段ノ努力ト犠牲トヲ必要トスル」と述べ、日産とトヨタは数段の〝努力〟と〝犠牲〟が必要とされた。

そのうえで、「前二会社ノ計画ニ係ルモノノ如キ幼稚ナル国産自動車工業ニ対シテモ其ノ計画ニシテ適切妥当ナルニ於テハ指導助成ノ方策ヲ講ズルノ要アリ」と述べる。〝幼稚ナル〟レベルの国産二社に対し、政府が対策を講ずる必要があることを強調する。日本の自動車メーカーにも、こういう時期があったのだ。

一九三六（昭和十一）年には軍の主導で、「自動車製造事業法」が公布、施行される。それによると、自動車の製造事業者は政府の許可を受けることとされた。

許可会社に対しては、排気量七五〇cc以上の自動車を年間三〇〇〇台以上生産することなどが義務づけられた。その一方、所得税や営業収益税、地方税、設備や資材の輸入税が五年間免除されることになった。

外国メーカーの国内生産については、生産台数が制限されるとともに、部品の輸入関税が大幅に引き上げられた。

外務省は、日米間の通商条約違反だと反対した。しかし軍が「国防」を錦の御旗に、押し切った。

こうして輸入車に対する締めつけを強め、フォードやGMを追い出しにかかると同時に、国産で必要な車を確保するため、許可会社に対する手厚い保護育成政策がとられることになったのである。

この自動車製造事業法で許可が下りたのは、一九三六（昭和十一）年のトヨタと日産、一九四一（昭和十六）年の「ヂーゼル自動車工業」、のちの「いすゞ」の三社であり、

「国産御三家」と呼ばれた。

三社の設立経緯は以下の通り。まず、トヨタである。「国産車の父」とも呼ばれる豊田喜一郎の手により一九三三（昭和八）年に「豊田自動織機製作所自動車部」が立ち上がる。一九三五（昭和十）年に「日の出モータース」を設立し、小型乗用車の「トヨダA1型」を試作した。翌一九三六（昭和十一）年に市販タイプの「トヨダAA型」を発表。一九三七（昭和十二）年に「トヨタ自動車工業」設立という経緯をたどる。

次に日産自動車である。一九三一（昭和六）年、鮎川義介率いる「戸畑鋳物」の傘下に「ダット自動車」が入った。ダット自動車の「脱兎号」は、一九一四（大正三）年に開催された大正博覧会で銅牌を受賞するなど、国内自動車産業のさきがけとして評価されている。一九三三（昭和八）年三月には、「戸畑鋳物自動車部」が創設される。同年十二月、鮎川が設立した持ち株会社の日本産業と、戸畑鋳物で出資して「自動車製造株式会社」が横浜に設立された。一九三四（昭和九）年には、「日産自動車株式会社」に改称され、一九三五（昭和十）年に横浜工場で小型乗用車「ダットサン」の組み立て一貫生産が始まった。

さらに日産は、大恐慌で業績が悪化して苦境に陥っていたアメリカの「グラハムペイジ」社から、設計図を含めた乗用車とトラックの生産設備一式を買い取り、生産能力を急激に拡大した。

いすゞは「東京石川島造船所」と「東京瓦斯電気工業」がそれぞれ「自動車部」を作って自動車製造を企画したことに始まり、一九三七（昭和十二）年に両部門が合併して「東京自動車工業」が設立された。一九四一（昭和十六）年には「ヂーゼル自動車工業」と社名変更する。大型トラックとディーゼルエンジンが中心で、戦後に「いすゞ」と社名変更する。

自動車製造事業法によって保護された国産メーカーは、急速に生産規模を拡大させた。例えばトヨタは、一九三七（昭和十二）年が四〇〇〇台だったのに対し、一九三八（昭和十三）年が四六〇〇台、一九三九（昭和十四）年が一万二〇〇〇台、一九四〇（昭和十五）年が一万四八〇〇台といった具合である。日産、いすゞともに、大幅に増加している。

これに対して日本フォードと日本GMは一九三九（昭和十四）年、日本での生産中止に追い込まれた。

一方、オート三輪はと言えば、ダイハツが製造を始めたのが一九三〇（昭和五）年、マツダが翌一九三一（昭和六）年。本格的な製造開始は、四輪メーカーを含め各社ともほぼ横並びである。ただし、トヨタと日産が税制面を含め、手厚く保護されたのに対し、オート三輪は非力で軍事用に適さないと見なされ、政府による保護や育成措置はまったくとられなかった。それどころか、小規模なメーカーは、商工省の「企業整備令」で整理された。存続を許されたオート三輪メーカーは、「マツダ」と「ダイハツ」、「ジャイアント」、それに「くろがね」の、わずか四社に過ぎなかった。

日本は多くの自動車メーカーがしのぎを削る、世界でも有数の自動車大国であるが、最初から四輪でスタートしたのはトヨタと日産、それにいすゞの「国産御三家」である。一方、マツダやダイハツ、ホンダやスズキ、それにスバルは二輪や三輪である。三菱は大正時代に乗用車を手掛けたが、すぐに撤退し、戦後に三輪で再スタートした。事業規模や政府の対応も、御三家とそれ以外では大きく異なっていた。

「あの人たちは戦時中から軍の手厚い保護の上にアグラをかいてトラックをつくっていた。そのときの土地、建物などを資本に、戦後、乗用車生産に乗出してきた。戦後に素手ではじめたわれわれとはスタートからして違うていた」[6]

のちに恒次がこうぼやくのも、故なしとはしないのである。

鹿児島―東京宣伝キャラバン

オート三輪の需要が急速に伸びたのに伴い、オート三輪メーカー間の競争も激化した。オート三輪業界では初めて、マツダが月賦販売を始めたのも、この頃である。

一九三六（昭和十一）年四月にはKC型四台とDC型一台、計五台のマツダ号を連ね、鹿児島から東京まで、二五日間をかけて二七〇〇キロを走破する大キャラバン隊を敢行した。

このキャラバンのヒントを与えてくれた人物が、「日本の内燃機関の父」と呼ばれる島津楢蔵（ならぞう）だ。島津は独学で、日本初のオートバイや、画期的な航空機用エンジンを製作したという、傑物である。

一八八八（明治二十一）年に大阪で生まれた島津は、重次郎より一三歳年下だ。自転車好きだった少年時代の島津はやがて、オートバイを作ってみたいと思うようになる。工業高校を卒業した島津は、織機製造で名を馳せていた名古屋の「豊田式織機」に入った。工場では発明家である豊田佐吉の薫陶を受けて、改めてオートバイ製作を志し、五か月後に退社。一九〇八（明治四十一）年に大阪で、「島津モーター研究所」を設立した。外国製オートバイの資料を見ながら、キャブレターや点火プラグ、乾電池まで自作し、早くも四か月後には、2サイクル四〇〇ccのエンジンを完成させる。翌年には4サイクル四〇〇ccエンジンを完成させ、自社で設計した車体に搭載して、国産オートバイ第一号を完成させたのである。二人乗りの乗用車や三輪自動車、さらにはモーターボートも開発する。

航空機の整備をしたことから航空機エンジンの研究も始め、日本初の航空機エンジンを製作した。一九一六（大正五）年には、時の総理大臣、大隈重信が会長を務める「帝国飛行協会」が主催した「発動機製作競技」で九気筒星型エンジンを出品して優勝し、日本初の「飛行機関民間製作者」として公認された。賞金は二万円。現在の貨幣価値に換算すると、およそ二億円にもなる。優勝したエンジンは、その頃日本に亡命していた中国の革命家、孫文から懇願され、五五〇〇円で売却したという逸話もある。

一九二五（大正十四）年には六三三ccのオートバイが完成する。「航空機のエンジンコンテストで優勝した」という意味を込めて、「エーロファースト号」と命名した。翌年二月から三月にかけて、オートバイの宣伝と共に、事業のスポンサー探しを兼ねて、鹿児島—東京キャラバンを敢行する。その途中、広島の名物実業家である重次郎と再会する。実は重次郎は、大阪時代から、島津と顔見知りだったのだ。「天才は天才を知る」といったところだろうか。

当時の重次郎は、前年暮れに工場を焼失し、苦境に立たされていた。しかし重次郎は、そんなそぶりをみじんも見せず、島津を歓待したのである。のちにそのことを知った島津は、重次郎の心遣いに感激した。

一九二七（昭和二）年、島津は日本初のオートバイメーカーである「日本モーターース製作所」を設立する。この会社で二五〇ccのエーロファースト号を数百台製造し、販売した。しかし、当時の日本では時期尚早だったのか、数年で製作所は閉鎖に至る。島津は、時代の先端の、さらに先を走り過ぎてしまったのだ。

マツダ号による鹿児島—東京キャラバン隊。行程途中(上)。ゴール後、明治神宮にて(下)。1936(昭和11)年。(『東洋工業五十年史』より)

島津が事業に失敗したのを知った重次郎は、マツダで働くよう勧めた。こうして一九三五（昭和十）年、島津はマツダに入社したのである。

マツダの大阪出張所長に就いた島津は、関西地区のオート三輪販売を陣頭指揮する一方、車体やエンジンの設計と試作にも才能を発揮した。

そればかりではなく、「ヱーロファースト号」による宣伝キャラバンの経験を買われ、マツダ号による鹿児島―東京キャラバン隊の「団長」に指名された。

キャラバン隊の訪問先は各地の特約店や大口ユーザー、新聞社、商工会議所、それに陸軍や海軍、鉄道省など三〇〇か所を越えた。ＰＲ映画の上映会も一八都市で一九四回に及んだ。

キャラバンが終了すると島津は、実際に長距離走行した結果を、オート三輪の耐久性向上にも反映させたのである。

のちに九州や東北、北海道などで他社のキャラバン宣伝が次々に実施されたが、マツダのキャラバン隊はその先駆をなすものだった。

航空機にも詳しい島津は、空からの宣伝も任された。というのは、朝日新聞社が陸軍から「九七式司令部偵察機」の払い下げを受け、一九三七（昭和十二）年四月六日に「神風号」として、東京の立川飛行場からヨーロッパへ飛行することになったからだった。イギリス国王の戴冠式を祝うという名目だったが、新聞社の主催で宣伝が行き届いたこともあって、国民が熱狂する出来事となった。これは絶好のチャンスとばかり、島津は智恵を絞った。

どうしたかというと、飛行機三機を三五〇円でチャーターし、神風号が出発する日に「神風号歓送飛行」と銘打って、「マツダ」のネームが入った吹き流しをはためかせながら、大阪市とその周辺の上空を編隊飛行させたのだ。日本で最初の編隊宣伝飛行は、人びとの注目を大いに集めたのである。

「四輪の自動車をつくるのが私の念願です」

一九三六(昭和十一)年、マツダは三菱商事との契約を解消した。当初は三菱のブランドに助けられたが、代理店を通すことで、どうしても値段が割高になるのは避けられなかった。さらに、競争が熾烈(しれつ)になるなかで、自前の販売組織を構築する必要がある。そんなとき、三菱のほうから契約解消を申し入れてきた。三菱側にとってみれば、本来の商売は、一括して小売りに販売する卸しのスタイルである。一台ずつ販売する小売業は手間がかかるばかりで、採算に合わなかったのだ。

この頃、重次郎と恒次は、オート三輪の次なる商品として、四輪車の具体的な検討を始めた。そもそも、アメリカやイギリスなど自動車の先進国で、オート三輪はほとんど普及していない。日本は道路の舗装が進んでいないことや、四輪車の値段が高いこともあって、三輪車の需要が多いが、やがて道路整備が進めば、より高速で走行できる四輪車の時代が来る。そのときになって準備を始めても、遅いのだ。

一九三六（昭和十一）年十一月に、野口も出席して開かれた重役会で、「小型四輪自動車製造ニ関スル件」が議題とされた。この席で「現在ノ工場諸設備ヲ利用シ小型四輪自動車ヲ製造スル」ことが決議され、「直チニ実現ニ着手スル事」とされたのである。

これを受けて、イギリスで高い人気を誇っていた七五〇ccの自動車、「オースチンセブン」を購入し、研究を開始した。一九二二年にデビューして以来、第二次世界大戦時点までに二五万台も生産された、超ベストセラーである。全長は二七〇二ミリ、排気量は七四七cc。マツダ号とほぼ同等のサイズである。まさに格好の研究対象であった。オースチンセブンはやがて、やはりベストセラー車の「ミニ」へと進化してゆく。

さらにアメリカ資本のドイツ車「オペル」を入手するなど、様々なスタイルを学んでいった。アメリカからは最新のプレス機械をはじめ、各種設備も購入して、具体的な生産準備も進めた。

「四輪の自動車をつくるのが私の念願です[7]」

そのとき日銀広島支店の支店長を務めていた富田史朗は、重次郎と二人で懇談した際の、この言葉が忘れられない。軍需製造がメインとなったなかでも、重次郎は自動車に対する熱い思いをたぎらせていたのである。

幹部位置表示灯

恒次は、社内で無駄をなくすために知恵を絞った。その象徴が、一九三七（昭和十二）年に設置した「幹部位置表示灯」と「幹部呼び出し装置」である。マツダに限らず、例えば社長や副社長が在室かどうか、秘書課に設置された表示灯でわかるようにしている会社は多い。恒次は、これを徹底したのだ。

受付や電話交換室はもちろん、応接室や会議室など社内一八〇か所に「幹部位置表示灯」を設置し、課長以上の幹部が自分でデスクの上のスイッチを「在室」、「来客」、「工場」、「外出」と切り替えるだけで、表示が変わる仕組みになっている。これにより、社外から電話があっても、電話交換手はいちいち社内電話で問い合わせをすることなく、表示灯を見て返答できるようになった。

幹部社員が自席を離れていたときには、「幹部呼び出し装置」を使い、社内にいる幹部と連絡がつくようになっている。その仕組みは、それぞれの幹部に固有の番号を割り振ったうえで、本社と工場、約六〇〇か所に据えつけられている内線電話に、独自の表示灯をつけたのである。

例えば、恒次の場合は八〇〇一番。社内のどこかにいる恒次を呼び出したいとき、手元の電話で八〇〇一番をダイヤルする。すると、電話機に取りつけられた表示灯が、番号ごとに決められた、赤、青、白、緑などのランプの組み合わせでいっせいに光り、事務所の場合はブザー、工場の場合はベルが断続的に鳴る仕組みになっている。ランプの表示で、自分への連絡があるとわかると、手近な受話器をとり、例えば自分の番号が八〇〇〇番台の人はダイヤル一二を、九〇〇〇番台の人は一三をまわせば、呼び出し人と通話ができるというシステムだ。

この装置によって、呼び出しから応答までにかかる所要時間は、平均して一〇秒から二〇秒程度になった。

「非常に細くて長い工場であった。驚いたことには、工場のいたるところに五組の色違いのランプがついていて、その色の組合せによって呼びたい人を呼ぶことのできる仕組みになっていた。呼ばれた人はそこにある電話をとれば、社内電話、長距離電話にかかわらず、すぐ通ずることになっている。このような設備は、私がそれまでみたマシントゥールの工場では初めてであった[8]」

一九四〇（昭和十五）年、富士機械製造相談役の佐々木栄一が、恒次を訪ねてマツダの本社を訪問した際の回想である。

携帯電話を全員が持っている現代では、なんともおおげさなシステムのようにも思える。しかし、時代は八〇年以上も前なのである。機械がなければ自分たちで考え、開発するという恒次の合理性と実行力が端的に表れている。

宴席も真剣勝負

「お茶で十ぺん、お酒で一ぺん」

お茶を出す席なら十回はかかるような交渉事も、酒席なら一度で済ますことができるという意味だ。重次郎がよく語っていた言葉である。

「私の父はとくに客をもてなすということに厳格だった。宴席というものを非常に尊んだ人であった。宴席に出るということは、心の中では、真剣勝負にのぞむときのようであった」

ビジネスマンにとって、宴席は真剣勝負である。しかも、十回かかるべき交渉が、わずか一回で済むとなれば、効率的この上ない。

重次郎は宴席に客を招くとき、腕時計を着けていかなかった。自ら時間を忘れることで、客にも時間を忘れて楽しんでもらおうというのだ。

「〝お客を接待して、相手ばかり楽しんで、自分はつまらなかった〟と思うときが、いちばんよいのだ[9]」

これも重次郎が恒次にたびたび語った教えである。宴席は、自分の楽しみではない。

あくまで仕事なのである。しかし、相手にそれと思わせてはいけない。まことに日本的な慣習であるが、取引先が日本の企業である以上、宴席が重要であり、それに真剣勝負で臨むのだ。

重次郎は若い頃、酒がまったく飲めなかった。もともと酒好きではないのである。とはいうものの、年を重ねて五十歳を過ぎてからは、かなり飲めるようにはなった。

これに対して恒次は、酒にめっぽう強い。マツダの技術顧問、田中重芳は、宴席で恒次が乱れた姿を見たことがないという。

「客の接待は大切なビジネスである、これは故会長以来のモットーである。客が喜んでくれるようにお相手をするには、隅ずみまで気を配らねばならない。とても客の前で酔っぱらってはおられない、というわけで客の前で酔態を示したことはなかった[10]」

日本自動車工業会常務理事の桜井淑雄も、恒次について、「確かに、松田さんはお客さんに対してよくつとめられる方でしたね。それは晩年までかわりませんでした」という。

全国軽自動車協会連合会会長の石塚秀男は、「松田さんは酒が強かったですねえ、実にタフでしたよ。僕なんか途中ですっかりまいっちゃったんだから」。

マツダの取締役、中野徳蔵も、「強かったですね。舌が多少もつれるようにはなりましたが、崩れるということはなかったですね[11]」と語る。

戦後の恒次は、日本酒より洋酒を好んだ。特にオールドパーのストレートが好きだった。カクテルでは、ジンフィズを好んだ。

戦時体制で陸海軍共同管理に

一九三七（昭和十二）年七月、日中戦争が始まると、国内のあらゆる組織が総力戦体制へと再編成されていった。マツダは陸軍の「小倉工廠」から、「三八式歩兵銃」と、「九二式騎兵銃」の生産をするよう申し渡された。重次郎は「自動車こそ戦時に必須の輸送機関じゃないか」と、「一応断った」[12]が、そんなことが認められるはずもなく、年末には部品の生産が始まった。

一九三八（昭和十三）年四月一日、国家総動員法が公布された。戦争遂行のため、あらゆる人的、物的資源を政府が強制的に統制し、運用できることになった。

これを踏まえてマツダに対し、「昭和十四年四月頃マデニ歩兵銃部品月製二千挺生産ニ必要ナル措置ヲ構ズベシ」との陸軍大臣の命令が下された。これを受けてマツダは、七・七ミリの「九九式歩兵銃」の部品生産を開始した。九九式というのは、昭和十四年が皇紀二五九九年にあたることからつけられた名前である。従来の歩兵銃より、口径が大きいにもかかわらず、軽量で、歩兵のみならず騎兵にも使えるようにした最新式だった。

さらに呉海軍工廠からは、「爆弾や水雷、信管その他を製作せよ」との命令である。この命令をめぐり、相手が軍隊であっても、間違ったことは認めないという、重次郎の反骨精神を窺わせるエピソードがある。

すでに陸軍の仕事で手一杯だった重次郎は、工廠の担当者に、無理なことを説明したのだが、「無理でもやれ」という。

「協力会社に出すことを条件としてでもよろしければ」

「かまわない。すべて一任する」

重次郎は、仕事を下請けに回した。そこで、問題が起きた。下請け業者が作った製品のなかに、わずかに一個だけ、不良品が混じっていた。それを海軍の検査工が仰々しく取り上げて、重次郎は「不正をしている」と監督官に報告したのだ。ほかの会社では、問題にもならないことである。なぜその検査工が問題にしたのか。

もしわずかでも問題があれば、会社側が検査工を、ご機嫌取りのために接待するのが常だった。たとえ問題がなくても、検査工は難癖をつけてくる。広島だけでなく、全国的な問題だったが、軍部の横暴に、民間は逆らえなかった。

これに対して重次郎は、不正な要求に一切、応じなかったのだ。

「神聖な仕事を汚してはならない」

それが重次郎の仕事に対する考えだ。よこしまな検査工が、重次郎を目の敵にする

軍部の工場視察と案内する松田重次郎。(『東洋工業五十年史』より)

わけである。検査官に呼び出された重次郎は、丁寧に事情を説明した。

「外注品なので、よく調べたつもりであるが、日限を急がされたため納入した。その一個を見落したのはお詫びしなければならんとしても、このために東洋工業が不正をすると放言されては残念です」

これに対し、監督官は傲然として、重次郎を睨みつけた。

「なんでもいい。始末書だ、始末書だ」

「私は始末書をかくような仕事はいたしません」

「なに? その言葉はなんか? あんな仕事をしておきながら!」

監督官は意地になり、工廠長に報告した。重次郎は、今度は工廠長に呼び出された。

「責任は私にある」

重次郎はまず、不良品が一個あったことを謝罪した。そのうえで、「検査工のやり方をこのまま放置すれば、私利を肥やすため、彼らは粗悪品さえ合格品にしかねない」と、現場の状況を説明した。重次郎としては、「よく教えてくれた」と喜んでもらうくらいのつもりだった。重次郎は若い頃、呉工廠で働いた経験がある。さらに、かつての工廠長、伍堂卓雄少将とは、肝胆相照らす仲だった。

ところが工廠長はいきなり、テーブルをどんとたたいた。

「貴様はおれの部下の悪口を言いに来たのか。今後貴様の会社とは縁切りだ」

呉工廠は、「仕事を取りあげる」と重次郎に宣告した。しかし重次郎は驚かなかった。というよりも、最初から仕事を断ろうとしたのである。取りあげてもらって、かえって好都合だった。

困ったのは海軍である。ほかに仕事を請け負わせることができる民間の会社はない。いまさら重次郎に仕事を依頼するのも体面上、はばかられる。

そこで海軍は、陸軍と協議したうえで、マツダを共同管理することにしたのである。

こうした軍の無理難題について、重次郎はこう回想している。

「私の機械業者としての信念と節操までは、押しゆがめられなかった。これだけは自慢させて頂きたいと思う」[13]

マツダ号GA型「グリーンパネル」

ついにマツダが、陸海軍で共同管理されることになった。従業員四〇〇〇人のマツダは、広島における一大兵器工場と化したのである。

こうしたさなかの同年四月、三菱商事に代わる自社の新しい販売網で売り出すことになった新型オート三輪が「GA型」である。計器盤が緑色に塗装されていたことから、「グリーンパネル」という商品名がつけられた。一代前のKC型に比べて排気量、馬力ともアップし、最大積載量が一〇〇キロ増えて五〇〇キロとなった。さらにトランスミッションが従来の三速から、四速に進化した。これは「ガソリンの一滴は血の一滴」と言われた戦時下の燃料不足に対応した燃費向上対策でもあり、燃料の二〇%節約に成功した。

グリーンパネルのキャッチフレーズは、「青春・幸福・平和の代名詞」。重次郎や恒次の当時の思いを代弁しているように感じられる。

しかし軍国主義の流れは軍需一本槍となり、民生用品の生産は圧迫を受ける。商工省の斡旋で、オート三輪の製造はダイハツ、くろがね、そしてマツダの三社のみに許可された。しかしその後、オート三輪の製造は一時、中止に追い込まれたりもして、製造台数は極端に落ち込んだ。そもそもガソリンの割り当てがほとんどなくなり、オート三輪は事実上、使えなくなっていたのだ。

一九三九(昭和十四)年二月には、陸軍のサイドカー「軍用九七式側車付自動二輪車」の生産を命じられた。このほか、上陸用舟艇や航空機用の発動機なども生産した。

一九四〇(昭和十五)年五月、重次郎の念願であった小型乗用車の試作車が完成した。しかし、そのときにはすでにマツダは軍事体制に完全に組み込まれ、乗用車の生産は、不可能となっていたのである。

一九四一(昭和十六)年には、松下幸之助が広島のマツダを訪問した。松下でも銃剣を作るよう命じられたため、すでに軍の銃を作っていたマツダの工場を見学したのだ。以下で「松田さん」とあるのは、恒次を指す。

「私は鉄砲をつくる非常に近代的な整備された工場をみせていただいたのであるが、

あわせてもうひとつ別の工場も案内していただいた。その工場では、当時としては大変進んだ高級工作機械を、相当大量につくっておられた。

私はそれをみて、〝あれほど立派な鉄砲や三輪車の工場をもっておられるのに……、何か特別のお考えでもあるのだろうか〟と、内心少し腑に落ちなかった。そのような私の気持を察してか、松田さんは、『松下さん、普通でしたら、私のところでは鉄砲なら鉄砲だけを、三輪トラックなら三輪トラックだけをつくっていれば、それで良いのかもしれません。けれども、より良い製品をつくるには、やはりより良い工作機械が必要です。そう考えて、このように工作機械の開発に力を入れているのです』と説明してくださった。

私は、それを聞いて非常に深い感銘を受けた。そして、〝なるほど、このようにものを考えておられるならば、この会社は将来さらに大きく伸びるだろう、自分もやはりもっとそういうことを考え、心がけなければいけないな〟と、大変教えられるものがあった[14]」

一九四一（昭和十六）年八月には、「臨戦態勢の強化」の一環として、刑務所の受刑者も生産拡大を図るための戦士にすべく、法務省は全国の軍需企業に受刑者を動員することにした。新聞によれば「最近沸底している熟練工の資源涵養に資せんとするもの」とされ、その第一弾として、大阪の鉄工所と共に選ばれたのが、マツダである。

恒次は「刑務作業事務嘱託」を委嘱され、受刑者の監督もしなければならなくなった。[15]

一九四三（昭和十八）年十二月には、兵器の増産を図るため、「軍需会社法」が施行された。これを受けて一九四四（昭和十九）年一月、マツダは軍から「軍需会社」に指定され、中国軍需管理部の管理下に置かれることになった。社長の重次郎は「生産責任者」、専務の恒次は「生産担当者」とされ、戦争遂行に沿う体制が強力に推し進められた。

同年十月のデータを見てみると、マツダでは、工作機械が二〇三六台、製鋼電気炉が四基、鋳造炉が五基、従業員は八五五六人にのぼり、軍需関係では国内でも第一級の規模と内容になっている。戦時中にマツダで生産した銃は、五八万挺に上った。

恒次のプライベートでは一九三三（昭和八）年、十二年間連れ添った最初の妻、美佐子を亡くした。苦楽を共にした妻の死に、恒次の心痛は大きかったが、仕事に没頭することで、耐える恒次だった。一九三九（昭和十四）年には、峠静代と再婚し、その年の暮れに長女、幸（みゆき）が誕生した。

第3章　原爆投下

重次郎の場合

一九四五（昭和二十）年八月六日午前七時二十五分。社用車の運転手、水野敏正は、クライスラーの高級乗用車「デソート」で、重次郎宅に着いた。普段なら、もっと遅い出迎えなのだが、前日、重次郎に「七時三十分に来るように」と指示されていたのだ。まばゆいばかりの青空が広がる朝だった。

「おめでとうございます」

水野がお祝いの言葉を述べたのは、その日が重次郎七十歳の誕生日だったからだ。

重次郎は、例年の誕生日には休みを取っていた。しかしこの日は、内務省管轄下の「中国地方総監府」が、中国地方の主な工業関係者を広島に集めて会議を予定していた。その会議に出席せねばならず、いったん会社に出ることにして、早めに迎えにこさせたのだ。

重次郎が乗り込むと、車は広島市中心部の大手町にある、馴染みの理髪店に向かった。

重次郎は車を降りると、いつものように店に向かい、ドアを押した。そのすぐあとを追いかけるように、別の客が重次郎に続いた。ほんの数歩の差であった。それが、二人の運命を分けることになった。理髪店は、爆心地から約二〇〇メートルという至近距離にあった。重次郎のあとに散髪してもらっていた客は、店内で即死したのである。

散髪を終えた重次郎は、車で護国神社に向かった。

「ワシがこうして毎日無事に仕事ができるのも、兵隊さんのお陰だ」

誕生日には、護国神社に参詣する習慣だった。護国神社は、爆心地から三〇〇メートルほどしか離れていなかった。

参拝を終えた重次郎は、車で会社に向かった。神社を出て五、六分たったときのことだった。

水野は次のように回想している。

「猿猴(えんこう)川を渡り、荒神橋東詰を過ぎて、西蟹屋町の宇品(うじな)線の踏切り（今の西蟹屋のずい道は工事中で通れなかった）を通り、満津井の料理屋のちょっと先位のところで、マグネシュームをたいたような光線を受けたわけです。（中略）『やーしもうたのー』と思ったら、ダーンと来たんです。それから一刻どうなったか全く闇で真っ暗でした」

目の前に強烈な閃光が走った。次の瞬間、あたりが真っ暗になった。

デソートの車体は瞬時に凹み、それから車のドアがいっせいに開いた。自動車から放り出された重次郎はたまらず、道路脇にあった土管のなかに身を隠した。運転手の水野は、川原に転げ落ちた。

「社長サーン」

水野は必死で重次郎を呼んだ。あたりは真っ暗闇で、なにも見えないのだ。ずいぶん離れたところから重次郎の声が聞こえた。

「オーイここじゃ[1]」

爆心地から約二・五キロの地点であった。

一九四五（昭和二十）年八月六日午前八時十五分、アメリカ軍のB29「エノラゲイ」号が投下した原子爆弾「リトルボーイ」は、広島市の上空約五八〇メートルで炸裂した。人類史上はじめて、核兵器が戦争の実戦で使われた瞬間だった。その威力は、高性能の通常爆弾を満載したB29が三〇〇〇機で一斉に一か所を攻撃した場合に匹敵した。

爆発の瞬間、強烈な熱戦と放射線が四方に放射されるとともに、衝撃波が発生し、そのあとを追って秒速四四〇メートルという猛烈な爆風が地上を襲った。爆心地では地表温度が三〇〇〇度から四〇〇〇度に達した。ちなみに、音速は秒速三四〇メートル、鉄が溶ける温度は一五〇〇度である。

爆心地から二キロ以内の建物は、ほとんどが破壊された。広島市の総戸数七万五〇〇〇戸の九〇%が倒壊し、八〇%が焼失した。

市内中心部の上流川町にあった重次郎の元の邸宅は、第1章で述べたように、事業に行き詰まった重次郎が南米に渡航するための資金として、野口遵に譲渡した。しかし野口はその後、東京に引っ越し、「支払いはいつでもよい」からと、重次郎に返したのである。大名屋敷風で、大きな門構えの家だった。

そこには、重次郎の思い出が詰まっていた。恒次たちに疎開を勧められても、「ここで死ぬなら本望」と、聞く耳を持たなかった。

しかし、重次郎宅の立派な造りに、内務省が目をつけた。大塚惟精（おおつかいせい）中国地方総監の官舎とされたのである。ここに至って、重次郎はやむを得ず引っ越したのだった。

地方総監府は、本土決戦に備えて全国八か所に置かれた行政機関であり、そのトップである地方総監は、天皇が任命する親任官である。

大塚は、重次郎の書斎だった部屋にいたのだが、爆風で崩れ落ちた梁の下敷きになり、やがて火の手が上がって全焼した邸宅で死亡した。爆心地から約一キロの地点であった。

市内牛田町の重次郎の引っ越し先も、原爆で全壊した。

爆心地から一・二キロ以内では、その日のうちに半数が死亡した。当時、広島市内には軍人も含めて約三五万人いたが、年末までに約一四万人が亡くなった。

八月六日の広島では、ほんのわずかな違いが、人びとの運命を分けることになった。歴史に「もし」という言葉はないが、この日が誕生日ではなく、自宅を出る時刻がいつもどおりだったら、あるいは例年の誕生日と同じように自宅にいたら、理髪店に入るのが数歩遅かったら、護国神社の参拝が数分遅れていたら、さらには内務省に邸宅を徴用されていなかったら、重次郎は黒焦げになっていたかもしれない。

恒次の場合

一方、恒次である。前日の八月五日の日曜日にたまたまトラックの都合がついたため、家族を広島市上流川町の自宅から疎開させ、恒次も同行したのである。

疎開先は高田郡白木町志和口の農家。現在は、広島市北東部の安佐北区となっている。それまでの疎開先があまりに遠かったため、マツダの本社に少しでも近い疎開先を確保したのだ。疎開先の部屋の電灯が壊れていたため、翌六日に休みを取って修理することにしていた。

その八月六日の朝である。外がピカッと光ったかと思ったら、あとから「ダダァーン」という轟音がした。恒次は驚いて、戸外に飛び出すと、山の向こうに真っ黒で大きな煙が湧き上がるように立ち上っているのが見えた。志和口の近くには、海軍の飛行場があった。農家の人たちが「飛行機の衝突だろうか」と話しているのが聞こえた。

休みを取るどころの話ではない。恒次が汽車と車を乗り継ぎ、ようやく会社にたどり着いたのは、その日の午後四時頃になっていた。

恒次の自宅は焼け落ちていた。もしトラックの都合がつかず、疎開の予定がずれ込んでいたら、恒次と家族は、全員亡くなっていただろう。

恒次が八月十日付で、大阪に住んでいた義理の弟の山口譲に宛てた手紙には、広島の惨状が次のように綴られている。恒次が体験し、あるいは見聞きした被爆の記録である。

「去る六日午前八時十五分頃、警報解除後、突然猛然たる電光に引き続き、大爆音を発し申し候(そうろう)。同時に工場の屋根は飛び、側壁は破れ、硝子は四散し、一時に何物も消滅せるかの感を呈し、同時に市内の各所にて火災の発生を見、数時間を経て、全市火炎に包まれ候。工場付近においては何ら、火災の発生を見ざりしも、四キロ程度にある広島駅付近から先は、一発の猛烈なる爆音と共に、一面火の海と化し申し候。一昼夜は燃え続け、ようやく燃えつくし申し候。ちょうど大阪の、焼夷弾を受けし状態と同様の惨状を呈し申し候。しかし瞬時に起りし家屋の倒壊と火災につき、焼夷弾の比

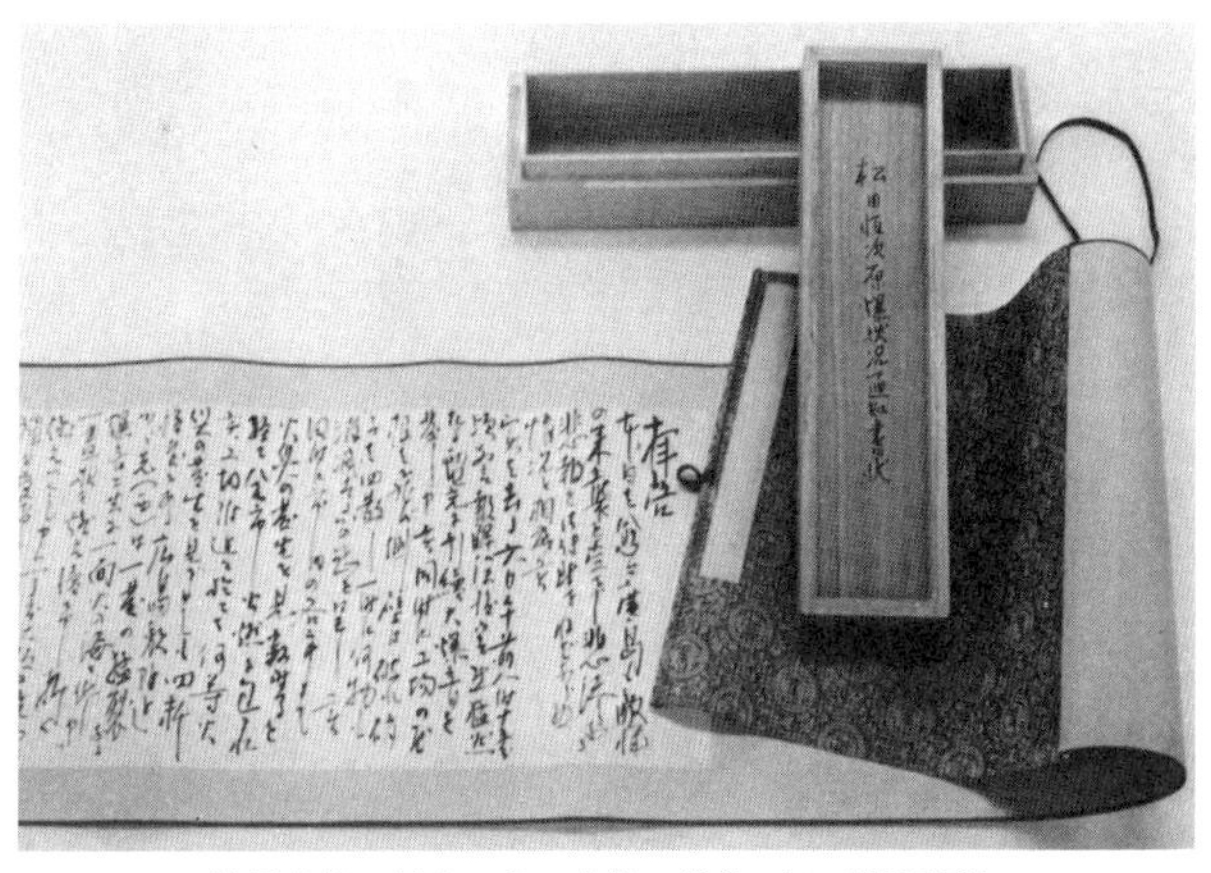

被爆直後の恒次からの書簡。義弟・山口譲氏所蔵。
(『松田恒次追想録』より)

にあらざる惨状に、これ有り候。小生の想像にては、三千メートル上空において、十トン程の爆薬が爆発し、しかも下向きに、同時に熱線に近きガス様の一面の燃焼と相成り候ものに、これ有り候。従って、爆風による家屋の倒壊、火災と相成しものに、これ有り候。自然、その人命を損せし程度は、これまた大なるものと存ぜられ候」(著者注 送り仮名と句読点を適宜、補った)

焼夷弾で火の海となった大阪の街と同様の惨状だとしながら、しかし瞬時にこの大惨事が起きたことから、焼夷弾の比ではないと、その威力に驚愕する。ではどのような兵器なのか、恒次は上空で巨大な爆弾が爆発し、その熱線がガス状となって瞬時に一面を焼き払ったと想像している。

「市内の各所に起りし死者の数は想像外にあり。在来の焼夷攻撃の想像外に、これ有り候。広島一円、一弾により、灰燼と化し申し候[2]」

想像を絶する惨状であった。

弟・宗彌の死

マツダは県当局から、一九四五（昭和二十）年八月六日も、市内鶴見町の住宅を取り壊す作業に社員を派遣するよう、命令を受けていた。焼夷弾攻撃による火災の延焼を防ぐため、住宅を帯状に取り壊して防火帯を作るもので、当時は「建物疎開（たてものそかい）」と呼ばれていた。この作業で動員された「東洋工業職域義勇隊」の七三人が亡くなったのを含め、マツダの社員では男性一〇九人、女性一〇人の、あわせて一一九人が、原爆で帰らぬ人となった。負傷者は男性三一六人、女性一九人の三三五人に上った。

マツダのオート三輪を販売する「マツダモータース」は、本社が爆心地近くの広島市塚本町にあった。重次郎の次男であり、恒次の弟である宗彌が、社長を務めていた。

マツダの元社員、藤越平五郎は、社長室で重次郎と話したときのことを、次のように記録している。

「社長、どこもけがは無いですか」

しばらく重次郎は無言だった。

「藤越君、宗彌が……」

「宗ちゃんがどうしました？」

「宗彌が……」

涙ぐんで藤越を見る。藤越は、ハッと気がついた。

「社長、心配なし、帰って来ますよ……」[3]

そんなやりとりがあった。

恒次は宗彌を探して、市内に向かったが、あまりの惨状に、目を覆うばかりであった。

義弟に宛てた手紙に、次のようにしたためている。なお、文中の「村尾」とは、詳しくは後述するが、恒次の義弟である。

「父、村尾、拙宅には死傷者を出す事無かりしも、宗彌の店は倒壊と共に全員、下敷となり、火災のために焼け、宗彌は親族中の最初の戦災犠牲者として白骨となり、本日ようやく判明。その遺骨を引き取り申し候。誠に遺憾至極のことに、これ有り候」

やはり宗彌は、原爆の犠牲になっていた。

宗彌の長男である欣也は、父の思い出を次のように語っている。

「あの日、おやじは来客があるからと、いつもより早く出掛けたらしい。建物と一緒になってドーン、で終わりですよ。おやじはいつも金庫の鍵を持ち歩いていたから、鍵のついた骨をおふくろが引き取った。お骨だけが残った」[4]

早朝から仕事をしていた宗彌は、原爆のため命を落としたのである。恒次は、苦楽を共にした最愛の弟を亡くし、涙した。

会社は一大救護所に

本人は無事でも、家族を失った社員も多かった。当時は取締役労務部長で、のちに専務となる河村郷四（かわむらさとし）は、午前七時半すぎに出社し、本人は無事だった。しかし広島一中の生徒だった長男は、疎開作業で即死した。

「元気でいってこいよ」

駅で別れたときにかけたひとことが、最後の言葉になった。河村は、急いで家族を探してまわった。

「いちばん下の女の子が、家がたおれて、下敷きになって亡くなりました。家内は台所にいたのが、いちおう外へ逃げました。（中略）中の女の子は、疎開してきたわたしの妹のいちばん下の子をだいて、縮景園の方へ逃げようとしたようです。まえから、縮景園が避難場所になっていたからです。しかし、爆風とともに、その妹の子は川へ落ちて死んでしまったようです。（中略）家内と妹と中の娘は、いちおう生きておったわけです。それがさあ、ひと月もしないうちに逝ってしまいました」

三女は倒れた家の下敷きになって死亡した。妻と次女、それに疎開に来ていた妹は翌月、亡くなった。次男は、行方がわからないままだった。

河村は家族の安否と容態が気にかかるものの、労務部長という立場上、現場で指揮を執らなければならない。市内の大洲町と己斐町の二か所に遺族との連絡所を設け、河村が現地で対応にあたった。

河村はその頃の心境を、次のように語っている。

「東洋工業のグラウンドのまんなかで、当時、あまりない材木をよせ集めて、家族をだびにふしてとむらいました。こういうひどい経験は、おそらくみなさん、やられたことがないでしょうなあ。

当分は、ほんまにぼけたようでしたよ。（中略）しかしね、やっぱり仕事というものが人間を救いますね。そのころは、六無斎ながらも、東洋工業の幹部だという自負心のようなものがありましたわね。で、この会社をたてなおさなきゃならんという義務感がある。それで、もう十月の六日には、出張で東京にでむいておりました[5]」

江戸中期の仙台藩士、林子平（はやししへい）は「親も無し 妻無し子無し 版木無し 金も無けれど 死にたくも無し」という和歌を詠み、自らを「六無斎」と号した。旧態依然の江戸幕府を批判したため窮地に追い込まれ、本を出版するための版木さえ没収されたという嘆き節である。これに因んで、何もないことを譬えるときに「六無斎」と言うが、広島の人たちにとって、それは比喩ではなかった。それでも河村には仕事があったため「死にたくも無し」、というより「死ぬわけにはいかない」だったが、「あのときいっしょに死にたかった」と思わずにはいられない人びとも多かったのである。

一方、マツダ本社の社屋と工場は、広島市の東隣、現在の府中町にある。原爆投下の爆心地から五・三キロ離れていた。この距離に加え、爆心地との間に、高さ約七〇メートルの小高い比治山があった。爆風によって窓枠は弓のように曲がり、窓ガラスは粉々に砕け散って社員は顔や手にケガをしたが、建物そのものはほぼ無傷で残された。機械類もほぼ無事だった。

マツダで当時、労務課教育主任を務めていた中尾一真は、マツダの附属医院の様子について、次のように書き残している。

「空襲を受けた広島市の市民が、一番広い道を東へ向かって避難するとき、最初に見出すことのできる医療機関がこの病院であった。すでに病院は、火傷患者でいっぱいだった。(中略)負傷者は続々とつめかけてくる。会社はこの人々を収容するために各食堂を解放した。寄宿舎も提供した。医薬品のストックは勿論、機械油、潤滑油、布類、必要なあらゆる物の倉庫を開き、全員を動員して救護にあたった。炊事場は働くものと避難者のために握り飯をつくり、患者のためにかゆをつくった。会社は一大救

東洋工業本社・工場。原爆投下時、窓ガラスはすべて壊れたが、建物は無事だった。

護所と化した」[6]

壊滅状態の広島市内から命からがら、歩いてたどり着いた先がマツダだった。彼らの多くは身体を黒焦げにしていた。皮膚はだらんと垂れ下がり、やけどで顔は膨れて、男なのか女なのかさえ、わからない人も多かった。仮設の救護所に収容された人たちも、次々と亡くなっていった。恒次は遺体の火葬にも立ち会い、原爆と戦争の恐ろしさを、胸に刻んだ。

存亡の危機に立つ

恒次は会社に着いてから一週間にわたり、工場の地下室を根城に、ほとんど不眠不休で陣頭指揮を執った。

重次郎とその家族は自宅を焼失し

たため、牛田の自宅奥にあった防空壕で、しばらく雨露をしのぐことになった。恒次は義弟に宛てた手紙で、重次郎について「目下、横穴生活中」と記している。

こうして八月十五日を迎えた。重次郎と恒次は、正午のラジオ放送を涙ながらに聞いた。

重次郎は、「平和日本、文化日本の産業のために働きぬこう」[7]と決意した。恒次は同じ思いを抱きながらも、「これはとんでもないことになる」[8]と直感した。しかし、敗戦という、これまでにない事態にどう対処すればよいのか、皆目見当がつかなかった。

恒次たちは、企業人である前に、人間として、そして広島の市民、県民として、できることからはじめた。それはまず、傷ついた人たちの受け入れであり、次に、公共的な機関を支援することだった。というのは官公庁をはじめ、メディア関係など、原爆で壊滅的な被害を受けた団体や企業が続々と、マツダに施設の提供を求めたからである。重次郎と恒次は、全面的に協力した。これにより、広島県庁の全機関は、翌一九四六（昭和二十一）年七月まで、マツダの施設内で業務にあたった。広島警察部、広島区裁判所、広島控訴院、広島県食料統制組合などもマツダに間借りした。メディア関係では、日本放送協会広島中央放送局がマツダで放送を再開した。中国新聞はマツダのオート三輪ＧＡ号を借り受け、市内の主な場所に壁張り新聞を掲示することができた。新聞には救護所の場所などが記載され、情報が枯渇していた市民に、正確なニュースを届けることができたのである。

その八月二十七日付の中国新聞に、「残された『原子爆弾』の恐怖」と題した記事が掲載された。アメリカの新聞『ワシントン・ポスト』の記事を受けた八月二十三日付毎日新聞大阪版の記事を転載したものである。

「今後七十年は住めぬ。ウラニウムの特殊作用によって血球を破壊し、呼吸の非常なる困難を伴って悶死する。米側においても『広島、長崎は今後七十年間は草木はもちろん、一切の生物は生息不可能』と恐るべき事実を放送している。むしろこれを復興せしめず、このままの残骸を現状のままにとどめて戦争記念物として永く保存すべしという声が各方面から起こりつつある」

これを読んだ市民は、がっくりと肩を落とした。

マツダのなかでも、「もう会社はダメだ」と勝手に決め込み、会社を辞めて帰郷する社員が少なくなかった。それに、このまま広島にいても、食べるものがない。原爆の影響と思われる身体の不調を訴え、退職する社員も多かった。

占領にあたったGHQ＝連合国軍総司令部は、「日本の平和経済に必要な設備施設のみを存置し、他はすべて賠償として取り立てる」という方針を示していた。「軍需会社」に指定されて軍需生産に特化していたマツダはまさに、存亡の危機に立たされた。

「そのときに、谷川昇さん、あれが内務省警保局長で、ひじょうによくしてくれましてね。結局、資本金一億円以上の会社にだけパージを適用しようということになったのです。東洋工業は三〇〇〇万円です。それで、社長以下助かったのです」[9]

河村の弁である。

内務省の警保局長は、いまで言えば警察庁長官に相当する要職である。谷川は広島出身で、のちに広島二区選出の衆議院議員となる。GHQによる会社資産の凍結や賠償工場の指定、公職追放にはあいまいな部分も多かった。マツダは一九四六(昭和二十一)年に賠償工場に指定され、工作機械部門と兵器部門であわせて一三五九もの機械や設備が封印されて、使用できなくなった。これは全社の機械、設備の四六%にのぼった。しかし、幹部社員の公職追放などは免れた。谷川が重次郎のために、一肌脱いだのだ。

賠償工場の指定に関しては、一九五一(昭和二十六)年のサンフランシスコ講和条約で、施設賠償は完全に放棄されることになった。

谷川というと、別のエピソードもある。一九四六(昭和二十一)年のことである。河村を訪ねた谷川が、警保局長の立場でもちかけた。

「ピストルをつくってみないか」

マツダは戦時中、軍用の銃を製造していたから、ピストル製造など造作もない。しかし河村は、言下に断った。

「もうそういうものは、一切つくりません。もうこりごりですよ」

「まあ、一回つくってみろや」

「いや、それだけはできません」[10]

その思いは、恒次も同じだった。

物資が不足した時代である。政府の注文であれば、資材も優先的に割り当てられる。財政的には、のどから手が出るほど仕事が欲しかった。それでも、断った。

恒次は、逆境に屈しなかった。脚を切断したときも、義足で立ち上がった恒次である。確かに広島は一面の焼け野原となった。しかし、恒次には〝クルマづくり〟にかける熱意があった。

「そうした追い詰められたときでさえ、私たちはあくまで車で立っていかなければならないのだと、堅く心に決めていた」[11]

同業他社の多くが、不本意ながら鍋釜を作っていても、恒次はクルマづくりの志を貫いた。

重次郎のクルマ好きから始まったオートバイ、そしてオート三輪製造だったが、いつしか恒次にも、重次郎の熱い思いが引き継がれていたのだ。

いち早くオート三輪生産を再開

敗戦からまだ一か月しかたっていない九月十五日。恒次は、広島では手に入らない部品や資材を確保しようと、のちに常務となる購買課長の鴉田峰雄とともに、各地の協力工場回りを始めた。まず、列車で十時間かけて、福岡県の久留米に出向いた。めざすはブリヂストンの工場である。

「タイヤを供給してもらえませんか」

しかし、答えはつれないものだった。

「まだ許可が出てないじゃないですか」

GHQは、自動車の生産をまだ許可していなかったのだ。占領下の日本において、GHQの意向は絶対である。

部品メーカーを回っても、オート三輪に必要な部品を作ってはくれない。

「いまは鍋、釜を作っとります。大事なのは、食うことじゃから」

恒次は、左脚が義足である。そのことを、周囲に知られないように振る舞っていた。同情を引きたくなかったのだ。例えば、会合で二階に招かれると、本当は階段を上りづらいにもかかわらず、笑顔で通した。だから取引先はもちろん、社員でもほとんどが、恒次の義足を知らなかった。だが、痛みはある。プライベートで旅行をほとんどしなかったのは、長く歩くと、あちこちの神経が痛むからだった。家に帰ると、妻のマッサージは欠かせなかった。それでも、恒次は痛みをおして、無駄足を承知で、工場回りを続けたのだった。

さしたる成果もなく広島に帰ると、東京の商工省から、恒次に呼び出しの電報が届いていた。

「なにごとだろう」

恒次は出張の疲れも癒えぬまま、上京することにした。

といっても、東京までの足が一苦労である。たまたま山口の鋼板メーカーから、使っていないタグボートを借りることができた。マツダの社内に残っていたディーゼル燃料の軽油を積み込み、一路、東京に向かった。

なんとか東京にたどり着いた恒次は、さっそく商工省の産業機械課に出向いた。すると一言。

「なんだい、達者だったかい?」

会社の先行きに悩み、交通事情も悪いなか、しかも痛む脚をひきずってようやくの思いで顔を出した。そんな苦労をして来たのに、用事もないのに呼び出したのかと、恒次は腹を立てた。しかし、泣く子と役人には勝てない。

悔しまぎれに銀座に出かけてみた。すると恒次は驚いた。広島では、これから進駐してくる占領軍に備えて、できる限り、女性や子どもを山中に避難させていた。それなのに東京では、進駐軍の兵士が、日本人の女性と腕を組んで、のんびりと散歩しているではないか。

「私はこのときはじめて、〝日本は生まれ変わったんだ〟ということを、身をもって感じたのである[12]」

東京から帰った恒次は、自分の感じた印象を、実際にマツダの幹部に体験させることにした。

「その目で、日本がどういう方向に変貌しつつあるか、そして、わが社としてはどういう方向に進むべきかをよく見てきたらいいと思う[13]」

ある者は、なんとか汽車に乗ることができた。汽車に乗れなかった者は、三輪車とガソリンをなんとか確保した。彼らは東京を見て、においをかぎ、広島に帰ってきた。

「車を作ろう」

それが、全員で出した結論だった。

日本は復興する。そう確信した恒次は、全国の協力工場回りにいっそう精を出した。年内には、すべての関連会社を訪ね歩いた。一九四五（昭和二十）年十一月からは、それまで取引のなかった京都市の「日本電池」、鳥取県米子市の「日本曹達（ソーダ）」、島根県安来市の「日立製作所」などへ足を運んだ。しかし日立を除いて、まだ事業再開のメドは立っていなかった。

一方、GHQは九月下旬、軍需工業の民需生産への転換を許可する方針を明らかにした。あわせて輸送力回復のため、全国で月産一五〇〇台を限度に、四輪トラックの生産を許可した。実際には物資不足のため、当初の数か月は月産五〇〇台程度にとどまったのだが、それにしても、日本の自動車産業が再スタートを切ることになったのだ。

重次郎と恒次はさっそく、事業再開に向けた具体的な準備を始めた。GHQにオート三輪の製造許可を申請すると、月産一〇〇〇台の製造が認められた。

これを受けて、社内体制の整備に取り掛かった。敗戦時の従業員は動員学徒、女子挺身隊、それに徴用の朝鮮人を含め、一万人近くいた。それが敗戦で、一気に五〇〇〇人に減った。前述したように自主的に退社した社員も多かった。それでもなお、大幅な人員超過であった。そこで二次にわたる人員整理を行い、社員約八〇〇人の体制に縮小した。工場では、機械設備の整備や補修が、急ピッチで進められた。

一九四五（昭和二十）年十二月、マツダはオート三輪の生産を再開した。年内に完成したのは、戦前から生産し、「グリーンパネル」の愛称で親しまれていたマツダ号GA型一〇台である。戦災を免れた工場には、鉄板の蓄えが、わずかながらあった。これが役立ったのだ。

戦後、いち早くオート三輪製造に乗り出したのは、戦前からの二大メーカーであるマツダとダイハツだった。翌一九四六（昭和二十一）年には、それまで航空機や精密機械を作っていた大手メーカーが、相次いでオート三輪市場に参入した。というのは、生活必需品を運ぶ運送手段として、手軽なオート三輪のニーズが急速に高まったのだ。一方、戦前のオート三輪は軍用に向かないとして生産台数が大幅に減らされていたため、現役のオート三輪はその多くが老朽化していた。こうして、オート三輪業界はにわかに活況を呈したのである。一九四七（昭和二十二）年の生産台数を見ると、マツダは二四三〇台で、ダイハツの二一五五台をかわし、業界トップであった。

しかしその道は、決して平坦なものではなかった。なにしろ、需要はあっても、物資がないのである。どの業界でもそれはそうなのだが、特に自動車産業は、各種の鉄板をはじめ、電装品からタイヤに至るまで、多種多様な資材や部品が必要となってくる。しかし主な原材料はＧＨＱの指示のもと、厳しい配給統制が敷かれていた。マツダに割り当てられた鉄板の量を見てみると、一九四七（昭和二十二）年は四〇〇トンあまりで、その年に必要だった鉄板の三七％に過ぎなかった。この割り当てのみで生産したとすれば、実績の三分の一にとどまっていたことになる。恒次は商工省にかけあったが、「ＧＨＱが作らせたいのは大型トラックだ。ＧＨＱには逆らえない」と、けんもほろろの対応である。あちこちの会社に聞いてみても、「鉄板は残らず持ってい

原爆ドームとマツダ号GA型「グリーンパネル」。

かれた」という返答だった。

瀬戸内海の島嶼部にまで出かけてみたが、万事休す。疲れ果てて道路脇に座り込んだ恒次の眼にとまったのは、さびれた燃料タンクだった。広島湾に浮かぶ江田島には海軍兵学校があり、現在は海上自衛隊の幹部候補生学校があることで知られている。恒次が立ち寄ったのは、その江田島と地続きの能美島だった。タンクは海軍が使っていたもので、所有者を調べると、「西日本水産」という会社だった。

「あのタンクは廃棄処分です」

「東洋工業が買い取ります」

一も二もなく応じてくれた。なんと、一一〇〇トンの鉄板を確保できたのである。

「この手があったか」と、不要になった燃料タンクを探してみた。その結果、一九四八（昭和二十三）年には「徳山燃料廠」から二〇〇〇トン、「岩国燃料廠」から一二〇〇トンの鉄板を払い下げてもらうことができた。さらに「広島鉄道局」から、現在の島根県江津市に保管していた鉄板二〇〇トンを手に入れることができた。

最後まで品薄だったのが、タイヤとチューブだった。車体が完成しても、タイヤのないオート三輪は、社内で「足なし車」とか「下駄履き車」とか呼ばれていた。

ブリヂストン社員だった諫山航五郎の回想である。

「終戦後久留米へ引き揚げて間もなく、松田さんが、数百台あるいは千数百台のタイ

資材不足に対処するため燃料タンクの払い下げを受け、燃料タンクから鉄板を再製する。1948(昭和23)年。（上下『東洋工業五十年史』より）

タイヤのない「足なし車」の在庫。

ヤの装備してない三輪車が敷地いっぱいに並んで雨ざらしになっている写真を数枚もって、私を訪ねてこられ、『これをみてくれ、この状態がつづけば、東洋工業の浮沈につながる問題となる。会社のつぶれることは戦時中からあるいは覚悟をしていたが、多くの従業員または販売店が職を失うことになるのは、今となっては忍びない。タイヤさえあれば急場はしのげる、ぜひなんとか配慮してくれないか』と必死の依頼がありました[14]」

恒次の熱意に打たれた諫山が、わずかな本数でもよければと承諾すると、マツダの社員が久留米でタイヤを受け取り、かついで汽車に乗って広島まで運んだのだった。

マツダが他社に比べて有利だったのは、内製率が高かったことだ。自前で多くの部品を作ることができる。作ることができなければ、「機械製造部門」で、部品を作るための機械を作ることができる。これは他社にまねのできないことだった。他社が鍋釜を作っていた時代に、いち早くオート三輪作りに復帰できたのも、重次郎と恒次の、社内体制作りのたまものである。こんな努力があってこその、業界トップ達成であった。

吹き荒れる労働争議

業績も回復しようかという矢先、マツダは激しい労働争議に見舞われた。

敗戦まで、労働組合は非合法だった。しかし戦後、GHQが占領政策の一環として、労働改革を掲げたのを背景に、日本の企業では労働組合が次々と結成され、ストライキが頻発していた。

マツダでは一九四六（昭和二十一）年二月、職員三五〇人、工員八〇〇〇人による「従業員組合」が結成された。その頃はまだ、ホワイトカラーが職員、ブルーカラーが工員と明確に分けられ、賃金体系が異なっていたのだ。

組合の結成は、会社側の提案によるものだった。時代の要請に従ったのである。会社の主導とはいっても、労働組合であり、争議に発展した。

対立したのは、労働組合を強化する協定を認めるかどうかを巡ってのことである。組合側は、厳密な「クローズドショップ」、つまり管理職を除く社員は、全員が組合員となることを主張した。これに対して会社側は、労働組合員か否かを雇用条件とせず、組合への加入の判断が労働者各自に任せられる「オープンショップ」を主張したのである。

恒次も団体交渉に加わったが、組合執行部は強硬だ。ストライキを敢行し、争議は長引いた。このため一般組合員の生活不安が募り、組合執行部に穏健派が台頭する。

「われわれは、いま復興のために立ちあがろうとしている大事なときだ。そういうときに、こういうもめごとをしていたのではいかんじゃないか」[15]

六月三日の組合員大会で、執行部が解任され、新執行部が発足した。ストライキは約一か月で解除され、オープンショップ制を基本とする団体協約が締結された。恒次はこのときの交渉を教訓に、労使協調の必要性を理解した。そして以下のような福利厚生の社内施策を、次々と打ち出していった。

同年九月、社員が文化やスポーツ関係の活動を行う「親和会」を作り、必要経費として会社が売上高の〇・〇五％を提供することにした。同年八月から一年間の売り上げは三億二六〇〇万円だったから、一六万三〇〇〇円を提供したことになる。当時は東京でラーメン一杯が二〇円ほどだったから、広島では使いでがあった。

一九四八（昭和二十三）年には、待遇改善の一環として、職員と工員の区別をなくし、社員として統一した雇用システムに移行した。

一九五三（昭和二十八）年には、住宅の新築や購入、修理に対する融資制度を始めた。社員に対し、年三分という低利で融資するのだ。住宅対策を昭和二〇年代にスタートさせたのは、日本の企業としてはかなり早く、従業員には歓迎された。

同業他社でも、同様に労使紛争が発生した。トヨタは一九五〇（昭和二十五）年に、社員の大量解雇と一〇％の賃金引下げを実施し、二か月におよぶ大争議となった。その結果、トヨタには帝国銀行から専務が送り込まれ、創業者の豊田喜一郎が社長を退任する事態になった。

日産では一九五三（昭和二十八）年に「百日闘争」と呼ばれる大争議が起きた。組合側は「時間内組合活動の賃金カットを認めない」と主張したが、会社側は団体交渉を拒否し、最終的に組合側の敗北で終結した。

オール小型自動車走行大会

生産が思うにまかせないという状況をなんとか打開しようと、オート三輪業界が結束して一九四七（昭和二十二）年に東京で開いたのが「オール小型自動車走行大会」である。そのとき「日本小型自動車組合」の理事長であった恒次が発案し、「ぜひやろう」と提起したのである。

大会のいきさつを、マツダの取締役を務めた中野徳蔵は次のように説明する。

「原材料の割当てをふやしてもらうには、日本の小型自動車の実態を関係当局によく理解してもらうことが先決だ。資料に基づいていろいろ説明しても限界があるから、一大デモンストレーションを展開し、小型車の重要性を直接的に訴えようではないか、ということとでした[16]」

オール小型自動車走行大会実行委員会を作り、恒次が委員長として計画から実施まで、すべて取り仕切った。参加したオート三輪は一八社の、あわせて三五台。四月二十一日午前九時すぎに皇居前を出発した。運輸省前を通り、第二京浜国道、第一京浜国道などを経て、午後二時すぎに無事、箱根に到着した。その間、横浜のGHQの前では、MPが誘導してくれた。当時はほとんどの道路が未舗装で、茅ケ崎あたりは砂利道だった。箱根では車の展示を行い、GHQの関係者に講評してもらった。

日本自動車工業会常務理事の桜井淑雄は、その成果が着実に出てきたと述懐する。

「オール小型自動車走行大会の反響ですが、これは確実にありましたね。SCAPの発表が五月にあり、日本の小型車、なかでも三輪車は民主的な車で国情にもあう、つまり経済的で、かつ道路条件にもあうから大いに生産すべきであるということで、これを契機として資材の割当ても逐次ふえていきました」

SCAP (Supreme Commander for the Allied Powers) とは、GHQの別称である。オート三輪のデモンストレーションが成功したのだ。恒次の功績である。

「小型車は兵器にあらずということで、戦前の自動車製造事業法にも保護されず、また戦後もしばらくは普通車中心だったでしょう、小型車は歴史的にやや虐げられてきたわけです。いわば雑草でしょう、結束せざるをえませんでしたよね」

全国軽自動車協会連合会会長の石塚秀男は、マツダをはじめとするオート三輪メーカーの各社が、ライバルでありながら協力した背景を、そう解説する。

日本小型自動車組合は、一九四八(昭和二十三)年にGHQの「閉鎖機関令」により解散させられ、民主的な組織として「日本小型自動車工業会」に改組される。さらに一九六七(昭和四十二)年には、トヨタや日産などで作る「自動車工業会」と合併して、現在の「日本自動車工業会」に至る。

恒次、突然の退社

それほどマツダと業界に尽くした恒次だったが、一九四七(昭和二十二)年九月、恒次は突然、退社した。恒次は当時、五十一歳である。

『東洋工業五十年史』を見てみると、「二二年九月十一日に専務取締役松田恒次がひとたび退陣し(二五年七月復帰)、専務のいす(ママ)はしばらく空席となったが、二四年二月十一日、常務取締役村尾時之助が専務取締役に昇格」と、そっけない。「退陣」とあるが、単に役職を退いただけではなく「退社」である。しかしそのいきさつには、まったく触れていない。

一九五〇(昭和二十五)年発刊の『東洋工業株式会社三十年史』では、直近の出来事であったにもかかわらず、わずかに「松田専務の辞任があって専務取締役は空席となった」と触れられているのみである。

恒次の求めに応じて重次郎の評伝をまとめた小説家の梶山季之は、「それまで蔭になり陽なたになって重次郎のそばについていた専務の恒次氏が、自分のもとを去っていったことは、非常なショックであった。恒次氏は去って行った、というより、折からの時代的風潮から、去らざるを得なかったのである。……株主や重役陣から奇妙な声があがってきたからだ[17]」と書いている。しかしそれが、どのような「奇妙な声」だったかについては触れていない。そのうえで「重次郎父子にすれば甚だ心外であった」として、父親の重次郎が望んだことではないと明言している。

これについて当事者である恒次は、次のように書いている。

「会社の役員のなかに『父親の跡をその子供が継ぐといった社長世襲制度は封建的で、けしからん』という批判の声が聞かれるようになった（中略）。私は十五年夏に常務、十九年春には専務になっていたから、そのころの重役といえばみな、私らが選任したものばかりだった。にもかかわらず、こうした声が陰でささやかれていると知ると、私の方こそ、かえって社にいるのがいやになった[18]」

当時の役員は、社長の重次郎、専務の恒次、常務の村尾時之助、取締役の大越国治、須藤慎太郎、河村郷四、中野徳蔵、監査役が陣山英紀の都合八人という体制である。

大越は一九四〇（昭和十五）年にマツダが「大越器具製作所」を吸収合併したのに伴って取締役になったが、重次郎、恒次を除くほかの役員は、一九三二（昭和七）年から一九三七（昭和十二）年にかけて入社した、重次郎子飼いの部下である。

恒次を批判した役員が誰かは書いていないが、批判の声を聞いて、嫌気がさしたということはわかる。あくまで自分自身で辞職を決断したと強調している。

戦後、社会情勢が急激に変化した混乱期のことである。「世襲」が「封建的」という批判がまかり通る風潮は、確かにあった。これは、恒次が対外的に説明した理由である。

しかし、恒次が書いた『私の履歴書』をよく読むと、重次郎は恒次の退社に反対するどころか、むしろ重次郎が恒次を退社に追いこんだように感じられるのである。恒次が重次郎に「やめさせてほしい」と申し出ると、重次郎は「そうか、そういう気になったか」と答えて、引き留めなかったのだ。重次郎は続けて、「実をいうと自分でさえ社にいにくい状態になった」ともらしたという。

果たして、創業者でワンマン経営者の重次郎が、「社にいにくい」という事態が、本当にあったのだろうか。「世襲を批判した」とされる役員が「日本窒素肥料」からの派遣重役であれば話は別だが、彼らはすでにマツダにいない。重次郎がその気にさえなれば、批判的な役員を解任することなど、たやすいはずではないか。もし「自分でさえ社にいにくい」という言が本当なら、大阪で自分の作った会社を飛び出したときのように、重次郎も恒次と共に抗議して辞めるということも考えられるが、重次郎はそのどちらでもなかった。

『五十年史』で恒次の後任として紹介されている村尾時之助は、実は重次郎の義理の息子であった。世襲批判なら村尾も該当するはずなのに、こちらは辞めるどころか、

にも聞こえる。逆に出世している。そう考えると重次郎の弁は、恒次に辞職を促すための方便のよう

社長室に、毎日のように呼ばれていた、番頭格の河村は、恒次が退社した理由を、次のように明かしている。

「これは公表すると、少し問題がないこともないでしょうが、まあ、社内でしっくりいかなかった人も、おったわけですね。（中略）恒次さんと、むこ養子の村尾さんとは、あまり気のあう方ではなかった。それをじいさんがよくみぬいていたんです。そのさい、一方の恒次さんは、自分で事業のできる可能性がある。そりゃ経営のできるひとでした」

村尾は婿養子ではないが、河村からそう見られるほど、松田家になじんでいたということだろう。

「村尾さんは技術畑のひとですから、経営関係はどちらかというと、うとい方でしたからね。（中略）技術はできるひとだけれど、経営はむつかしい。これを重次郎社長はみてとっていた[19]」

恒次と村尾とは、経営感覚が異なっていた。重次郎は、事あるごとに意見を異にする二人に、手を焼いていたのだ。

「二人のうち、一人でていくということになるなら、外で働ける恒次をだすといった

んです」

河村は、次のようにも語る。

「『恒次さんをいっぺん他の会社で苦労させなさい』という、わたしの説に、じいさんは賛成してくれたのですよ」[20]

「じいさん」とは、社長の重次郎のことである。恒次の退社は、河村の助言を踏まえた、重次郎の決断だった。

村尾はそのとき常務で、技術部門全般を取り仕切っていた。それが専務だった恒次の退社で、やがて専務へと昇格する。

では、村尾時之助とは、どのような人物なのだろうか。

一九〇三（明治三十六）年十月三十日、村尾は現在の広島県呉市で生まれた。恒次の方が、八歳年長である。村尾は、広島県立広島工業学校機械科を経て、広島大学工学部の前身である広島高等工業学校機械工学科を優秀な成績で卒業し、呉海軍工廠航空機部に入った。その後「呉海軍技手（ぎて）養成所」教官も経験した、きわめて有能な技術者である。海軍時代の専門は、飛行機のエンジン製造で、若くして「技術功労者」として政府から特別叙勲を受けると、その褒賞として「技術研究のため米国に洋行」を命じられ、一九二八（昭和三）年、六か月間にわたりアメリカで、空冷式航空機エンジンの製造技術を学んだ経験もある。そんな経歴を見込まれた村尾は一九三〇（昭和五）

年、重次郎の娘の敏子と結婚した。つまり恒次と村尾は、義理の兄弟関係なのである。

その後、横須賀海軍航空本部で航空機の管理や図面の審査を担当した。さらに当時は日本で最大の航空機メーカーであった中島飛行機に海軍技官として派遣されていたが、重次郎に乞われて一九三七（昭和十二）年六月、マツダに入社した。村尾はその才覚をマツダでも遺憾なく発揮し、一九四三（昭和十八）年には常務として、技術部門のトップとなった。

特に戦前から戦時中にかけて、陸軍から小銃の生産を命じられるなど、重次郎が対応を苦慮していた時期に、軍隊経験のある村尾は的確なアドバイスを行い、重次郎から篤い信任を得た。陸軍と海軍の共同管理工場となった時代には、全工場の総指揮者として采配を振るった。一九四三（昭和十八）年には常務に就任し、合理化の推進、生産設備の拡充などを主導した。

のちにロータリーエンジンの開発責任者となり、マツダの社長にも就いた山本健一は、恒次がマツダに復社する前の一九四九（昭和二十四）年の思い出を、次のように綴っている。

そのときの山本は、東京帝国大学の第一工学部機械工学科を卒業し、海軍技術少尉として召集された経験があるとはいえ、その頃はまだ入社四年目で、エンジン設計課にいた若手エンジニアの一人にすぎなかった。その山本に、新型エンジンの設計を担当するよう、村尾が指示したのだ。

「講義と書物で内燃機関を学んでいてもエンジン全部を設計するなどは、全く自信がなく、第一回の試作エンジンの結果は惨憺たるものだった。

その頃の或る日、村尾常務室で私を含めて設計と実験の若いエンジニアが集まって、村尾さんと今後の善後策について協議していた時に思わざることが起きた。

数人の古手課長が部屋へ入って来て、口々に常務を含め私達の非難を始めた」

従来式のエンジンの方が、メンテナンスが容易で、販売店はエンジンの変更など望んでいないというのだ。さらに「こんな若い連中に新しいエンジンなどを作れるわけはない」と、山本を罵倒したのである。

「勿論、私達は震え上がったがとにかく異様な雰囲気である。

その間村尾さんは一言も発せず、しばらく経ってから『云い分はそれだけか。済んだら引取って欲しい』と云われた」

その後、村尾は何事もなかったかのように、いかにして新型エンジンを完成させるかの論議を進めていったのだった。

「私はその時、此の人の為にもこのエンジンをものにしなければと、心密かに決意したことを今でも鮮やかに思い出す[21]」

このエピソードは、村尾の本質を端的に言い表している。村尾は先見性があり、しかも筋を通す技術者である。飛行機のエンジンを設計していた村尾にとって従来型の「側弁式」、すなわちサイドバルブエンジンはすでに古い技術で、自分には次世代エンジンを作れるという確信があったのだ。

しかし、それだけではない。現状のサイドバルブエンジンについても、飛行機エンジンでは常識であった二本プラグを採用して性能向上も図った。新型の開発だけに全力を注ぐのではなく、現在のタイプの改良にも配慮するという、経営者としての目配りもできた。

何事にも慎重であると同時に、自分が方向性を決めたら、思い切ってそれを貫く。それが自然に周囲を従わせる人間味となって表れてくる。これが村尾らしさである。

村尾はたまに冗談を言うこともあったが、基本的にはきまじめな性格である。冗談好きな恒次とは、正反対だ。

片や、アメリカ留学組で、海軍エリート出身の紳士然とした技術者。片や、工業学校の元劣等生で、野球や宝塚に熱中したボンボン育ち。生い立ちから言っても、気の合うわけがない。

結局、村尾は技術担当、恒次は総務担当という役割分担が、自然にできていった。

確かに経営をめぐって意見の違いはあったが、そもそも村尾を重次郎に紹介したのは恒次なのだ。

マツダの工場長だった山平千治は、自宅が恒次宅の隣で、二人は昵懇の間柄だった。その山平の、広島高等工業学校時代の同級生で親友が、村尾だった。そこで、村尾がアメリカから帰国した際、恒次に引き合わせたのが最初の出会いだ。初対面の印象を、村尾は次のように書き残している。

「初めて会った時、当りの柔かい関西弁が耳に快く、非常に如才のない、いい人だなという印象を受けたものであった[22]」

「如才なくふるまう」という表現であれば、「抜け目がない」という否定的なニュアンスも入ってくるが、この文脈の「如才がない」は、「手抜かりがない」、「よく気が利く」という意味であり、特段、悪い印象ではない。というより、好印象である。その後、恒次が村尾を家族に紹介し、重次郎の次女の敏子との結婚話が持ち上がった。重次郎は恒次と敏子の意見を尊重したうえで、結婚の運びとなったのだ。恒次がもし、村尾という人間を嫌っていたなら、村尾を重次郎や家族に紹介しなかっただろうし、妹との結婚に反対していただろう。ただし、マツダという会社の運営をめぐっては、自分の直観を大切にする恒次と、あくまで論理的な村尾とでは、二人の意見がどうしても合わなかったのだ。

一九四四（昭和十九）年八月には、村尾の妻、敏子が死亡した。このため、厳密に言えば、村尾は重次郎の義理の息子ではなくなった。ただ、村尾は敏子との間に三男一女をもうけており、重次郎との間には、強い姻戚関係が生まれていたのである。

加えて、重次郎と恒次との関係が、微妙なのである。

雑誌『財界』の記者としてマツダを取材した梶原一明は、重次郎が宗彌の生前、「親しい側近にいつも漏らしていた」という次の言葉を記録している。

「松田家は宗弥(ママ)に継いでもらいたい、ワシは宗弥がかわいいのや」[23]

注意しなければならないのは、重次郎にとって、「松田家」と「マツダ」は別物ということである。「東洋工業を継いでほしい」とは言っていない。すでに莫大な資産家となっていた重次郎は、松田家のさらなる発展を願った。その思いを、恒次ではなく、宗彌に託していたのである。

裏返して言えば、重次郎は当初、恒次にはマツダを継がせるつもりだったのだろう。問題は、恒次にライバルが出現してきたときである。宗彌に「松田家を継いでもらいたい」と願うのと同じような気持ちで、恒次には「マツダを継いでもらいたい」とまでは思っていなかったのではないだろうか。

第1章で紹介したように、恒次が重次郎のもとで暮らし始めたのは十歳のときである。それまでは、重次郎が父親であるとは知らずに育った。さらに恒次が重次郎の鍛冶場で働いていたとき、工場で使った残りのお湯を使わずに水から風呂を沸かしたため、「無駄なことをするな!」と叱られて、頰にビンタされたとか、人手が足りないため重労働をさせられたとかいったエピソードには事欠かない。子どもに対する愛情の発露というよりは、工員をきびしく仕込むという印象である。まだ若く、感情の起伏の激しい重次郎は、突然現れた息子に十分な愛情を注ぐことができなかった。しかも学生時代の恒次は勉強せず、放蕩息子の印象すらある。恒次の結婚には、勘当で応えた。そんな感情のもつれが、尾を引いていたのではないだろうか。

マツダに入って経営者としての自覚が生まれた恒次と、甘え上手の宗彌、技術者として力量のある村尾。この三人の息子たちのうち、重次郎のかわいがっていた宗彌が原爆で亡くなった。もし宗彌が生きていれば、頼れる兄の恒次を社外に出すことに弟は反対し、重次郎は躊躇（ちゅうちょ）したかもしれない。しかし宗彌亡きいま、技術者として出発した重次郎は、同じ技術者として高い能力を持つ村尾を、マツダの後継者に選んだのだった。

第4章　生産台数日本一

こうして事実上、マツダを追放された恒次だった。重次郎に対する恨み節のひとつも言いたくなるのが人情だろうが、不満は一切漏らさない。これが、幾多の修羅場をくぐり抜けてきた男のプライドだ。

ボールペンのボールを作る

マツダを離れると、途端に冷たくなる世間の風を肌身で感じた。銀行から帰った、ある日のことだった。

「以前は、専務さん、専務さんといって大事にしてくれていたのに、今日は少しの金でも断られた」

憤然とした恒次の姿があった。

のちに恒次はマツダに復帰するのだが、そうなると現金なもので、お祝いの手紙がたくさん届いた。

「会社にかえるとなったら、これまで背をむけて知らん顔していた人たちからこんなに手紙がくる。世のなかこんなもんやで」[1]

その一方、恒次がつらいときも、調子がよいときも、マツダの専務であろうがなかろうが、変わらずつき合ってくれる人たちの人情を、実感もした。

マツダを離れた三年間は恒次にとって、人の真実の姿を知るための、またとない機会となった。

そんな恒次が何を始めたのかというと、ボールペンの部品作りだった。恒次は五十二歳で「松田精密機械製作所」を立ち上げ、従業員を二〇人ほど雇って、ボールペンのボールと中軸を製造した。

なぜボールペンに目をつけたのか。日本の敗戦で、アメリカ軍を中心とした占領軍が日本に上陸したが、アメリカ兵のほとんどが、ボールペンを持っていたのである。米兵とともに日本に上陸したボールペンだが、恒次がマツダを退社した翌年の一九四八(昭和二十三)年、広島県の呉に工場がある「セーラー万年筆」によれば、同社が日本で最初のボールペンを発売している。

ボールペンは手軽な文房具ではあるが、その仕組みを見ると、精密機械でもある。ペン先の極小ボールは、ボールを支える受け座とともに、高精度な加工が必要だ。インクにも、万年筆とは違って高い粘度が要求される。誰でも簡単に作れるような技術レベルではない。しかし、鉄板や各種の部品を探してオート三輪を作った手間に比べれば、恒次には取り組みやすい製品だった。「技術の天才」であり「金儲けの神様」でもある重次郎のもとで帝王学を学んだ恒次は、納入する部品について、すべて自社生産にこだわった。

作ったボールと中軸は、「萬古（バンコ）（VANCO）」ブランドでシャープペンシルや万年筆を作っていた、大阪の「江藤株式会社」に納入した。同社を始めた江藤栄吉郎が、「尚美堂」の創業者である。

一九〇〇（明治三十三）年創業の尚美堂は、時計や貴金属、装身具などを幅広く扱う大阪の有名店だ。大阪生まれで大阪育ちの恒次は、VANCOブランドに愛着を感じていたのだろう。大阪に馴染みがあったとはいえ、大都会の老舗に商品を売り込むあたりは流石（さすが）である。

当時はなんでも、「作れば売れる」時代であった。いまのボールペンに比べれば、品質は比べるべくもないが、その頃は新製品で珍しがられ、人気を博したのである。

「当時は、ボールペンといえば新製品なものだから、よく売れて、もうかってしようがなかった。なんといっても、あの小さいボール——それは真円であることが生命だが——が一個十円、インクまで全部自社製だったのが、利益の大きかった原因である」[2]

何も考えずに見れば、単なるボールペンだ。しかし技術者の重次郎には、その開発と製作に至る苦労が、手に取るようにわかったはずである。

それだけでなく恒次は、「毛糸編み機」を開発した。足袋の「福助」からの依頼がきっかけだったが、引き受けたのは、毛糸が安く輸入されるようになったことに着目したからだった。

またあるときは、人工真珠を作ろうと考え、愛知県の県営試験場に出かけたこともあった。

手を汚さず、きれいに皮がむける、ミカンの「皮むき専用ナイフ」を作ったというエピソードもある。

「目の前に、お正月のミカンが山のように積まれているのをみました。勧められるままに、家族のようにコタツにあたって、皆と一緒にみかんを手にしました。松田さんは、ご自分で考案されたミカンの皮むきナイフを使って、とってもきれいにミカンをむいてみせました。面白くて、私のようにお行儀のわるい人でも、これならうまくむくことができそうでした。

『この皮むきを使ってね、中身をきれいに食べてから、またうまく合わせて、「はい、どうぞ」とお客さんにだせばええょ』

そして、ハッハッハッ……と片目をつぶって、お得意の笑い顔で喜んでおられました」[3]

イタリアから日本に留学し、たまたま恒次の自宅近くの家にホームステイして、恒次宅によく遊びに通った女性の回想である。このエピソードは、恒次がマツダの社長になったときのものだが、恒次は茶目っ気たっぷりで、人を驚かせたり、楽しませたりするのが好きだった。

実はこの女性、マリーザ・バッサーノは、のちにマツダが、イタリアの著名なデザイナー、ジウジアーロに車のデザインを依頼するきっかけを作った人物でもある。

マリーザはやがて、日本人の宮川秀之と結婚することになる。この宮川が、興味深い人物なのだ。

早大在学中にオートバイによる世界一周旅行を敢行した。その途中のイタリアで、自動車デザインの優秀性を目の当たりにした。宮川は自分より一歳年下で、当時はまだ新進気鋭だったカーデザイナー、ジョルジェット・ジウジアーロと知り合い、のちに共同でデザイン会社を興すほどの親友となる。

バッサーノは宮川を恒次にひきあわせ、宮川は恒次にジウジアーロを紹介した。

「デザイン課長を付けるから、一緒にイタリアに戻ってくれ[4]」

こうして恒次は当時、イタリアの著名な自動車デザイン事務所「ベルトーネ」のチーフデザイナーだったジウジアーロに、ロータリーエンジン搭載車のデザインを依頼することになる。ジウジアーロはのちにいすゞやトヨタ、日産など各社のデザインを担当するが、なかでもマツダの仕事が日本で最初だった。ただし、マツダの依頼した高級セダン「ルーチェ」のデザインそのものは、居住性が十分に確保できないとして採用されず、のちに発売されたルーチェの原型とされた。

恒次は、あちこちから支援を頼まれることが多く、それにできる限り、応えてきた。

これも恒次がマツダの社長時代のエピソードである。広島出身で世界的に活躍したバレリーナ、森下洋子がまだ無名だったとき、伝手を頼って恒次に会ったことがある。そのとき、「バレエのことはよくわからないが、広島の人が一生懸命に頑張っているのは嬉しいことだ」と、恒次は初対面の森下に支援を約束したのである。そのとき十五歳の森下が「まだ未熟者です」と恐縮すると、「すでに名をとげた人なら応援する必要はない。これから伸びようとしている人だからこそ、うしろだてするのだ」と励ましたのだった。

恒次は常に、有言実行の人である。森下が海外でレッスンを受けたり、公演にでかけたりするときには、まだ言葉がわからない森下のため、マツダの現地駐在員を空港に向かわせた。マツダの関係者がいないときには、マツダと取引のある商社に依頼し、森下のために便宜をはかったのである。

「広島で働いていた板前さんが米国で弁当のお店をやっているからと、アルバイト先も紹介してもらった。最初で最後のアルバイトです。朝早くから働いて、稽古が終わった夜に仕込みを手伝う。お弁当がもらえたので、食費が助かりました」[5]

恒次はNHKの経営委員をしていたこともあり、内外の一流音楽家の演奏会やオペラ公演などに招待される機会も多かったが、「僕なんかがいくより、洋子ちゃんがいく方が勉強になる」と、招待券をまわすのが常だった。

「おかげで、私は、香り高い芸術を、めったにとれないような良い席で鑑賞することができました」

森下は恒次に、「私のバレエ人生の、ある大切な部分を強い力で導いてもらった」と述懐する。

「教訓めいたことはほとんど申されませんでしたが、『人の上に立つものは、たえずまわりの協力者のことを考えなくてはいけない。バレエで主役を演じるのも同じことだ。まじめに努力しなさい』とさりげなくおっしゃったお言葉は、私のなかにいつまでも生きつづけるでしょう」[6]

こうして恒次の人脈は、知らず知らずのうちに広がっていった。情けは人の為ならず、である。

話を戻すと、恒次は、マツダを離れていた間、本当は失意の底にあっただろうに、そんなそぶりはみじんもみせなかった。

「ボールペンでかせいだ私は、父にもいろいろの物を買ってあげた。浪人時代になって、やっと親孝行ができたのである」[7]という恒次。その言葉にウソはない。たとえ後継者争いで切り捨てられたとしても、父には自分をわかってほしかった。

これに対して重次郎は、苦境にあってもあきらめず、果敢にチャレンジする恒次に、自分のかつての姿を見たのではないか。そして経営者としての資質を、遅まきながら再発見したのではないだろうか。

恒次、会社に復帰する

一方、マツダである。オート三輪市場も当初は「作れば売れる」状態だったが、一九四九（昭和二十四）年頃には競争の激化から、買い手市場の様相となってきた。「売らねば売れぬ」時代になったのだ。

同年二月、それまで常務だった村尾が、専務に昇格した。

時を同じくして、ジョセフ・ドッジがGHQ財政顧問として来日した。超インフレを抑えるために総需要抑制政策をとった。この結果、戦後のインフレは収まった。しかし緊縮財政のあおりを受けて、産業界は深刻な資金不足に陥った。世にいう「ドッジ不況」である。マツダも打撃を蒙（こうむ）った。販売した製品の代金を回収できず、売り上げはガクンと落ち込んだ。

重次郎ら経営陣は、「企業危機突破七原則」を掲げた。内容は、資材購入費の引き下げ、経費の削減、残業の撤廃、販売店に対する奨励金制度の改定、社員の定期昇給中止、間接部門から直接部門への配置転換などである。徹底した合理化で事態を乗り切ろうとしたが、先行きは不透明だった。

こうしたなか、重次郎が恒次に声をかけたのである。

「復社しないか」

これについて恒次は、「経営スタッフに穴があいたというわけでもなかったが、おそらく、他人を使ってみて、あまり能力に差がないなら、わが子に任せておく方が安全で、かつ得だと考えたのであろう」[8]と、控えめに書いている。しかし、ついに偉大な父が、自分を頼るようになったのである。内心は、小躍りしたい心境だったろう。

マツダの資本金を見てみると、恒次が退社した一九四七（昭和二十二）年は三〇〇〇万円だったのが、マツダに戻った一九五〇（昭和二十五）年には一億五〇〇〇万円と、わずか三年間で五倍にも増えている。確かに事業は急速に拡大した。しかしこれに伴って、ドッジ不況の打撃もより深刻になったのである。マツダが抱え込むことになった多くの難題を打開する術は、技術畑の村尾にはなかった。

常務だった村尾の専務昇格に伴い、後任の常務に昇格していた河村は、恒次の復帰について重次郎と話しあったと証言している。

「（恒次が不在だった）三年間近くのあいだは、いろいろ往生しましたよ。重次郎さんに『恒次さんは、あんたの息子じゃないか、いろんな問題はあろうけど、はやく帰しなさいや』と、いくども直言したようなことでした[9]」

さらに次のように続ける。

「『はやくもどしなさい。あんたも恒次さんがかわいいでしょうが』といいますと、『そりゃそうだ』、『そんならはやくもどしなさい。うまく配合させりゃいいじゃないですか』と申しあげました[10]」

一九五〇（昭和二十五）年六月、株主総会の全員一致で「松田恒次氏を取締役に復帰させる議案」を可決し、翌月、恒次は三年ぶりにマツダに戻った。そのとき恒次、五十四歳だった。

恒次は復社の二か月後、早くも専務に復帰した。

社内の刷新を図る

時代が恒次に加勢した。一九五〇（昭和二十五）年六月二十五日、朝鮮半島で北朝鮮軍が北緯三八度線を越え、韓国に侵攻した。朝鮮戦争の勃発である。休戦協定が結ばれるまでの三年余で、南北朝鮮の兵士と一般市民、それに中国とアメリカの兵士も含め、あわせて数百万人が犠牲となる壮絶な戦争だった。一方で日本は、アメリカ軍からの日本企業に対する発注が急増し、朝鮮特需に沸いたのである。悲惨な戦争が起これば、その一方で戦争を利用して儲ける者がいる。当時の日本がそれを意図したわけではないにしても、結果として朝鮮戦争が日本経済の復興を手助けしたのは事実である。

物資の輸送手段として、オート三輪の注文が殺到した。マツダの「営業報告書」によれば、「各種三輪トラックが一二分間に一台ずつの割合で組立工場の近代的コンベアーラインを辷(すべ)り出ている」、「文字通り日夜その受注消化におわれて居る状態」だった。

復社した恒次は、「能力に差がないなら、わが子に任せておく方が安全」と父親の胸中について書いているが、これは方便だろう。もしそういうことなら、そもそも恒次が退社する必要はなかったはずである。果たして、恒次は復社してすぐ、「社内の刷新を図らなければならない」と決断した。

「外部から会社をみる機会に恵まれたが岡目八目のことば通り、社内の綱紀がどんなにタルんでいるかがよくわかった。それにとかくのうわさもすぐ耳にはいった。それからちょうど三年。復社してみると、社内の秩序の乱れは以前にもましてひどいように感じられた」

「岡目八目」とは囲碁に由来する言葉で、当事者よりも、傍(はた)から見ている第三者のほうが状況を正確に判断できるという意味である。

その証拠として『私の履歴書』では、宿直員がマージャンに興じ、社長室がダンスホールとして使われていたことをあげているが、ほかにも、思うところがあったのだろう。「なにをおいても綱紀の粛正はやらなければならない」と決意した。

そうはいっても、酸いも甘いも嚙み分けた恒次のことである。あからさまに「マージャン禁止」の通達を出して、社員の反感を買うようなことはしない。

「宿直が毎晩徹夜マージャンしよったが、やめとはいわんのじゃ、できるの二人とでけんの二人組ましたらできよらへんのや……」[11]

雀卓を囲むメンバーが揃わなければ、マージャンはできない。社員は、グループ分けの顔ぶれを見ることで、恒次にやんわりと「仕事中はマージャン禁止」と言われたことに気づくのだ。「よくない」と思っていることでも、面と向かって言われたら、誰でも腹が立つ。そこで恒次は、社員のやる気を削がないよう気をつけながら、社内の規律の回復に努めた。

一方、村尾である。恒次の専務復帰に伴い、前年二月に専務に昇格していた村尾は、わずか一年あまりで常務に降格された。

村尾は一九四八（昭和二十三）年四月、「日本小型自動車工業会」理事長に就任し、政府に対して二輪車や三輪車に対する生産制限の緩和を強く働きかけた。当時は上京するのに一八時間もかかる。それでも、なんども上京し、政府への陳情や、業界のとりまとめにあたったのだ。

村尾はマツダ車の開発トップとしてだけでなく、労務対策にも能力を発揮し、社の内外で重要な役割を果たしていく。のちに「ロータリーエンジン開発委員会」を統括したのは、村尾である。

村尾も、経営者としてトップレベルであることは間違いない。人間味もあり、ときに対立した労働組合からも高く評価されていた。もちろん、技術面での知識と経験は、恒次を凌駕する。しかしそれでも、恒次にかなわないものがあった。それは、経営者としての大局観だ。

平時であれば、村尾のほうが経営者としては適任だったかもしれない。しかし時は、激動の時代である。業績は激変し、他社との競争は激化する。そうしたなかで、恒次の経営者としての嗅覚を、重次郎は最終的に重んじたのではないだろうか。

それでも村尾は、一流の人物である。恒次の復社後、恒次の指示に異を唱えることなく従ったのだ。

こうして松田恒次をトップに、村尾時之助、そして山本健一というラインが完成し、マツダの一時代を築くことになる。

歴史に「もし」はないが、「もし重次郎が恒次に声をかけるのを、少しためらっていたら」と考えてみるのもおもしろい。

重次郎が恒次に復帰を誘った時期は明らかではないが、株主総会や、それに先立つ役員会などの手続きを考えれば、朝鮮戦争が勃発する前であるのは確かだろう。重次郎の決断がもう少し長引いていたら、戦争で景気が上向いてマツダは好調さを取り戻し、恒次はマツダに戻るチャンスを逃して、村尾がそのまま続投していたかもしれない。

さらに、恒次の復帰後に重次郎は体調を崩すが、もう少し早く重次郎が体調を崩して退任していたら、やはり恒次がマツダに戻ることはなかっただろう。そう考えると、恒次が復帰した時期は、彼にとって、ぎりぎりの絶妙なタイミングであった。だが、幸運をたぐりよせるのも、当人の不断の努力があってこその話である。

重次郎逝く

一九五一（昭和二十六）年六月、重次郎は激しいめまいに襲われた。顔面蒼白となり、脈拍が上がる。こうした発作が、たびたび起こるようになった。それだけでなく、左上腕部がうずくように痛む。そのうち、一日に何度も、発作や疼痛に襲われるようになり、痛みも胸部全体に広がった。

精密検査の結果は、高血圧性動脈硬化症、それに老人性白内障という診断であった。同年十月、広島の宮島で、大阪の工業関係者の会合が開かれた。主治医は安静を勧めたが、重次郎は出席するといってきかない。医師が同行して会場に向かったが、案の定、会の始まる前に発作が起こり、自動車で帰宅するということもあった。

こうなっては重次郎も、すべてを恒次に託すしかない。

「会社はお前に任せることにする」

一九五一(昭和二十六)年十二月、重次郎は会長に退き、恒次、五十六歳で社長に就任したのである。

その三か月後の一九五二(昭和二十七)年三月九日、重次郎は広島の自宅で死去した。晩年は、好きな盆栽の手入れを楽しむ毎日だった。

「橋本関雪の波の墨絵であったか、その前に水晶の玉が大小ズラーッと並べられて、まるで月と月のかげの表現であった」[12]

北大路魯山人の元夫人で、重次郎や恒次と親交のあった広島女学院大学教授、熊田ムメの回想である。熊田が、重次郎宅の床の間の飾りを誉めると、恒次が「おやじは芸術的だったなあ」と応じたのだった。何かを創造することを〝芸術〟と定義するとすれば、重次郎はまさしく〝芸術家〟であった。

大阪では、二十歳で起業に失敗した。信頼していた部下に裏切られ、警察に逮捕されたこともあった。重役陣に裏切られ、広島に新天地を求めた。その広島では工場が火事になり、財産をすべて失って、南米へ渡ろうと決意したこともある。原爆の惨禍にも遭遇した。しかし、そのたびに不死鳥のごとく蘇り、新しい事業を創造した。マツダの社長在任期間は、三一年の長きにわたる。波乱に満ちた七七年間の生涯であった。

「私のたどった道は、まったく荊棘（けいきょく）にとざされた道であり、荒礫にはばまれた道であった。困難と苦節の道であった。私はそれをただ、まっすぐにすすんで行った。あえぎ、くらみ、きずついたが、どこまでも進んで行った。そうさせたのは『信』の一字である。私は自分を信ずるとともに人を信じた。人を信ずるとともに天を信じた。私の一生は、いわば信の一生なのである。私に語るべきものがあるとすれば、こうした信の私自身なのである。——ここに私の感謝がある」[13]

重次郎の棺を載せて走ったのは、郷土の復興を担った三輪トラックだった。

浄土真宗の安芸門徒である重次郎の法名は「金剛院殿釋重誓不退居士」。恒次は助手席に添乗して、野辺の送りに臨んだ。

重次郎の社葬は、番頭格であった常務の河村郷四を葬儀委員長に、盛大に執り行われた。

ところで、葬儀の喪主である。長男の恒次ではなく、原爆で死亡した次男、宗彌の長男である松田欣也だった。

第1章で紹介したように、恒次は重次郎の実子で長男ではあるのだが、戸籍上は次男の宗彌が、重次郎の「長男」となっていた。恒次は、戸籍上は重次郎の養子だった。「松田家は宗彌に継いでもらいたい」という重次郎の願いもあったのかもしれないが、社長で長男の恒次は、複雑な思いだったろう。

重次郎には没後、勲五等旭日瑞宝章が下賜された。

マツダは一九四九（昭和二十四）年八月、インド輸出を手始めに、以降、アメリカ、タイなどへの輸出を再開する。その頃、マツダが海外向けに作ったパンフレットの表紙が興味深い。そこには、次のように記されていた。

「Mazda a pride of Hiroshima !」

広島は原爆で廃墟となったが、人びとのプライドまで葬り去ることはできなかった。被災した広島市民を助け、広島復興の象徴的存在となったマツダは、広島市民の誇りであった。pride という英語は、「誇り」だけでなく、「矜持」とも訳される。どんな困難に直面しても自らを信じて、堂々としている様を言う。幾度もの試練をくぐり抜けてきた恒次には、「矜持」という言葉がよく似あう。

矜持の人、松田恒次が指揮を執るマツダは、いよいよ飛躍の時を迎えるのである。

暗中模索する四輪メーカー

一方、その頃の四輪メーカーである。占領下の日本で、ＧＨＱによる四輪自動車の

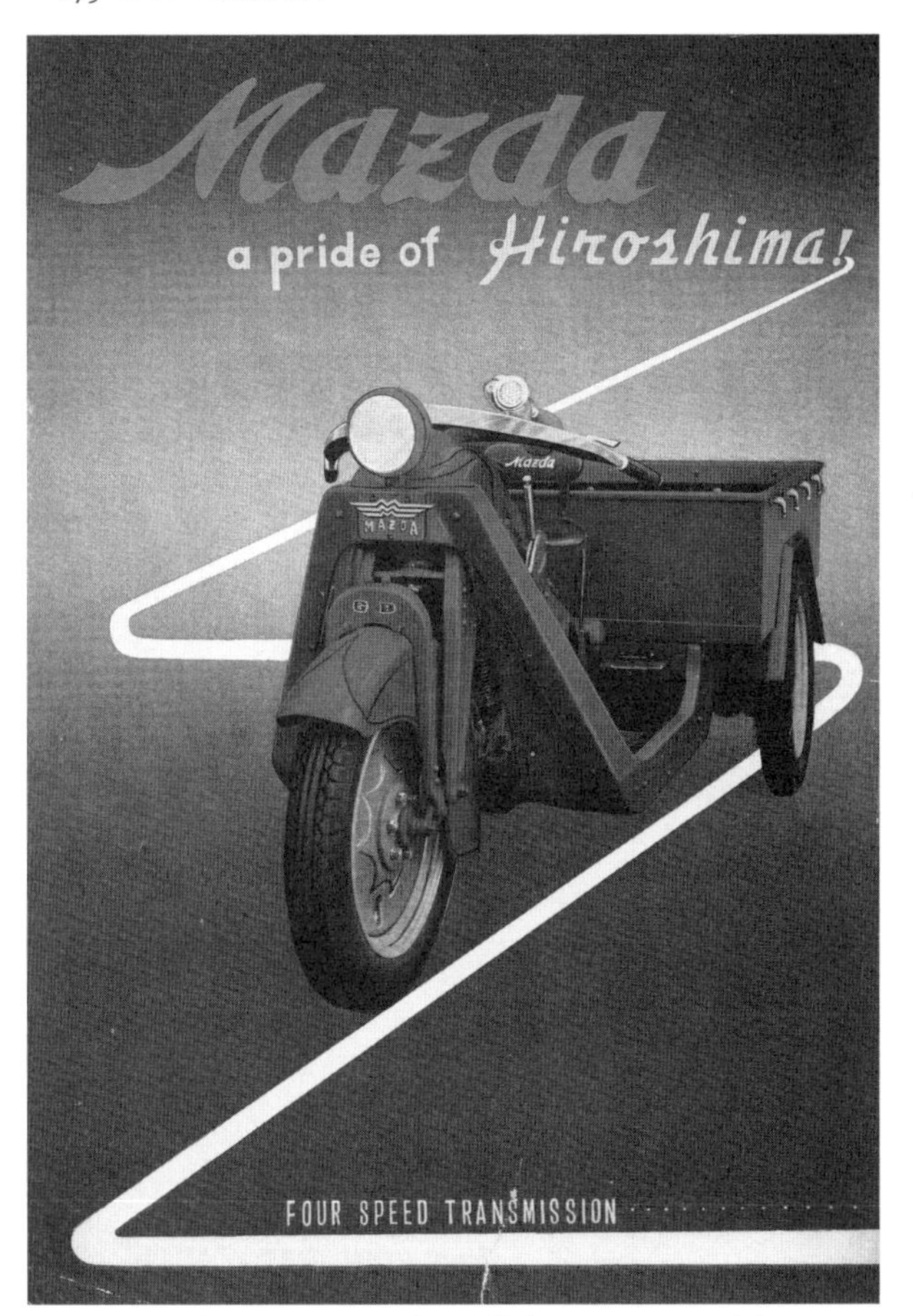

マツダ号GB型オート三輪の海外向けパンフレット表紙。
「Mazda a pride of Hiroshima !」。1949(昭和24)年。

生産制限が、乗用車の制限を最後に全面的に解除されるには、一九四九（昭和二十四）年十月まで待たねばならなかった。

しかも、そのあとすぐ、日本の自動車生産が軌道に乗ったわけではない。タクシー業界からは、性能の良い外国車の輸入制限を緩和するよう要望が出され、運輸省もこれに同調した。日銀の「法皇」という異名をとり、戦後の金融界に君臨した日銀総裁、一万田尚登（いちまだひさと）は、トラックを除けば、日本の自動車業界は外国に太刀打ちできないと考えた。

「日本で自動車工業を育成しようとするのは無意味だ。いまは国際分業の時代だ。アメリカで安くて良い自動車が出来るのだから、自動車はアメリカに依存すればよいではないか」[14]

国際分業のなかで、日本の自動車産業育成は無意味だとして、「自動車工業不要論」を唱えたのだ。GHQが大量の輸入車を払い下げたこともあって、自動車産業の行く末は不透明だった。

「嘗て（かつ）オオタやダットサンあるいは三輪車の如きものがその昔日本の土地に生まれ特別国家の庇護（ひご）を受けるでもなく大衆に親しまれて今日に育ってきたことを思うと、貧乏な日本人には貧乏に相応（ふさわ）しい行き方もあるようで、将来の裕福になったときの日本はその時として、今日はまずこのような先人の故知に倣（なら）いまず謙虚に、着実に、如何（いか）

なる自動車を我我日本人が日本人のために作るべきかを此際(このさい)再び考えてみる秋(とき)ではなかろうか[15]」

これは戦時中と戦後に日産の社長を務めた浅原源七が、自動車の生産に携わる技術者に問いかけた言葉である。どのような自動車を日本で作るべきなのか。それが自動車人に問われたのだった。

こうした時代に、日本の自動車メーカーの多くがどう対応したかというと、通産省の指導のもと、外国メーカーと提携し、海外から部品を輸入して自動車を組み立てるノックダウン生産に乗り出したのである。外国車を求めるタクシー業界や運輸省、それに日銀の主張を踏まえた、折衷案である。

日産は一九五二（昭和二十七）年にイギリスの「オースチン」と契約し、「サマーセット」を製造した。いすゞは一九五三（昭和二十八）年にやはりイギリスの「ルーツ」と契約して「ヒルマン・ミンクス」を、日野も同年にフランスの「ルノー」と契約し、「4CV」を製造した。4CVはタクシーに多く採用されたことでも知られる。アメリカのメーカーとどこも提携しなかったのは、「しなかった」のではなく、「できなかった」のだ。アメリカでは国内需要が沸騰し、日本どころの話ではなかったのである。

こうして最新の製造技術を学んだ各社の車は、日産では「セドリック」、いすゞは「ベレット」、日野は「コンテッサ」に進化する。

これに対してトヨタは純国産にこだわり、一九五五（昭和三十）年に「トヨペットクラウン」を発表した。しかしノックダウン車と性能の差は大きく、値段もあまり差がなかったことから、外国車が圧倒的に優勢だった。

オート三輪から三輪トラックに

三輪の雄であるマツダは、主力のオート三輪を大型化し、走行性能や居住性、安全性の向上に力を注いだ。

一九四九（昭和二十四）年四月にはGA型をベースに進化させたGB型を発売した。アルミ合金でエンジンとトランスミッションを一体鋳造し、軽量コンパクトとなって性能がアップした一方、価格を据え置いたため、人気を呼んだ。

一九五〇（昭和二十五）年九月、マツダは空冷2気筒OHVエンジンを採用した一トン積み「CT型」を発売し、オート三輪大型化の先鞭をつけた。CT型は全長三・八メートルで、最大積載量は一トンである。

これを機に、当時は健在だった重次郎はオート三輪を「三輪トラック」と名づけ、それまでのオート三輪とは一線を画す製品であることを打ち出した。確かに従来のオート三輪は、オートバイに荷台をつけた印象で、オートバイの延長線上と感じさせる。しかしCT型は、明らかにオートバイというよりは「トラック」の雰囲気を持っている。そこで本書でも重次郎に倣い、CT型以降は三輪トラックと呼ぶことにする。

一九五一（昭和二十六）年には、三輪トラックに対する排気量や車体寸法の制限が撤廃された。四輪車に比べて安定性に劣るという構造的な弱点があるとされ、これ以上のむやみな拡大は技術的に難しいという前提で、「制限する必要がない」という意味での制限撤廃だった。しかし実際には、通常の使用で三輪と四輪の安定性に、差はなかった。いずれにせよ、どこまで大きくしても構わなくなったのだ。一方で、小型四輪トラックに対しては道路運送車両法によって全長四・七メートル以下という制限が続く。

同年、一トン積み「CTL型」が登場した。小型四輪トラックの制限を超える四・八メートルのロングボディ車である。公称積載量は一トンだが、実際には二～三トンの積載能力を持っていた。こうして三輪トラックの絶頂期が訪れる。

確かに最高速度や居住性、静粛性や乗り心地では、四輪トラックにかなわない。しかし三輪トラックは、あらかじめ過荷重を想定してボディが頑丈に作られており、小回りも利く。

自動車雑誌『モーターファン』誌上で行われた三輪トラック関係者による座談会で、運輸会社の整備課長は、次のようにコメントしている。

「何んといっても〝軽快〟なことです。操縦がしよく、集荷や配達に非常に重宝です。

誰もいうように、細い路地でもどんどん走っていけるし、運転手一人で積み卸しもできます。（中略）使っている側としては、故障しても修理に日数がかからないし修理費も安いのです」[16]

四輪トラックに比べて小型の三輪トラックは荷台が低いので、作業が楽なのだ。トルクや燃費は四輪と変わらず、値段が安いことを考えれば、三輪トラックが人気を呼んだのも当然だった。

一九五二（昭和二十七）年には公称で二トン積みの「CTL型」も登場した。大型化に伴って、三輪トラックは居住性の向上が図られた。従来のオート三輪は簡易な幌が取りつけられているだけで、雨になると運転席はどうしても濡れてしまった。そこで運転席にルーフをつけたのだ。ハンドルはまだバーハンドルだったが、四輪車なみの安全性も目指した。

このように機能とデザインを向上させるため、工業デザインの第一人者であったフリーランスのデザイナー、小杉二郎を起用した。インダストリアルデザイナーを起用することは、当時の業界では特筆すべき出来事であった。逆に言えば、小杉の起用により、「オート三輪」は、「三輪トラック」に進化したともいえる。

小杉とマツダの技術陣は、一輪しかない前輪に対する負荷を減らすため、構造材が少ないモノコック構造を、全天候型のキャビンに採用した。その結果、丸みを帯びた

原爆ドームをバックにした1トン積み「マツダ号CT型」。1950(昭和25)年。

流線形の魅力的なデザインが生み出され、それまでのオート三輪のイメージを一新することになったのだ。

ちなみに小杉はその後もマツダで、軽三輪トラックの「K360」や四輪トラックの「ロンパー」、初の軽乗用車「R360クーペ」や、続く「キャロル」など、人気を博したマツダ車の多くを手掛けることになる。

三輪トラックの先駆けであるCT型は、村尾が先頭に立って開発した車だった。「執念をもって開発指導された[17]」と、当時を知る社員は語る。

「CTエンジンは村尾さんが、他社の側弁式エンジンに対し、今後のマツダのエンジンは頭上弁式空冷2気筒であるべきとして開発を命じられたものである。したがって、社内外の反対を押し切られたものであるだけに、常に革新的なものを求められる村尾さんの固い意志に、我々若い者が生きがいを感じたことは勿論である」[18]

松田産業取締役の恵島義之は、そう回想する。

「側弁式エンジン」とはＳＶ（サイドバルブ）エンジンのことで、吸気と排気のバルブがシリンダーの横に並ぶ。機構が単純で部品が少ないため、製造コストが安い。故障も少なく、メンテナンスも容易で、それまでは主流のエンジンだった。その反面、燃焼室の表面積がどうしても大きくなるため、熱損失が大きくなって効率が悪くなる。吸排気の流れも悪いため、異常燃焼が起きやすいという欠点もあった。

これに対する「頭上弁式エンジン」とは、ＯＨＶ（オーバーヘッドバルブ）エンジンのことである。吸排気の弁がシリンダーの上部につけられることで、サイドバルブエンジンの欠点が解消され、混合気の流れもスムーズになって効率も良く、高出力が得られる。確かにサイドバルブエンジンに比べれば部品数が増え、構造が複雑にはなるが、熱効率など性能の向上はデメリットを大きく上回って余りあるものがあった。ＯＨＶエンジンは一九六〇年代から一九七〇年代にかけて主流のエンジンとなる。そのＯＨＶエンジンを搭載したのは、ＣＴ型が日本の自動車業界初であり、マツダの技術力を見せつけたものとなった。

従来の始動方式は、オートバイと同様のキックペダル式だったが、始動を簡単にするセルモーターを採用した。安全性向上のためフロントウィンドウには、合わせガラスを装備した。こうした先進的な取り組みも、三輪トラックではＣＴ型がトップを切った。

経営トップの座は恒次に譲ったが、新車開発の現場では自分が先頭に立つことを宣言し、それを村尾は見事に実証したのだ。

一九五三（昭和二十八）年、ＣＴＬ型がモデルチェンジして、「ＣＴＡ型」が発売された。ヘッドランプが従来の単灯式から二灯式となったのをはじめ、電動ワイパーを装備するなど、スタイルが洗練され、装備は充実された。

「ＰＢ型三輪乗用車」も発売された。荷物も積めるが、乗用車としても使うことができる。四輪乗用車はまだ高嶺の花だった庶民にとっても、なんとか手の届く乗用車として、大きな反響があった。折からのタクシー用車両不足もあって、広島では「九十円均一タクシー」に使われ、市民の足として親しまれた。

マツダ初の四輪トラック、「ＣＡ型」が登場したのは一九五〇（昭和二十五）年六月のことである。空冷2気筒、一一五七ccの三二馬力。しかし当時のマツダにとって、主力はあくまで三輪トラックだった。ＣＡ型の発売直後に朝鮮戦争が勃発し、三輪トラックの需要が高まった。製造資源を集中させるため、ＣＡ型はわずか三五台が生産されただけで、販売中止となった。

恒次がマツダの三代目社長に就任したのは、そんな頃だった。

のちに広島市商工会議所の会頭となった村田可朗はそのとき、中国電力の営業部長をしていた。

「当時の東洋工業といえば、社外からみると破れた外壁、労働争議の巣窟、ガタガタのバタンコづくりといった印象で、とても今日の世界的な成長をみるに至るとは、夢にも考えられぬような状況だった」[19]

生産能力の拡大

三輪トラックの売れ行きは、好調である。しかしトヨタや日産は、四輪トラックを大量に販売し、売り上げを大幅に伸ばしていた。道路事情が改善されてくると、それまではあまり問題にならなかった速度や安定性など、走行性能の面で、三輪は四輪にかなわない。やはり三輪トラックは、社会基盤が発展途上にある過渡期の製品に過ぎないのだ。恒次は、三輪トラックで利益を確保しつつ、生産設備を拡充して四輪時代に備えることにした。

恒次がまず手をつけたのが、生産設備の再編成である。一九五二（昭和二十七）年七月、エンジン組み立て工場、車軸組み立て工場、車体工場、塗装工場、車両組み立て工場という全工場の移転、拡張工事を開始した。恒次が留意したのは次の三点である。

第一は、工場内における、すべての工程を再検討し、コストの削減と時間の短縮、同時に品質の向上を図ることだ。そこでベルトコンベアやモノレールを工場内に導入し、総合的な流れ作業方式を確立することにした。それまでは手押し車で転がしながら、部品を取りつけていたのだ。重次郎が主導して導入した高価な汎用機械類も、さすがに老朽化してきたため、自動車の量産体制に特化した最新鋭の専用機械を導入することも決めた。

第二は、工場の配置を集中する。というのは、工場が旧兵器工場と旧工作機械工場など数か所に分散していたため、時間だけでなく管理の面も含めて多くのロスを招いていたからである。

第三は、塗装の品質向上をはかる。その方策として、従来の「ラッカー塗装」に代えて「メラミン合成樹脂塗装」を採用し、乾燥方式も「赤外線焼きつけ方式」に切り替えることで、塗装の硬化と光沢の向上を目指した。それは同時に、塗装の下地処理工程が半減することにもつながるのである。

工事は半年ほどで完了し、一九五三(昭和二十八)年三月、新工場のラインが稼働した。これにより三輪トラックの生産能力が、一九五〇(昭和二十五)年は月産一二〇〇台だったのが、一九五四(昭和二十九)年には三〇〇〇台にまで拡大されたのである。

さらに、異なる車種が同じ工場で同時に生産できるようになり、大幅なコストダウンが図られたばかりでなく、品質も格段に向上した。それは売り上げにも直結した。三輪トラックの売り上げは、一九四九（昭和二十四）年が九億四五〇〇万円だったのが、一九五四（昭和二十九）年には一一六億九三〇〇万円と、五年間で実に一二倍以上の増加となって表れたのである。

革新的な新技術を続々導入

マツダのトップとなった恒次は、新技術の導入にも余念がなかった。「金儲けの神様」という異名をとった父、重次郎はまた、「技術の天才」でもあった。恒次は、そのいずれも偉大な父には及ばない。しかし、もし父を上回るものがあるとすれば、それは経営者として、新しい技術や人材を発掘し、活用する才能だった。

その証拠に、いずれも後述する、画期的な鋳物製造法の「シェルモールド法」や、新型エンジンのロータリーエンジンについて、いち早く情報をキャッチし、研究開発を指示したのは、直接の担当者や担当役員ではなく、マツダトップの恒次なのである。

元マツダ取締役の杉野正章は、次のように記している。

「昭和二十七年初め頃だったと思う。松田恒次社長より『シェルモールドプロセス』の外国雑誌の広告の切り抜きを見せ、（中略）『量産鋳物にはこんな方法がえぇで』と云われ、これがシェルモールドのきっかけとなり、（中略）手さぐりながらも部品試作研究を進めて行った」[20]

シェルモールド法は、鋳造技術の革命と呼ばれた方法である。その製造法は、熱硬化性のある合成樹脂を珪砂(ケイシャ)に混ぜてコーテッドサンドを造り、それを加熱し、貝殻状(シェル)に硬化させて鋳型(モールド)を作るのである。金型より鋳型を作るのが簡単というメリットがあった。これにより作られた製品は高品質で、しかも大量生産によるコストの低減が可能となった。

シェルモールド法の導入にあたって、先代の重次郎が一時は後継者と見込んだ村尾の技術者としての能力を、恒次は活用することにした。一九五二(昭和二十七)年十一月、恒次は村尾をアメリカに派遣した。

村尾はアメリカで、メーカーの「アクメレジン」社を訪れ、コーテッドサンドの見本をマツダが取り寄せることに成功した。その後マツダは、アクメレジンと技術提携を結ぶことになる。村尾は、恒次の期待に見事に応えたのである。

このほかにも恒次は、多くの新技術を取り入れた。

組織中の黒鉛の形を球状にして強度を改良した「ダクタイル鋳鉄」の製造術も導入した。ダクタイル鋳鉄は、エンジン内部のピストン部分の軸である「クランクシャフト」や、駆動軸に装備して左右のタイヤの回転差を吸収する「ディファレンシャル」、それにエンジンを据えつける台座など、特に強度の必要な部品に使われている。

熱処理部門でも、画期的な技術革新が図られた。鉄鋼材料について、素材の粘り強さを確保しながら、同時に表面の硬度を確保する「連続式ガス浸炭法」の導入である。従来の木炭で加熱する方法に比べ、ブタンやプロパンなどのガスを使うガス浸炭法は、安定した品質と低コストを両立できる画期的な方法だった。

マツダはこうした新技術を、トヨタをはじめとする同業他社に先んじて導入した。恒次は、いったん社外に出て、マツダの看板を外すことで、起業家精神を培った。すでに大企業となっていたマツダではできない挑戦である。それがマツダの経営トップに立ったとき、見事に生かされた。「恒次をいっぺん他の会社で苦労させなさい」と言った河村のアドバイスは、実に有効だったわけである。

恒次は情報収集の裾野が広いだけでなく、それまでの常識にとらわれない判断をすることができた。その判断力こそ、余人の及ばざるところなのだ。

広島—東京間ノンストップ走破

戦前にもマツダは、一九三六(昭和十一)年に三輪トラックによる「鹿児島—東京キャラバン」、翌年には飛行機による編隊宣伝飛行など、ユニークな宣伝活動を展開してきた。戦況の悪化に伴って、宣伝は控えられたが、戦後に販売競争が激化するにつれ、恒次は再び積極的なPR活動を行うことにした。

今は亡き重次郎の根底にあったのは、「良いものさえ作れば売れる」という考えだった。重次郎の時代はそれでもよかった。一方、恒次は、効果的な宣伝に、常に知恵を絞った。

「私と私の父である故会長との間で意見の異なったことのうち、いちばん大きいことは、車を〝売る〟ことにおいてであった。

父は、〝いい車を安くつくっておれば売れる〟という考えをもっていた。これはもっともな考え方であるが、ひとつには時代のせいもあって、販売網の重要性を、あまり認識していなかったのである。

しかし、私は、いい車を安くつくることの前提のうえに、もう一つ進んで、売り込むという積極性、すなわち、販売網の確立、強化が必要だと考え、このことを強く要求したことがある。父も、あまりの私の強い意見に、とうとう納得はしてくれたが、今日ではいっそう、いい車、安い車であることのPRと、それを売ろうとする積極性がなければいけないと思う」[21]

PRの第一弾は一九五二（昭和二十七）年、二トン積み三輪トラック「CTL型」の新発売に先立って、広島—東京間約一〇〇〇キロをノンストップで走破するというデモンストレーションであった。荷台には実際に二トンの重さの荷物を積み込み、運転手の交替時も含めてエンジンを常にかけたままにしておくのである。もしトラブルが起きれば、新車の売れ行きに大きな打撃となることも懸念された。当時としてはきわめて冒険的な試みであり、それがまた、業界や車好きの人たちの好奇心をかきたてたのである。「広島—東京間を何時間何分で走破するか」という懸賞も出されて、一般の関心も盛りあがってきた。

十月六日午前五時、恒次たちマツダ社員はもちろんのこと、多くの市民の激励を受けて、二台の三輪トラックが広島市の相生橋をスタートした。相生橋は、米軍のエノラゲイ号が原爆を投下した際の目標地点であり、戦後の広島の原点とも言える場所である。すぐ近くにある原爆ドームの背後から仕掛け花火が打ちあがり、ＰＲ隊を激励した。

三輪トラックは時速六〇キロで、順調に山陽道から東海道をひた走る。翌七日正午すぎ、歓迎する人たちの拍手に迎えられて東京駅八重洲口前にゴールした。車体は泥まみれだったが、エンジンをはじめ、どこにも異常はなく、「マツダ号」のＰＲは大成功したのである。所要時間は三一時間一六分。懸賞の応募は全国から八万通に上り、七九名が正解となった。

同年八月には、マツダ号の宣伝レコードを日本ビクターから発売した。Ａ面の「バタンコ・マンの歌」は灰田勝彦、Ｂ面の「バタンコぶし」は市丸という、いずれも当代きっての人気歌手が、マツダ号のイメージアップに一役買った。

「広島―東京 ノンストップキャラバン」。
1952(昭和27)年。(『東洋工業五十年史』より)

「広島→東京 金語楼の気まぐれ東海道五十三次三輪栗毛」。
東京・日劇ホールでの歓迎式。金語楼（中）と握手する
河村常務（左）。右は司会のトニー谷。1953(昭和28)年。
(『河村郷四追想録』より)

翌年には全国九局のAMラジオ局で「服部良一アワー」などの番組スポンサーとなり、マスメディアによるPR活動を展開した。

「ノンストップ一〇〇〇キロ走破」の大成功に気をよくした恒次は、翌一九五三（昭和二十八）年、再び広島―東京宣伝走行を企画した。今度はノンストップではなく、その頃人気絶頂だった落語家、柳家金語楼（きんごろう）をイメージキャラクターに起用した「広島↓東京 金語楼の気まぐれ東海道五十三次三輪栗毛」である。当時としては型破りな宣伝だった。今回のマツダ号は「CTA型」である。

十月十一日午前十時、広島マツダ本社前をスタートした、金語楼の運転するCTA型は、金語楼自身がレコーディングした「三輪栗毛の唄」を流しながら、各地の販売店が繰り出したマツダ号と共に、三輪パレードを繰り広げた。立ち寄った先はどこも、爆笑の渦である。

「もう、いまの新聞、テレビどころじゃないですよ。行く先々、旅館に着いたら、物凄い群衆でした。途中の辺ぴなところ以外は、多くの人が繰り出し、金語楼さんもよくやっていただきましたが、あれには感激しました。着くと、ディーラーが金語楼さんを引っ張りだこにし、また、喫茶店や飲食店の人たちが引っ張るのです。岡山では、天満屋の前で取り巻かれまして、そこの店長が出てきて、店内を一巡してほしいといいますしね。電柱に登って写真をとる人もいますし、大変な騒ぎとなりました」[22]

販売サービス部員として同行した織田定雄の回想である。

ゴールとなった東京の日劇では、完走した三輪トラックを舞台に引きあげ、待ち受けていた常務の河村が金語楼と固い握手を交わしたのである。

K360でミゼット追撃

「もはや『戦後』ではない」という流行語を生んだのは、一九五六（昭和三十一）年版の『経済白書』である。一九五五〜一九五七年は「神武景気」、一九五八〜一九六一年は「岩戸景気」で、日本は高度経済成長を迎えた。これに伴い自動車の大衆化、いわゆる「モータリゼーション」が進展することになる。

日本の自動車生産台数は一九六一（昭和三十六）年に一〇三万台と、一〇〇万台の大台を突破した。その勢いは衰えず、一九六四（昭和三十九）年には一七〇万台を記録するなど、自動車大国に向けて着実に実績を積んでいた。世界的に見ると、一九六一年にはイタリアを抜いた。一九六四年にはフランスを抜いて、世界第四位となった。対前年の伸び率だけを見てみると、一九六四年には二〇〇％を超えて、アメリカの約二倍の伸び率となり、世界第一位となっている。同年は、機械工業に占める自動車産業の割合が、船舶や重電などそれまでの主要業種を抑え、トップに躍り出た年でもある。自動車工業は躍進の一途をたどった。

こうしたなか、マツダの三輪トラックは、一九六〇（昭和三十五）年に、一一万四三〇〇台を出荷し、ピークを迎える。

この頃、バーハンドルは丸ハンドルに切り替わった。バーハンドルは安価で、運転しやすいというメリットはあるのだが、車の振動がダイレクトに伝わり、特に急な下り斜面では安全性に問題があった。これに対して丸ハンドルは、ハンドルが受ける圧力を軽減できるうえ、キャビン化された室内を広く利用することができるため、人気が出たのである。同時にそれは、三輪トラックの高価格化にもつながった。

一九六二（昭和三十七）年に発売された三輪トラック「マツダT２０００」は、水冷4気筒一九八五ccエンジンを搭載し、最大積載量は二トン、最大速度は三輪トラックで最速の一〇〇キロという高性能を誇った。

その一方、他社の四輪トラックは、量産に伴って価格が下がり、三輪トラックと四輪トラックが同じ市場で争うようになってきた。道路環境が整備されてきたこともあり、やがて三輪トラックは自動車市場から退場することになる。それでもマツダは、大手メーカーとしては最も遅い一九七四（昭和四十九）年まで、三輪トラックを生産した。

三輪トラックに代わって貨物輸送の主流になったのは、四輪トラックである。マツダは一九五八（昭和三十三）年に、空冷2気筒エンジンを搭載した一トン積み小型四輪

マツダK360

トラック「ロンパー」を発売した。翌一九五九（昭和三十四）年には水冷エンジンを搭載したトラック「Ｄ１１００」、「Ｄ１５００」を売り出した。これに加えて軽三輪トラック「Ｋ３６０」の販売を開始した。

Ｋ３６０発売の二年前、マツダのライバルメーカー、大阪のダイハツが一九五七（昭和三十二）年に、三〇〇キロ積一人乗りの軽三輪トラック「ミゼット」を発売した。ＣＭには人気者の大村崑が起用され、「街のヘリコプター」というキャッチフレーズも流行って、ベストセラーとなった。

さっそくミゼットを追撃すべく、

軽三輪トラック市場に投入したマツダ車がK360なのである。K360は、ミゼットより一回り大きい二人乗り。ミゼットがオートバイのようなバーハンドルだったのに対し、K360は丸ハンドルで、より自動車らしさを強調した。

実はこのK360、のちにロータリーエンジンを手掛けることになる山本健一が中心となり、組織上の手続きを経ずに開発したものなのだ。というのも、恒次の意向で、マツダは四輪車開発に全力をあげていた。しかし販売店からは、ミゼットに対抗する車が欲しいという要望が強く出される。そこで山本は、工場の一画に囲いを作り、独断で開発を進めたのである。デザイナーの小杉も、内々で協力した。こうして企画から一年あまりで、試作に漕ぎつけた。

「試作が出来上がってから、自信を持って、恒次社長に見せたら、『勝手にせい』という一言。これは、造ってもよいということだと量産を手配したのです。よき時代の思い出の労作でした[23]」

ミゼットとの競争で市場は拡大し、マツダは増産が続く。最初の車体はパステルピンクとホワイトのツートンカラーで、ミゼットの名前が先行していたため、マツダには「ピンクのミゼットをくれ」といって、やってくる客も多かった。ちなみにK360は、その名称をもじって、「けさぶろう」という愛称でも親しまれた。

山本健一との出会い

ここで、恒次と山本健一との縁(えにし)について触れておこう。

山本の父である山本義雄は「日本窒素肥料」水俣工場の工場長だったが、社長の野口の意向でマツダに派遣された。一九三八(昭和十三)年に恒次が取締役に就任するのと同時に、義雄は常務に就いた。当時、マツダに副社長や専務はおらず、事実上のナンバー2であった。その後、義雄は専務に昇格したが、一九四三(昭和十八)年に退任した。翌一九四四(昭和十九)年一月にマツダの取締役でもあった野口遵が死亡し、日本窒素系の役員は全員、マツダの経営陣を去って、日本窒素肥料との提携は終焉を迎えることになる。

一九二二(大正十一)年、熊本県で生まれ育った山本は、名門校の熊本中学、第五高等学校を経て東京帝国大学第一工学部機械工学科に進んだ。戦時中のことで、一九四四(昭和十九)年に大学を繰り上げ卒業したのち、海軍に召集され、茨城の航空廠で技術中尉として敗戦を迎えた。「海軍士官は収容される」という噂を聞いた山本は、一時は自決を考えたほどだった。そんな山本に、父から電報が届いた。山本の家族は父、義雄の出身地でもある広島に引っ越していたのだ。八月六日、女学校を卒業し、陸軍病院に勤めていた山本の妹は、原爆で即死した。母親は、爆風で壊れた家からなんとか脱出したものの、放射能を含んだ黒い雨にさらされ、原爆症で苦しんだ。父親だけが食糧確保のため早朝、魚釣りに出かけていて難を逃れたのだった。恒次は弟を原爆で亡くしたが、山本も同様の経験をしたのだった。

一九四六（昭和二十一）年、仕事のない山本は、父親の伝手でマツダに入社した。鼻っ柱の強い山本は最初、工場に配置され、組立工として現場の仕事を仕込まれた。理論家で弁の立つ山本は、労働組合のなかでも注目を集めた。イデオロギーが先行する左派の執行部に異を唱え、職場の代議員となって、ストライキを収束させた。新しい組合が結成されると、山本は副組合長に選ばれた。その労使交渉で、興味深いエピソードがある。山本が賃上げを迫ったのに対し、ある役員が反論した。

「そう無理をいいなさんな。会社の経営者というのは従業員も自分の子供のように思っているんだ。君、〝親の心子知らず〟ということもあるじゃないか」

山本はすぐに切り返した。

「ふつう親子だったら、子どもが勉強しないからといってメシを食わさないということはない。着物だって着せてくれるじゃないですか。会社は僕らが働かないといったら賃金くれますか。働かなかったら賃金払わなくていいんですよ。親子とは違う。都合のいいときだけ親子親子といいなさんな」

これを聞いていた恒次が、ニヤリとした。

「君はなかなかしゃれたことをいうな[24]」

これが恒次と山本との出会いだった。

恒次は山本に、目をかけていたのだろう。一九五五（昭和三十）年春、技術部長の竹林清三が欧米に技術調査へ出かけることになった。そのとき恒次は、山本に同行するよう命じたのである。当時、山本はエンジン設計担当の主任技師に過ぎなかった。自分は何をすればよいのか、まったくわからない。会社の期待するような報告など、できそうにない。恒次にそう直訴した。

恒次は笑って答えた。

「ナニ、君は遊んでくればええ。報告なんていらんよ」

その頃の海外旅行は、いまと違って時間もかかれば、お金もかかる。出発にあたって一行は、家族と水さかずきを交わしたほどだった。しかしこの視察旅行は山本に、海外企業の先進性を感じさせると同時に、自分たちの技術力にも自信を持たせることになった。そして恒次の懐の深さに、山本は惹かれてゆく。

山本がK360を会社に無断で開発したのも、「きっと社長は認めてくれるはずだ」という、山本ならではの自負心と、恒次に対する信頼感があったからこそなのだ。これがのちに、ロータリーエンジンの開発にもつながってゆくのである。

オペルと提携するのか?

こうしてマツダ車の生産は、順調に推移する。すべての車種を合わせたピーク時の月間生産台数を見てみると、一九五一(昭和二十六)年では約九〇〇台だったのが、一九五二(昭和二十七)年には一〇〇〇台を突破し、一九五三(昭和二十八)年には二五〇〇台、一九五四(昭和二十九)年には三〇〇〇台に達する。その後も一九五七(昭和三十二)年には四〇〇〇台、一九五九(昭和三十四)年にはなんと九〇〇〇台という激増ぶりである。

工場は月産三〇〇〇台体制を想定していただけに、完全に限界に達した。そこで車体工場をはじめ熱処理工場、シェルモールド工場、それに塗装工場などを新設、拡充して、一九六〇(昭和三十五)年には月産二万台体制を確立した。

この頃、マツダは、実はドイツの「オペル」と提携して乗用車を生産する計画があった。

戦前から恒次たちは、外国の進んだ乗用車を輸入して、研究していた。それも様々なメーカーから購入するのではない。ひとつのメーカーから継続的に購入し、その進化を定点観測しながら、モータリゼーションの方向性をつかもうとしていた。

そこで恒次が選んだ車が、オペルだった。というのも、オペルはドイツ車だが、株式はアメリカのGMが握っている。つまりアメリカ資本とドイツの技術が融合した車である。そこに恒次は興味を惹かれたのだ。製造技術やコスト面では、アメリカ流が優れている。一方、デザインや性能面では、ドイツ流が日本に相応しいと考えていた。マツダが乗り出すクルマづくりに、格好のお手本と思われたのだ。

そんな考えの恒次に、「オペルと提携して乗用車の製造に乗り出してはどうか」と、もちかけた人物がいた。中川懐春である。元三菱商事の商社マンだった中川は、マツダがオート三輪の販売を三菱商事に委託していた関係で、恒次と知り合った。アメリカの自動車事情に通じていた中川に恒次は、「特別の親しみをもたれたようであった」と、中川自身が回想している。

のちに独立して「中川電機」を興した中川は、戦後は冷蔵庫の製造を手掛けると同時に、GMの販売代理店も経営していた。中川は、恒次がGM子会社のオペルに強い関心を持っていることを知っていた。

ちなみに中川はその後、中川電機を松下電器に譲渡し、のちには松下電器の副社長にもなった人物である。松下幸之助は中川を「立派な人」であり、「いさぎよい人」[25]と、高く評価している。

「松田さんは、非常な乗り気を示され、私は、早速GMに東洋工業を紹介するなど仲介の労をとった。ところが、松田さんと私が、政府の意向を伺いに池田勇人氏を訪ねると、いろいろ調べてくださった結果、時期が悪い、今のところ政府には外資との提携を許可する考えはないとのことで、残念ながら、この計画は流れてしまった」
中川が恒次に提携話をもちかけたのは、工業技術に深い関心を寄せる恒次に、同じ経営者として中川が共感したからでもあった。
「鉄にアルミ合金を鋳着形成するアルフィン技術を外国から導入し、その工業化に成功された時に、松田さんは、『うちの若いもんはえらいことやりよる。この技術は、日本ではまだどこもようやりよらんのや』と自慢されたが、その口ぶりはいかにも嬉しそうであった。若い技術者の力を信頼し、研究しやすい土壌をつくり、適度な刺激を与える。そして、その成果を正しく評価し、あくまで担当の技術者をたてる。松田さんには、技術者としてそれだけの深い理解があった。なかなかできないことである」[26]
マツダは当面、外資と提携する道を選ばず、独力で、自動車開発を推し進めることになる。

〝国民車構想〟

一九五五（昭和三十）年、通産省の「国民車育成要綱案」、いわゆる〝国民車構想〟が明らかになった。同年五月十八日付の、日本経済新聞と日本工業新聞のスクープで、国民の知るところとなったプランである。省内の組織決定を経ない段階で、担当者がマスコミにリークし、既成事実とすることで、事業を進めようとしたと言われている。

構想によると国民車の条件は、排気量が三五〇～五〇〇cc、最高速度が一〇〇キロ、四人乗り、または二人乗りプラス一〇〇キロの荷物を搭載可能、最終価格が二五万円以下とされた。この条件で各メーカーに参加を募り、二次にわたる審査を経て、最も優秀な車を試作したメーカーに、資金を助成するというものだった。このモデルを各社が共同で生産すれば、業界も安泰で、乗用車の普及にもつながるという発想であった。

通産省は各社の競争という形をとりながら、自由競争をさせるのではなく、メーカーを集中させて、自動車産業の再編を図ろうとしていたのである。この国民車構想に対し、既存の主要各社は、「そんな車の開発が可能なのか」と疑問視した。国主導で、一社のみを選ぶという方針にも反発した。

同年九月八日、トヨタや日産など乗用車メーカー五社で作る業界団体の「自動車工業会」の理事会が、「同案の性能と価格の条件では製作は不可能」とする結論を出し、国民車構想は立ち消えとなった。しかし、国民の誰もが買うことのできる「国民車」というアイデア自体は、魅力的なものだった。

そこで各社はこぞって、知恵を絞ったのである。

折しもスズキは、一九五五（昭和三十）年七月、三六〇ccの軽乗用車「スズライト」

を発売した。その二年前に、国産初の軽乗用車と言われる「日本オートサンダル自動車」の「オートサンダル」が発売されてはいたが、本格的な量産型の軽乗用車は、スズライトが初である。前輪駆動方式が採用されたのも、国産初であった。セダンタイプの乗用車以外に、キャビンと荷台が一体となった「ピックアップトラック」タイプも発売された。一九五九（昭和三十四）年には居住空間を拡大し、エンジン性能を高めた二代目スズライトが発売された。

トヨタは一九五六（昭和三十一）年に、他社より一回り大きい六八九cc、四人乗り2ドアの試作車を発表した。これをベースに検討を重ねたのち、一九六一（昭和三十六）年に「パブリカ」としてデビューすることになる。

一世を風靡したのが、「富士重工」（現・SUBARU、以降「スバル」と表記）の「スバル360」だった。

同社の前身は航空機メーカーの「中島飛行機」で、戦後はGHQにより解体された。その流れをくむ技術者がスバルに集まり、まずスクーターの製造に取り組んだ。最後まで手に入らなかったのが、マツダのオート三輪の場合と同様、タイヤである。そこで技術者が目をつけたのが、倉庫に眠っていた中島飛行機製の爆撃機「銀河」の尾輪だった。これがなんと、ぴったりはまったのだ。発売されたスクーターの「ラビット」は大ヒットした。そんなスバルの技術者が、開発期間わずか二年たらずで作り上げ、一九五八（昭和三十三）年に発売したのがスバル360であった。

三輪トラックでマツダのライバルだったダイハツは、一九六〇（昭和三十五）年に軽四輪型ピックアップトラック「ハイゼット」を発売した。

初の乗用車、R360クーペ

では、マツダである。一九六〇（昭和三十五）年四月、初の乗用車として、「R360クーペ」を発売した。車名の「R」は、車体の後部にエンジンを置く「リアエンジン」の頭文字である。エンジンは三五六cc空冷2気筒一六馬力だが、軽乗用車初の4サイクルが採用され、四輪独立懸架方式のサスペンションもあいまって、優れた乗り心地と耐久性が実現した。さらに軽量モノコックボディに加え、マグネシウム合金を多用した軽量エンジンで、車重を三八〇キロに抑え、最高時速は九〇キロ、あわせて低燃費も達成した。車高は一二九〇ミリで、当時の国産車で最も低く、スポーティで洗練された外観も際立っていた。座席配置を前席は大人二人、後席は補助座席という、基本的には二人乗りの二＋二タイプにしたからこそ生まれたデザインだった。ボディカラーは、いずれもパステルカラー調の「マロンルージュ」、「サマーセットブルー」、「オパールグリーン」の三色が用意され、女性にも好まれた。

実はマツダでは当初、オーソドックスな四人乗りを試作していた。ところが車重が重くて機敏に走らず、「ドンガメ」というあだ名がつけられる始末だった。そこで急遽、二＋二タイプに変更し、アルミやマグネシウム、プラスチックを多用した軽量化で、R360クーペは誕生したのだった。

その頃の乗用車の価格を見てみると、一九五五（昭和三十）年に発売されたトヨタの初代トヨペットクラウンは一〇一万五〇〇〇円、一九五九（昭和三十四）年に発売された日産の初代ブルーバードは六九万五〇〇〇円。

軽自動車では、スバル360が当初は四二万五〇〇〇円。のちに三九万八〇〇〇円に値下げした。初代のスズライトはセダンが四二万円で、ピックアップトラックタイプでも三七万円。二代目のスズライトは三四万五〇〇〇円だった。

これに対し、R360クーペは三〇万円で、乗用車としては一番安かった。クラウンを一台買うお金があれば、三台買えておつりが来る。しかも二万円プラスで、オートマチック車を提供した。当時、大卒の初任給は二万円前後だったが、マツダは頭金一〇万円、ボーナス月四万円を二回、残りを一万円ずつ一八回までの分割購入も用意し、若いサラリーマンも車が持てる時代になったことを実感させたのである。

R360クーペは発売前に早くも四五〇〇台を受注するほどの大人気となり、注文に納車が追いつかない事態となった。発売後の一九六〇（昭和三十五）年は、九か月間に、フル稼働の工場で二万三四一七台が生産された。待たせている顧客に少しでも早

R360クーペ

く納車するため、工場にはディーラーが列を作るほどだった。同年に生産された全メーカーの軽乗用車全体に占めるR360クーペの割合は、六四・八％にも達したのである。

その後もマツダクーペは人気で、白タイヤやツートンカラーのデラックス仕様が三万円高で加わった。

結果的には実現しなかった国民車構想をめぐる各社の対応について、業界団体の「日本自動車工業会」が発行した『日本自動車産業史』は、次のように評価している。

「日本の乗用車の車型に〝軽乗用車〟と〝大衆車〟という新しいカテゴリーをもたらした点で、国民車構想の意義は大きい。さらにこの国民車構想は、乗用車など実生活とは無縁のものと考えていた一般国民の認識を改めさせるのに大きく役立った」

水冷4気筒のキャロル登場

一九六二（昭和三十七）年二月、マツダは三五八ccのオールアルミ製エンジンをリアに搭載した軽乗用車「キャロル」を発売した。R360クーペのエンジンは簡易な空冷2気筒で、エンジン音がうるさく、暖房も使えない。そこでキャロルは、本格的な水冷4気筒4サイクルエンジンを搭載した。水冷エンジンを活かして、温水式ヒーターが装備された。しかも、エンジンを横置きして居住空間を広くするという発想は、当時の国産車では初めての試みだった。

当時、軽乗用車の規格は全長三メートルである。その枠内で四人乗りにするため、リアウィンドウが絶壁状になっている「クリフカット」を採用した。これで後部座席の空間が広がり、二＋二ではなく、大人四人が乗れるようになった。クリフカットを採用してみてよかったのは、リアワイパーがなくてもガラスは雨に濡れず、雨天でも後方の視界が良いことだった。さらにエンジンが後部に置かれていたため、エンジンのぬくもりがリアウィンドウに伝わり、曇り止めの熱線装置も必要なかった。

発売当初はスタンダードの2ドアモデルのみだったが、豪華装備で居住性も増した

キャロル600

デラックス仕様が登場した。さらに翌年、4ドアモデルが登場した。当時、軽乗用車の4ドアはキャロルが初めてだった。価格はスタンダードで2ドアが三七万円、4ドアが三九万円と、R360クーペより高めの設定だが、さらなる顧客を開拓し、こちらも大ヒットとなった。

同年十一月には、念願の小型乗用車「キャロル600」が発売された。キャロルの開発段階から、七〇〇ccまでのエンジンを採用できるよう、エンジンスペースを確保しておいたのだ。

マツダの乗用車市場への進出が加速されていった。

三輪トラックも含めたマツダの月別総生産台数は一九六〇（昭和三十五）年二月に一万台となり、その後も急増して同年六月にはなんと二万台にまで達したのである。自動車業界初の月間二万台突破であった。

トヨタ、日産を抜いて生産台数日本一に

マツダは、年間の自動車生産台数で、一九六〇（昭和三十五）年に一五万七四〇〇台でシェア二〇・七％を占め、初のトップに立った。一方、従来トップだったトヨタは一五万四八〇〇台、日産は一一万五五〇〇台である。

一九六一（昭和三十六）年には二二万一二〇〇台でシェア二一・三％の、やはりトップを維持した。トヨタは二一万九〇〇台と僅差で二位。日産が一六万五七〇〇台と続いた。

さらに一九六二（昭和三十七）年は二三万五五〇〇台でシェア二〇・七％のトップ。トヨタは二三万四〇〇台で、やはり二位。日産は二一万二三〇〇台だった。

こうして一九六〇年から一九六二年までの三年間にわたり、マツダは生産台数でトヨタ、日産を抜いて、第一位に躍進したのである。

「バタンコ屋」、「田舎企業」と呼ばれ続けてきたマツダにとって、自動車生産台数日本一の座は画期的なことだった。

ただし、手放しで喜べる話でもなかった。というのは、売上高で見ると、まったく

違った様相になるからである。

会社によって決算月が異なるためまったく同時期の比較はできないのだが、マツダの売り上げは一九六〇(昭和三十五)年十月までの一年間で四五〇億六九〇〇万円。これに対してトヨタは一九六〇(昭和三十五)年十一月までの一年間で一〇二六億八一〇〇万円。日産は一九六〇(昭和三十五)年九月までの一年間で六八〇億七二〇〇万円。

マツダはトヨタと日産に大きく水をあけられている。

販売台数の増加に伴って、各社とも売り上げを伸ばしているのだが、差は開く一方である。

一九六二(昭和三十七)年になると、マツダの売り上げは一九六二(昭和三十七)年十月までの一年間で八三三億五四〇〇万円。これに対してトヨタは一九六二(昭和三十七)年十一月までの一年間で一四六八億四四〇〇万円。日産は一九六二(昭和三十七)年九月までの一年間で一三四八億八六〇〇万円。

売上高を見ると逆転するのは、各社の商品構成の違いにある。総生産台数に対する車種別の割合を見てみると、一九六〇(昭和三十五)年のマツダの場合、乗用車は一四・九%に過ぎない。これに対してトヨタの乗用車比率は二七・二%、日産は四七・七%を占める。

さらに、ひと口で乗用車といっても、マツダは「最も安い」のが売りの軽乗用車である。マツダがキャロル600で小型乗用車に乗り出したのは、一九六二(昭和三十七)年のことだ。当時の軽自動車規格は三六〇cc以下で、六〇〇ccは小型自動車規格だった。しかし同車はあくまで、キャロル三六〇の派生車で、本格的な小型乗用車とは言いがたい。マツダ車の売りはあくまで、「低価格」だった。これに対してトヨタや日産の小型乗用車は、高めに販売価格が設定されている。片や三〇万円、片や一〇〇万円では、三倍売っても、まだ追いつけない計算である。

商用車を見てみると、マツダは三輪トラックが七二・六%を占める。その三輪トラックも、低価格の軽三輪トラックが主力車種となっていた。これに対してトヨタや日産のトラックやバスは、マツダの三輪トラックよりはるかに値段が高い。

こうした結果、生産台数ではトップに立っても、売上高では大きく後れをとったのだ。

自動車産業は大規模な量産体制をいかに築くかが、ひとつのポイントだ。四輪車メーカーとして、戦時中は軍部の保護を受け、朝鮮戦争需要では大量の注文を受けたトヨタと日産は、技術や設備などあらゆる面で、マツダのはるか先を行っていた。

マツダは、三輪トラックや軽自動車の分野では、十分な実績がある。これに対し、小型乗用車は未知の世界である。それでも恒次は、未知の世界に敢然と足を踏み入れた。

軽乗用車R360クーペ組み立てラインの恒次（64歳）。
1960（昭和35）年。（『松田恒次追想録』より）

「戦後いち早くオート三輪車の生産体制を整えた東洋工業は、その後二十年代に一トン積み、続いて二トン積みの大型三輪トラックを発表、さらに三十年代にはいって各種の四輪トラックをつぎつぎと世に送った。が、画期的だったのは、やはりなんといっても三十五年五月に発表した三百六十ＣＣマツダクーペであった。このクーペはただ単に、東洋工業がそれまでの三輪、四輪トラックから乗用車という新分野に進出する橋頭堡であったということだけでなく、自動車業界の、ほんとうの意味でのモータリゼーションの突破口を開いたものだと、私たちはいまでも自負している」[27]

恒次はのちに、そう回想している。なんといっても台数でトヨタや日産を抜いて、日本一に輝いた時代のシンボルである。愛着のわかないはずはない。

恒次はテスト中のＲ３６０クーペに同乗して、山間の町に出かけたときのことを次のように述懐している。

「私はでき上がったクーペが、はたして需要大衆からどんな感じでみられるかに大きな関心をもっていた。広島市から五十キロ近くも離れた吉田町というところで、クーペのラジオのテストをしたときのことである。注目してみていると、かっぽう着姿のおかみさん、前かけをかけた娘さんに白衣をはおったお医者さんたちもまじって、ものの珍しさにワッと集まってきた。そして値段を知っているだけに、この人たちは『私たちにも買える身近な車だ』という親しみをもってくれた。それは予期したこととはいえ、これでよかったとしみじみ思ったものだった」[28]

恒次にとって、生産台数日本一は、なにものにも代えがたい勲章であった。

他社にとってみれば、マツダの乗用車が一九六〇（昭和三十五）年の五万五〇〇〇台から一九六一（昭和三十六）年の七万六六〇〇台、一九六二（昭和三十七）年の八万九〇〇〇台と、急な右肩上がりで増えていくのが脅威だった。

マツダは一九六三（昭和三十八）年に七八二ccの「ファミリアバン」を発表し、続いて一九六四（昭和三十九）年には「ファミリア4ドア」を投入した。着実に、小型乗用車市場に進出したのである。その後も「2ドア」、「2ドアスペシャル」、「ファミリアトラック」など、ファミリアシリーズを主力に、小型車のラインナップを充実させていった。

業績は絶好調で、一九五五（昭和三十）年に三億円だった資本金は、一九六四（昭和三十九）年には二五二億円と、九年間で八四倍もの伸びである。マツダは、トヨタ、日産に次ぐ、第三の自動車メーカーとしての地位を固めつつあった。

人にやさしいクルマづくり

R360クーペで特筆すべきは、軽乗用車としてははじめて、オートマチック車をラインナップに加えたことだ。マツダは前年に、日本で初めてのオートマチック車「ミカサ」を発売した岡村製作所と技術提携を結び、クラッチの操作を自動化する技術を導入した。

既述したように恒次は、若い頃に病気のため左脚を切断し、左脚が義足だった。運転免許を持っていなかったため、公道での運転はできないが、左脚による操作が要らないオートマチック車であれば、自社のテストコースで運転できるのだ。これに限らず、マツダは身体の不自由な人にも乗りやすいクルマづくりに熱心に取り組んでいる。

作家の水上勉が命名した「太陽の家」は、ソニーの井深大、オムロンの立石一真ら実業家の支援も得て、障害者の労働と地域社会における共生を目指す社会福祉法人である。医師で理事長の中村裕は、リハビリテーションにスポーツを取り入れ、一九六四（昭和三十九）年に開かれた東京パラリンピックでは、日本選手団の団長に選ばれている。彼は恒次を初めて訪ねた日のことを、感慨深く記している。

「身体障害者に働く機会を与えるための太陽の家運動の概略を述べ、ご協力をお願い申しあげた。

初対面の私に対して、広島弁で、旧知の子分に対するがごとく終始温顔で、異常なまでに身障者問題にご熱心で、『中村さん、身障者を気の毒だといってただかわいがってはいかん、仕事をさせるのはいいことだ。できるだけ協力するから、頑張れや』と逆に励まされた。大会社の社長に初面談するといった私の緊迫感はいつの間にか霧散し、心温まる気持で、約束の時間をはるかに過ぎて病室を辞したことが、昨日のように思いだされる」

恒次は「太陽の家」の顧問を務め、支援を惜しまなかった。

「ご自身が身障者であったので、いわれることが現実的で、また自動車屋の統帥らしい夢があった。

『おれの義足は自分で考えたものだが、中村さん、医者のつくってくれたものは軽くて、飛行機にのりこむ時にプロペラの風圧で倒れそうになったよ』といいながら、何回かマツダ製改良義足をみせられた」[29]

マツダ製の改良義足がいかなるものか、記録も残されておらず、今となっては不明だが、恒次のアイデアが詰まっていたに違いない。

マツダ車には、人にやさしいクルマを目指した恒次の思いが込められているのだ。

「恒(つね)に次の展開を考える」

経営者として恒次が秀逸なのは、その名の通り、恒(つね)に次の展開を考えていたことである。Ｒ３６０クーペが好調なときこそ、生産体制の強化が最も重要な課題である。

新工場が完成して間もない一九六一（昭和三十六）年、宇品地区に、既存の本社工場に比べて敷地面積が約三倍の、広大な工場用地を確保した。

宇品地区は、本社地区に沿って流れる猿猴川の対岸にある。恒次は両岸を、自社の専用橋によって結ぶ大規模な「一社一工場システム構想」を打ち出した。こうして一九六六(昭和四十一)年、最新設備を備えた工場が宇品地区に完成したのである。

広島は中国地方では大都市であるが、やはり日本の大都市は東京、大阪、名古屋であり、関東、関西、中部地区が自動車の主な出荷先となる。確かに広島からはかなり遠い。ということは、普通に考えれば陸上輸送のコストがかさんでしまう。

恒次の慧眼は、海上輸送を選択することで、輸送経費の節減に成功したことである。消費地から遠いというマイナスを逆手にとって、プラスに転化したのだ。一九五三(昭和二十八)年には早くも、自動車の海上輸送を本格的に採用し、輸送コストの大幅な削減を実現している。自動車の専用船による輸送は、もはや一般的であるが、その先鞭をつけたのはマツダである。

マツダの業績を見てみると、売上高は日本が敗戦した一九四五(昭和二十)年の十二月から翌一九四六(昭和二十一)年八月までの九か月で、わずか八八〇万円だった。恒次がマツダに復帰した一九五〇(昭和二十五)年十一月までの一年間には一三億五三〇〇万円。それが一九六〇(昭和三十五)年十月までの一年間では、一〇年前の三三倍にも上る四五〇億六九〇〇万円という、急成長ぶりである。その間、売上高が前年度に比べて減ったのは一九五八(昭和三十三)年の一度、利益の減少は一九五五(昭和三十）年の一度だけで、あとは一貫して急成長を遂げてきた。資本金も毎年のように増資が行われ、配当も一九六〇（昭和三十五）年で一八％と、きわめて高い。マツダの経営体質はきわめて健全で、恒次の経営手腕は、内外から高く評価された。

従業員の賃金も業界トップクラスとなった。特に残業に対する報奨制度を手厚くしたこともあって、一時はトヨタや日産も抜いて自動車業界で日本一の高賃金となった。

「利益は会社と従業員で折半しよう」

これが、恒次の持論だった。

いち早くコンピューターを導入

三代目社長、松田恒次の功績のひとつは、コンピューターによる生産管理を、本格的に取り入れたことである。

R360クーペは、一九六〇（昭和三十五）年に完成した新しい塗装組み立て工場で量産が始まった。総面積五万四〇〇〇平方メートルの規模を持ち、総工費二八億円をかけた、画期的な工場だった。

三本の塗装組み立てラインでは、R360クーペだけでなく三輪トラックや四輪トラックも同時に生産される。しかも、一機種一ラインと同様の生産性をあげるという、マツダ独自の生産方式が採用された。それを可能にしたのが、コンピューターの導入である。

恒次はまず、一九五四（昭和二十九）年に、コンピューターの前身とも言えるPCS（パンチカードシステム）二セットをアメリカのIBM社から導入し、事務合理化の先鞭をつけた。原価計算、給与計算、販売計画などに導入され、事務処理が大幅に迅速化した。

その後、NECや富士通の初期型コンピューターを導入したが、これらは技術計算のみを目的にしたものだった。

一九六〇（昭和三十五）年、IBM最初の量産型コンピューター「650型」を工場に導入した。これをどう使ったかというと、多種多様な自動車部品をひとつのラインで流すための複雑な順序を正確に計算させたのである。コントロールセンターは生産計画に基づいて、テープに記録されたデータを各現場に伝え、ベルトコンベアを適正に運行しながら組立工程を管理する。これにより、一機種一ラインと同じペースで、七車種一四機種の塗装組み立てができるという、非常に効率の良い生産管理を実現したのである。

このほか、数十万点にのぼる部品や材料などの発注や手配、納期管理、在庫計算などにも利用した。

このように、コンピューターを生産工程に本格的に導入したのは、自動車業界ではマツダが最初だった。なぜかといえば、マツダはその必要に迫られていたからだ。トヨタや日産は、マツダよりはるかに大量生産を行っている。このため多くの生産ラインを持ち、多様な車種をそれぞれのラインで組み立てることができる。これに対して規模の小さなマツダは、それができない。少ないラインで、いかに多様なニーズに応えるか。恒次の出した答えは、コンピューターの利用だった。まさに、「必要は発明の母」である。

当時はマツダの社内でも、時期尚早という反対論が多かった。勘と経験が自慢の職人肌の技術者たちは、コンピューターを嫌がった。恒次が社内で聞いたところ、七対三で、反対意見のほうが多かったのである。

「だいたい、どこの会社でも、社長が、こうやりたいという意見を出すと、宙ぶらりんの連中は社長の意見に従うものだが、うちはそうはいかない。

しかし、私は、このときはワンマンを発揮して、IBMの導入にふみきった。これが、今日、すべての面での合理化に大きな役割を果たしているのである」[1]

技術の天才と呼ばれた父、重次郎は、たとえ重役たちが反対しても、新しい技術を導入することにためらいはなかった。恒次も、尊敬する父に倣って、重役陣の反対を押し切ったのである。

「私は、コンピュータが人の頭脳だとは考えない。それは、人間のアイディアをよび起し、そのアイディアをためすことを可能にし、知りたいことを、そして、知りたいことだけを迅速かつ正確に知らせてくれるものではないかと考えている」[2]

恒次はコンピューターを様々に利用した。後述するように、マツダの附属病院にも、

恒次は1960(昭和35)年にIBMコンピューターを他社に先駆けて導入。写真は1968(昭和43)年にマツダ本社計算センターで本格稼働を開始した、最先端のコンピューターシステム。

全国に先駆けてコンピューターを導入した。身体障害者の能力分析にマツダのコンピューターを使うよう、障害者施設の代表に提案したりもした。

マツダの社内ではかつて、次のようなジョークが語られたという。

「トヨタはお金があるから、図面を引いたエンジンや車体を全部、実際に作ってしまう。ホンダは頭がいいから、二、三個作ればできてしまう。マツダは実際に作るお金もないし、頭もないから、少ないリソースで開発できるよう、コンピューターに力を入れた」

経営がきわめて厳しい時期もあったマツダならではの笑い話だろうが、お金がなくても、人が少なくても、他社には負けないという自負心が伝わってくる。

対巨人軍の「王シフト」

恒次とコンピューターをめぐっては、興味深いエピソードがある。一九六〇（昭和三十五）年、恒次は、まだ入社三年目のコンピューター技術者、渡辺昭雄を社長室に呼び出した。

「野球を科学してみぃ」

恒次は、こうもつけ加えた。

「これは商売やないから、失敗してもかまへんで[3]」

プロ野球の広島カープは、親会社を持たない市民球団として発足し、広島市民の熱烈な応援を受けていた。恒次はやがて「広島東洋カープ」のオーナーになるのだが、当時は「広島カープ」の取締役だった。恒次は弱小球団のカープをなんとか強くしたいと願った。そこで、自社のコンピューターに目をつけたのである。

社長直々の命令とあれば、従わないわけにはいかない。しかも「商売ではない」ということは、自分の仕事が終わった勤務時間外にやらなければならない。

渡辺はコンピューター用のスコアシートを開発し、カープのスコアラーに記入を依頼した。試合が終わると、スコアはマツダのコンピューター室に運び込まれ、深夜の空き時間に渡辺が入力した。こうして広島の対戦相手の全データがインプットされたのである。

試合結果を解析しつづけた渡辺は、ある特徴に気がついた。当時は日本のホームラン王、巨人の王選手の全盛期である。その王選手の打球の八〇%以上が、ライト方向に集中していたのである。渡辺の分析結果を聞いた監督の白石勝巳は、ひらめいた。守備陣がライト方向を中心に守ったら、王選手にプレッシャーがかかり、ホームランを減らせるかもしれない。こうして一九六四（昭和三十九）年五月五日、後楽園球場で行われた巨人—広島戦で、王選手がバッターボックスに立つと、広島は、フィールドの右半分に野手を集めるという、前代未聞の守備態勢を敷いた。フィールドの左半分はガラ空きなのである。普通なら簡単にアウトになるような打球でも、それがレフト方向に転がれば、間違いなくヒットになってしまう。それでも、ホームランを打たれなければ構わない。これが「王シフト」の始まりである。

王選手は、王シフトをものともせず、本塁打を量産したのはさすがだった。しかし、野球にコンピューターを利用するという発想は、新しもの好きの恒次ならではと言えるだろう。

ちなみに渡辺は、その後マツダを退職して「富士通」に転身し、ベストセラーとなるオフィスコンピューターを開発した。さらに独立して高性能なパソコンを販売し、日本にパソコンブームを巻き起こした。ベンチャービジネスの旗手であり、日本IT業界の先駆者の一人を、マツダは輩出したのである。

原爆とコンピューターとマツダ

ところで、マツダが日本で先陣を切ってコンピューターを導入したという事実は、因縁めいたものを感じさせる。「コンピューターの父」と呼ばれるフォン・ノイマンは、実はアメリカの原爆製造計画で、中心的な役割を果たした科学者の一人でもあった。原爆の開発、製造にあたっては複雑なシミュレーションが必要であり、そのために電気式大型計算機を開発していたノイマンの力が必要とされたのである。その経験を活かしてノイマンは、「ノイマン型コンピューター」を提唱した。それが現在のコンピューターのスタンダードとなったのだ。そのコンピューターを、被爆地を代表する企業であるマツダが、日本で他社に先駆けて導入したのである。マツダはやがてロータリーエンジンの実用化に成功するが、コンピューターがなければ難しかっただろう。

敗戦時の首相であった鈴木貫太郎が八月十五日夜、「大詔を拝して」と題してラジオ放送を行った。

「敵は最近遂に世界科学史上革命的な原子爆弾の発明に成功し、これを人類殺傷の兵器として応用して、ほとんど不可抗力ともいうべき破壊力を、わが本土と国民の上に加え始めました」

そのうえで、新しい日本の建設に向けた課題を指摘した。

「特に今回戦争における最大欠陥であった科学技術の振興に努めるの外ないのであります。しかしやがて世界人類の文明に貢献すべき文化を築き上げなくてはなりませぬ[4]」

鈴木の言う「科学」が象徴したものは、原子爆弾である。人間の生み出した科学は、使い方を誤れば人類を破滅に導くが、一方で繁栄をもたらすこともできる。科学技術をどう利用すべきなのか、それを恒次は身をもって体験したのである。

前章で紹介した、一九五二（昭和二十七）年の二トン積み三輪トラックによる「広島―東京キャラバン」は、マツダが東京にうって出る決意表明の大イベントであった。その出発地点こそ、エノラゲイ号が原爆投下の目標地点とした相生橋だった。戦後のマツダが、原爆被害からスタートしたことの象徴であった。

原爆ドームをバックにしたロータリーエンジン搭載車、コスモスポーツの写真は、人類の愚かさと叡智を象徴的に表している。コンピューターがいずれも広島という地で、一方では原爆ドームをもたらし、他方ではマツダをロータリーエンジンに導いたのである。

輸入自由化とどう向き合うか

社長として実績をあげる恒次だが、国内メーカーとの競争だけを考えればいいという時代では徐々になくなってきていた。

その頃、アメリカ車の二〇〇〇ccクラスが米国内では約七〇万円、ドイツ車の一二〇〇ccクラスがドイツ国内で約四〇万〜五〇万円で売られていた。これに対し、国産車は一九〇〇ccクラスで約一〇〇万円、一二〇〇〜一五〇〇ccクラスで約六〇万〜八〇万円と、相当な開きがあった。

しかし海外から車が輸入されると三五〜四〇%の関税がかかり、さらに一五〜三〇%の物品税が加わる。そのうえ、輸入ディーラーのマージンが一〇%ほど上乗せされる。この結果、一〇〇〇cc以上の乗用車については二割以上、八〇〇cc以下では五割程度、輸入車の方が割高になったのである。しかし日本経済の発展に伴って、市場開放を求める海外からの声が強まった。

一九六〇（昭和三十五）年六月、政府は「貿易為替自由化計画」を決定した。これを受けて、自動車関連ではまず、トラックとバス、それに二輪車について、一九六一（昭和三十六）年に輸入が自由化された。乗用車については、「三年以上の準備が必要」と諸外国に説明したが、逆に言えば、近い将来の自由化は避けられない情勢となってきた。

確かに国内で見てみると、自動車産業の地位は着々と上がっていた。一九五九（昭和三十四）年の通産省の工業統計によると、機械工業に占める自動車工業の比率は、製造出荷額で一九・二％、従業員数で一二・九％を占め、造船や重電機等の主要業種を抜いて第一位となっていた。製鉄や化学肥料などの重化学工業と並ぶ、日本の代表的な産業に育ってきたのである。

しかし国際比較で見てみると、日本の自動車メーカーはいまと違って、まだまだ弱小だった。トヨタや日産でさえ、ヨーロッパの企業の五分の一から一〇分の一、アメリカと比べれば二〇分の一程度の規模に過ぎなかった。

値段の問題だけではない。外国製の車はメーカーごとに、それぞれ独特のデザインや乗り心地、あるいは洒落た雰囲気がある。国産勢がまだまだ追いつけない自動車文化の差が歴然としてあった。

機械設備の面でも、欧米諸国に当時は大きく後れをとっていた。関税などの輸入制限が撤廃されれば、日本の自動車産業は立ち行かなくなるのではないかと、不安視されたのである。

政府の三グループ構想

そこで一九六一（昭和三十六）年六月に通産省の産業合理化審議会が提唱したのが「自動車工業に対する今後の施策方針」、いわゆる「三グループ構想」である。完成乗用車の輸入自由化は一九六三（昭和三十八）年春に予定され、それまでに自動車メーカーを次の三グループに統合して、国際競争力をつけさせるというものだ。

（1）量産車（普通乗用車）グループ…同一エンジン車の月産能力が一万台以上。現状では二社が予定された。

（2）特殊乗用車（高級車）グループ…高級乗用車、スポーツ車、小型ディーゼル車等、特色ある車種を中心に生産する。現状で二〜三社が予定された。

（3）ミニカー（軽自動車）生産グループ…市場性から見て、需要が飛躍的に伸長するとは考えられないとされた。二〜三社とされた。

イギリスの経済学者のマクシーとシルバーストーンは、「年間一〇万〜二〇万台の水準までは、自動車の生産台数を増やせば増やすほど、生産コストが下がる」という理論を一九五九年に発表し、「量産効果の理論」として広く支持されていた。これを踏まえ、通産省は量産車グループについて、外国メーカーの実績を勘案しながら月産一万台というラインを引いたのだ。

各自動車メーカーが三グループのいずれかに生産の重点を置くことで、専門の生産体制を確立して競争力を強化する。それにより、輸入自由化の波を乗り切ろうと、政府は考えたのだ。

それまでも政府は、特に金融業界について、許認可権限を駆使しながら、どこも破綻することのないよう「護送船団方式」をとっていた。その手法を、自動車業界にも援用しようとしたわけだ。

業界再編を促す手段として、当時の池田内閣は、税制と金融の両面で優遇し、重要産業の大型合併を推進するという「特定産業振興臨時措置法案」、いわゆる「特振法」を一九六三(昭和三十八)年から一九六四(昭和三十九)年にかけて三回にわたり、国会に提出した。

対象とされた産業は、特殊鋼、石油化学、そして自動車だった。

「まだ未成熟産業である」

国会でそう明言したのが、法案を主導した通産省企業局長の佐橋滋だ。その頃の通産官僚は、自動車産業はまだ独り立ちできないと見ていたのだ。

業界の寡占を容認する法律が成立すれば、その時点で乗用車を手掛けていないと、乗用車の製造に参入できなくなってしまう。当時、オートバイしか製造していなかったホンダは、通産省からの中止要請を振り切って、一九六二(昭和三十七)年に小型スポーツカーと軽トラックの試作車を全日本自動車ショーに出品し、翌年には販売に踏み切った。

恒次の「ピラミッドビジョン」

一九六四(昭和三十九)年四月には、先進国クラブとも言われるOECD(経済協力開発機構)への日本の加盟が実現し、非自由化製品の自動車に対する風当たりが、一層強くなってきた。こうしたなか、外資と提携して競争力をつけようとする自動車メーカーの動きも出てきた。これを通産省は強く牽制し、「自動車工業会」に次のように要請した。

「自動車工業に対する外資の進出に対処するためには、少なくとも既存メーカーにおいて外資との提携はもちろん外資の進出を誘発するような外資導入は厳につつしみ、外資に頼るよりはむしろ国内各企業間の協調により問題を解決すべきである」

しかし、「モノづくり」はアイデア勝負でもあり、競争によってこそ鍛えられる。

恒次は、「経済的自由主義の理想はあくまで堅持すべきであり、企業の主体性を無視した官僚統制に陥った自動車産業の正常な発展を妨げるようなことになってはならない[5]」と注文をつけている。

「三グループ構想」という政府の方針については「官僚統制だ」として反対する財界や産業界の声が強く、「特定産業振興臨時措置法案」は、審議未了で廃案となった。

一方、当事者である自動車メーカー各社は当然のことながら、独自に輸入自由化対策を練っていた。そのひとつが規模の拡大である。乗用車やバス、トラックを含めた全メーカーの総生産台数は、一九六一（昭和三十六）年に一〇四万台だったが、一九六四（昭和三十九）年には一七八万台と、三年間で七一%という高い伸びを示したのである。これは各社が乗用車専用に作った新工場が一斉に稼働を始め、生産能力が飛躍的に拡大したことによるものだ。

その結果、一九六三（昭和三十八）年から一九六四（昭和三十九）年にかけて、各社の乗用車やトラックの価格が一斉に見直され、全体として一〇%前後の値下げとなった。これにより、国産車の価格は国際価格に大きく近づいたのである。

通産省で自動車課長を務め、のちに特許庁長官になった佐々木学が、当時のマツダの動きについて次のように回想している。

「昭和三十六年度乗用車部門の設備投資計画は前年度の四七%増の八二〇億円に達する勢いであった。なかでもマツダは先発会社以上に積極的であったと言える。各種専用工場の建設、内外企業との各種の技術提携等着々と戦備を整えていた。こうした情勢に対しては、さまざまな批判が巻き起った。自動車兇器論、生産制限論は論外としても、意外だったのは、自動車業界から支援を受けている大物国会議員の強硬な設備投資大幅抑制論であった。大蔵省の差し金によるものだった。また学識経験者と称する無責任者にも手こずった。こうした人達に限って理路整然とした素人受けのする議論を展開するものだから余計に始末が悪い[6]」

成長産業である自動車業界をめぐり、様々な思惑が交錯していたのが興味深い。それにしても、なぜマツダが特に設備投資に積極的だったのか。それは通産省の三グループ構想では、マツダがミニカー生産グループの代表的なメーカーと見られていたからである。

恒次はかねてから、自動車生産における自社の「ピラミッドビジョン」を描いていた。国民の所得階層分布がほぼピラミッド状になっていることを踏まえ、乗用車の保有構造もピラミッド型になぞらえて展開するというものだ。ピラミッドの頂点にあるのは、大型高級乗用車だ。しかし一般のサラリーマンには手が届かない。そこで広い底辺には、買いやすい大衆車を想定する。マツダとしてはまず、ピラミッドの底辺にあたる膨大な大衆の潜在需要を掘り起こすことから始め、国民所得の向上とともに、一段ずつ、次のステップの自動車を開発していこうというものだった。しかし「三グループ構想」に従うと、マツダはピラミッドの底辺しか担当できないことになる。恒次にとって、自分たちが手塩にかけて育ててきた会社が「ミニカー専業会社」とされ、しかも合併されて経営権を失うなど、論外であった。

「軽はだめです。金儲けには役立つけど、輸出にはつながりまへん。輸出できなんだら、日本はどうして食ってゆけますか（中略）。軽は日本の税制と免許制度といった特殊な事情のもとに生まれた日本独特の車や。輸出でけません」[7]

前出の佐々木は、次のような思い出話も残している。

「昭和二十年代のマツダは、いろいろなところで『田舎会社よ』『所詮は田舎大名よ』と陰口をたたかれていた」

その後に急成長を遂げたとはいえ、中央から遠い広島の地にあるマツダは、大手メーカーと比べて一段低く見られていたのであろう。トヨタ、日産に対する恒次の対抗意識は、相当なものである。

週刊誌の取材では、同業他社があるとき、リコール問題を起こしたことに対し、自社の体制を大阪弁で自慢する。

「増産増産で、安全をかえりみないでやってきたトヨタさん、日産さんとはそこが違うんや」

恒次は、意気軒昂である。

「自由経済下においては、好むと好まざるとにかかわらず、企業間の競争があり、それらの戦いを通して、技術的にも、コスト面でも、企業が進歩していくのである。

企業競争の勝敗というのは、最後には技術、資本、販売網、すべての総合された力の差による。私は、決して競争を恐れていない」[8]

車の選び方についても、恒次は一家言がある。特に、社用でトヨタや日産を選ぶ会社に対してである。

「私は、社用族の車に対する選択の基準を改めてもらいたいと考えている。彼らは決して、良い車を〝良い〟といって買ってはくれない。〝良さ〟の基準が違うのである。私のいう良い車というのは、一口にいって、ガソリンの消費量が少なくて、そして修繕費の少ないものをもって、〝良い車〟という。

しかし、彼らには、ガソリンはたれ流しであろうが、全部会社でもつんだし、自分で乗っていささかでも偉く見えるような車が、良い車の基準となる。こうした連中の車に対する観念が変わらぬかぎり、日本のモータリゼーションは飛躍しないであろう」

恒次流の合理性が、見事に貫かれた主張である。

外資への警戒、揺らぐ自主独立

一九六〇（昭和三十五）年から三年間にわたり、トヨタ、日産を抜いて自動車生産台数日本一にはなった。しかし小型や普通乗用車、トラックが中心の大手二社と、軽乗用車や三輪トラックで台数を稼いだマツダとでは、企業の規模、それに伴う収益性がまったく違う。乗用車に進出したばかりのマツダは、経営基盤が弱い。自動車業界第三位とはいえ、業界再編の話が出ると、まっさきにマツダの統合先が噂される始末である。

実際、「三グループ構想」以降、何度も業界再編がささやかれた。

「自動車販売競争の現状は値引きや過当なサービスと目に余るものがある。乗用車自由化をひかえて外資が乗り込んでこようかという大事な時期でもあり、この際企業経営を脅かすムダな競争をやめて業界協調を真剣に考えてほしい」

一九六五（昭和四十）年三月四日付の読売新聞は、通産省の熊谷典文（くまがいよしふみ）重工業局長が大手自動車メーカー社長の面々に対し、このように言い切ったと紹介している。

当然のことながら、恒次は危機感を抱いた。

「いまは、各社がたくさんの種類の車を少しずつ生産しており、競争がきわめて激しい。いずれ本格的な業界再編成がすすむだろう」[9]

恒次は、外国資本の日本進出を警戒していた。

「もし、外国が進出してきたとしよう。せっかく大学で自動車工学を勉強してきた人たちが、占領下と同じように、職工としてみじめな使われ方をするに決まっている。自分たちの意見をいっても、せいぜい、『お前は黙ってナットをしめておれ』というようなことになりかねない。先方の技術で、先方のいうなりに働かせられるだけだと思う。

私は、われわれ日本人の手で、民族資本の自動車工業というものを盛り上げていかなければならないと思っている」

これが恒次の本音だ。経営者として、社員を大切に思う恒次の心情が感じられる。基本的に恒次は、独立独歩の人なのだ。

「私は、自動車工業こそ、将来の輸出産業の最たるものであると思っており、また、関連産業の多い点からも、日本の産業政策上、とくに留意すべきだと思っている」[10]

外資と手を結ぶことなく、マツダが生き残っていくためには、二つの道しかない。ひとつは自主独立路線を捨てて、トヨタや日産などと合併することである。

「もし外車が日本に乗り込んできて日本の若い技術者が青い目の命令をきかなければならないようなことになったら、かわいそうやないか。だから、外国資本のなぐり込みをふせぐためには、一東洋工業のメンツなどは考えず、日産とでもどことでも合併する」[11]

強気一辺倒だった恒次が、弱気になっている。本格的な業界再編を見越して、買収する側に企業への要望さえ述べる。

「残った企業は、合併される企業に対して人間関係をとくに尊重することが大切と考える。でないと、再編成はしっくりいかず、脱落組が苦しまぎれに外国の資本に助けを求める気持になり、内側から足並みを乱すことになりかねないからである」[12]

マツダが合併されるのを前提とした発言である。そこまで恒次は、追い詰められていたのである。

もうひとつの道はトヨタや日産に伍して設備投資を行い、企業体質を強化する。そのためには巨額の資金が必要となる。しかし銀行から融資を受けて設備投資をするために、当時は通産省の許可がいった。戦後の日本産業は政府の規制によって守られてきたが、企業が成長するにつれ、それが足かせともなってきていたのである。

恒次にとって、思案の日が続いた。

ドイツからの手紙

一九六〇（昭和三十五）年の元旦、多くの年賀状に交じって、一通の航空便が恒次宛てに届いた。差出人は、ドイツ人のW・R・フォルスター。戦前に彼が東京の大森で工作機械を作る「日独機械製作所」を経営していた時代から、恒次とは親交があった。

そもそもの出会いは、フォルスターの工場で作ったフライス盤を購入したことだった。切削加工を行う工作機械の一種なのだが、故障したため修理するよう求めた。すると、経営者のフォルスター自身がわざわざ広島に出向いてきた。彼は、連れて来た工員に的確に指示を出し、徹底的に直したのである。恒次は、このときのフォルスターの几帳面さに興味を持った。恒次と同類の性格を感じ取った。これをきっかけに、恒次とフォルスターは親交を結んだのだ。

あるとき、恒次が感服したことがあった。戦時中は毎月八日が「大詔奉戴日(たいしょうほうたいび)」と決められていた。「宣戦の詔勅」が出された十二月八日を記念したものである。戦争完遂のための国民運動として、企業や学校では国旗掲揚、君が代吹奏、宮城遥拝、御真影の奉拝などが行われた。

ある大詔奉戴日のことである。こともあろうに、恒次はそのことを忘れ、フォルスターの東京の事務所を訪れた。すると彼は、「ちょうど時間だから、一緒に来い」という。ついて行くと、全社員の整列している最前列に立たされ、皇居に向かって遥拝させられたのだ。「郷に入っては郷に従え」というが、フォルスターの見事な適応ぶりに感心したのだった。

別のある日。恒次がフォルスターの工場を訪ねると、フォルスターが言った。

「よいところにきた。きょうはフイゴ祭りだ。お参りをしよう」[13]

フイゴとは、鍛冶場で火をおこすために使う、長方形の送風器である。そのフイゴの神に感謝するフイゴ祭りは、鍛冶職人や金工職人の重要な行事である。工場内の鍛冶場に案内されると、鋳造用の炉である火床(ほど)に、お供えがしてある。フォルスターはドイツ人らしく、ビールを出して、みんなで乾杯した。

フォルスターの住まいは神奈川県の茅ケ崎で、「第一次大戦の経験だ」と言って、自宅の地下倉庫に、缶詰や洋酒を山のように保管していた。ビールもしっかり、ため込んでいたのである。

恒次はまだ子どもの頃、重次郎の工場で、フイゴ祭りを経験している。マツダでもフイゴ祭りを行っていたが、戦争で軍需生産に追われ、さらに供え物などの物資が乏しいこともあって、フイゴ祭りは滞りがちになっていた。それなのに、ドイツ人であるフォルスターが、日本の伝統行事を執り行っているのである。恒次はすっかりフォルスターに感心すると共に、フイゴ祭りをしなくなった自分を恥ずかしく思った。

戦後は敗戦国の国民として資産を没収され、苦労したが、恒次は彼に支援の手を差し伸べたことがあった。フォルスターはやがて帰国し、祖国で機械商社を経営していた。恒次はフォルスターを、心から信頼していた。

そのフォルスターからの手紙である。ドイツ語で書かれた手紙には、ドイツのオートバイメーカー「NSU」社と、フェリックス・バンケル博士率いる「バンケル」社が共同で開発した「ロータリーエンジン」に関する詳細なリポートに加え、雑誌『THE ENGINEER』（一九五九年十二月十八日号）で紹介された記事が同封されていた。

バンケル型ロータリーエンジン

NSUは、一九五五（昭和三十）年にホンダが二輪車の生産台数世界一となるまで、その座を守ってきた一流メーカーである。オートバイだけでなく、四輪車の製造にも乗り出していた。

ロータリーエンジンは開発途中であり、NSUはロータリーエンジンを実用化するためのパートナーを探しているという。

手紙は次のように結ばれていた。

「ロータリーエンジンはまったく画期的なエンジンであり、自分も協力するから、一日も早く技術提携を結ぶべきだ[14]」

それまで、そして現在も、自動車で一般的なエンジンは、レシプロ方式である。「レシプロ」とは、「往復運動」という意味の英語だ。ガソリンなどの燃料が爆発した際のエネルギーでピストンを押し下げ、円筒状のシリンダーの中をピストンが上下動する。この往復運動を、クランクシャフトを使って回転運動に変えることで駆動軸を回すのである。

例えばレシプロエンジンで主流の4サイクルエンジンの場合、吸入、圧縮点火、爆発、排気という四つの行程を、ピストンが二往復する間に行い、この間、フランクシャフトは二回転する。

ディーゼルエンジンは、通常のレシプロエンジンとは点火の仕組みと燃料が違うものの、構造自体はレシプロ方式である。

これに対してバンケル型のロータリーエンジンは、楕円形の断面を持つ容器の中で、レシプロエンジンのピストンの代わりに、三角形のおむすび形のローターが、三つの空間を作る。ポイントは、「ローターハウジング」と呼ばれる容器の断面がまゆ型のため、ローターの回転に伴って、隙間が大きくなったり、小さくなったりすることである。それにあわせて、ローターが一回転する間に、空間が順次、移動しながら、それぞれ吸入、圧縮点火、爆発、排気という行程が行われる。

つまり、この四行程が、三つの空間で同時進行しているわけである。

ローターハウジングの両側の側面は、それぞれ平面の「サイドハウジング」によって覆われることで、密閉した空間を作り出す。

単純に考えてみると、レシプロエンジンではピストンの二往復、つまり二回転を得るために四行程が一回行われるのに対し、ロータリーエンジンではローターの一回転で四行程が三回起きる。一回転あたりの行程数を比較してみると、理屈の上では、ロータリーエンジンはレシプロエンジンの六倍、パワーを持つことになる。

さらにレシプロエンジンは、往復運動を回転運動に転換する過程で慣性が失われ、振動が生じたり、エネルギーをロスしたりするのは、どうしても避けられない。

これに対してロータリーエンジンは、ローターの中心部で、車軸とつながった歯車がかみあい、ローターの回転をドライブシャフトにそのまま伝える。ピストン自体が回転しているのだから、慣性が失われることもなく、振動もずっと少なくてすむ理屈である。

こうしたロータリーエンジンの構造上のメリットで、同じ排気量で比べると、ロータリーエンジンは圧倒的に高出力となり、さらに振動も少ないと、いいことずくめなのである。

バンケル博士が当初、開発したロータリーエンジンは、内部でローターが回転するハウジング自体もまた、回転した。つまり、ローターの周りに回転する内側ハウジング、そして固定された外側ハウジングという三重構造であった。その結果、テストでは毎分一万三〇〇〇回転という高回転、高出力を達成した。しかし、内側のローターに混合気を入れるために、構造が複雑になった。

共同開発にあたったNSUの責任者であるフレーデ博士は、製造上の煩雑を避けるため、多少の性能を犠牲にしたうえで、外側ハウジングを排したロータリーエンジンを開発した。NSUはこれを、バンケル型エンジンとして発表したのだ。

こうした経緯を踏まえ、ロータリーエンジンの基本特許は、バンケル博士のバンケル社とNSUとが共有する形となったのだ。

NSUでは、自社で試作したロータリーエンジンについて、排気量一二五ccで二九馬力と公表していた。これはスバル360の一五馬力、マツダR360クーペの一六馬力と単純に比べると、効率が五倍以上違うことになる。

ところで、先ほど「バンケル型のロータリーエンジン」と書いたが、それはバンケル型以外にもロータリーエンジンが考案されてきたということである。

ロータリーエンジンの歴史は、十六世紀の揚水ポンプにまでさかのぼることができる。蒸気機関を発明したイギリスのジェームズ・ワットも、ロータリー蒸気機関を考案した。しかしそれらはいずれも、ローターにふさわしい容器を設計できなかったり、気密性が確保できなかったりするなど、いくつもの課題を解決できなかった。はっきり言えば、失敗の連続だったのだ。その結果、回転運動に優れたロータリーエンジンという概念自体は、エンジン研究者や自動車関係者の間では知られていたものの、「まぼろしのエンジン」、「実現不可能なエンジン」とされてきた。

ところが、バンケル博士の考案したロータリーエンジンのシステムは、それまでのロータリーエンジンとはまったく別物で、独創性に溢れたエンジンだった。NSUという後ろ盾があることも、情報の信頼性を増した。だからこそ、バンケル博士がロータリーエンジンを開発したというニュースは驚きをもって迎えられた。エンジニアやモーターファン向けの専門誌だけでなく、新聞や一般誌も、「革命的なエンジン」と、大きく扱ったのだ。

本書でロータリーエンジンと言う場合、バンケル型ロータリーエンジンを指す。

その特長を改めて列挙してみよう。

レシプロエンジンは、ピストンが往から復に切り替わる際に運動がいったん停止する。これに対し、ロータリーエンジンはローターが回転し続ける。

つまりロータリーエンジンでは、運動がそのまま回転軸に伝達されるため振動や騒音が少なく、乗り心地が良い。理論的には、エネルギーのロスが少ないことになる。

実践的に言えば、アクセルを踏み込むと反応良く、回転数が上昇する。ローターの慣性が大きくなる中速から高速の領域で特に加速性能が良く、しかもなめらかなのだ。

機構面では、レシプロエンジンに比べて、クランク軸や弁機構が不要で構造が比較的単純なため、小型軽量でコンパクトである。従って、故障も少ない。

吸入、圧縮点火、爆発、排気の四行程が移動しながら行われるので、燃焼しきれなかったガスが発火して逆流するバックファイアや、異常燃焼で不自然な振動や音が出るノッキングが起きにくいのも、有利な点である。

欠点としては、街乗りなどで低速走行しているとき、ローターの慣性が小さいためトルクが不足し、加速が鈍く感じられる。

エンジンブレーキの利きが悪いことも指摘されている。レシプロエンジンの場合、爆発を止めるとピストンの往復運動が抵抗となり、アクセルを離せばエンジンブレーキが利き始める。ところがロータリーエンジンは、ローターがスムーズに回転してい

左：バンケル型ロータリーエンジンを発明したフェリックス・バンケル博士。右：NSU社のKKM400型ロータリーエンジン。(『東洋工業五十年史』より)

ロータリーエンジンとレシプロエンジンの比較

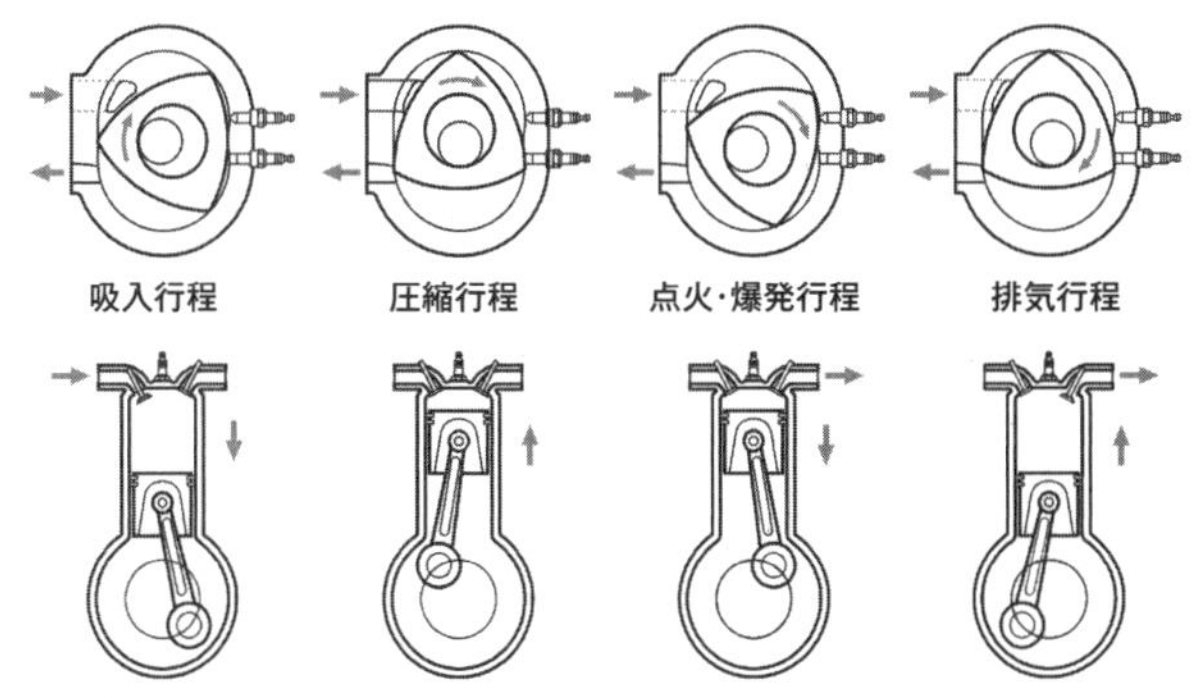

るため、アクセルを離しても抵抗があまりかからない。つまり、なめらかな加速の裏返しとして、エンジンブレーキが利きにくいのである。

それにも増して、最大の問題は燃費であった。理屈のうえではエネルギー効率が良いはずだったが、実際にはレシプロエンジンと比べて、燃費が悪かった。というのは燃焼室のサイドハウジングが平面になっているロータリーエンジンの構造上、円筒型のレシプロエンジンに比べて燃焼室の表面積が大きく、熱が逃げやすい。それが熱効率の低下、すなわち燃費の悪さにつながったのだ。特に初期のタイプはそれが顕著だった。それがやがて、ロータリーエンジンの命運を決することになるのだが、当時は誰も、そのことを知る由もなかったのである。

「これに取り組むのはマツダしかない」

ロータリーエンジン開発のニュースは、様々な意味で、恒次の心を揺さぶった。

マツダは一九六〇年から三年間にわたり、生産台数日本一を達成した。ひとつのピークではあるのだが、しかしその内容は、「ピラミッドビジョン」の裾野を構成する大衆車と軽三輪トラックが中心であった。トヨタや日産に対抗して、真の自動車王になるためには、ラインナップの充実が急務である。しかし多様な小型車や普通車、さらに高級車に進出してゆくためには、莫大な設備投資が必要となる。そのための打開策を考えていた恒次にとって、ロータリーエンジンは天祐とも思える新技術だった。

もしマツダ車が、時代に先駆けた新しいエンジンを搭載することができれば、マツダは「片田舎のバタンコ屋」というイメージを払拭し、一流の総合自動車メーカーに脱皮することができるだろう。有望なビジネスチャンスとなれば、銀行からの融資も受けやすくなる。自動車業界再編の荒波を乗り切るための切り札になると、恒次は確信した。

折しも、マツダ創立四〇周年である。記念事業としてこれほど相応しいプロジェクトはないではないか。

あるべき未来を提示する。これこそトップの仕事である。

「ドイツの雑誌で初めてロータリー・エンジンのことを知った時、こいつはいけるやないか、と思った。ソロバン抜きや。何年でできるとか、失敗したら、なんて考えなかった」[15]

実は、恒次がフォルスターから情報を得る前に、当時は設計部次長だった山本は、すでにロータリーエンジン開発のニュースを把握していた。内外の新聞を集める社内の調査係から、情報を得ていたのである。さらに詳しい情報を集めるかどうか問われた山本は、こう答えた。

「その必要はない」

のちに「ロータリーエンジンの父」と称えられ、海外では「ミスターロータリー」の異名をとった山本でさえ、ロータリーエンジンを検討する余地はないと、当初は判断していたのである。

役員会は反対意見が多く、紛糾した。

「今までできなかった技術ではないか。不可能な技術ではないか」

「今のピストンエンジンを改良するのが先決だろう」

しかしワンマン社長、恒次の意思は変わらなかった。同業の他社、欧米の他社と同じことをやっていては、いつまでたっても、彼らに追いつくことなどできるわけがない。困難な事業であることは、最初からわかっている。しかし、望まなければ、叶うものも叶わない。恒次は有無を言わせず、トップダウンで決定してしまった。

恒次は、家庭では仕事の話をすることがない。しかしこのときばかりは違った。

「これに取り組むのはマツダしかない」[16]

そう家族に、興奮気味に語っている。

恒次の腹は決まったが、そうなると必要になるのは資金である。

大阪の住友銀行を訪ね、頭取の堀田庄三に頼み込んだのである。恒次は大阪弁で、

「わての夢をかなえてくれまへんやろか」

ロータリーエンジンの必要性を力説した。

堀田は、きわめて合理的な人間である。融資に情実の入り込む余地などない、冷徹なリアリストである。

一九五〇（昭和二十五）年にトヨタがドッジ不況で倒産の危機に追い込まれたとき、東海銀行と三井銀行は緊急融資を行ったのに対し、住友銀行（当時は大阪銀行）の融資担当常務だった堀田は、トヨタの要請をにべもなく断っている。

しかし、トヨタに対しては冷淡だった堀田が、なぜか恒次には好意的だった。恒次の熱弁に、堀田の琴線に触れるものがあった。

「他の自動車メーカーの動向をしらべさせたが、トヨタなどはまるで関心を示していない技術だ。普通なら断るところだが、結局松田の熱意にまけてしまった」[17]

恒次と堀田との出会いは、一九五二（昭和二十七）年にさかのぼる。事業拡張に伴う融資の依頼で、恒次が大阪の住友銀行を訪ねたときのことだ。堀田は支援を約束した。これに対して恒次が「一席、招待したい」と申し出た。これに対して堀田は、「コストにはねかえるような宴会はやめなさい」と忠告した。これに恒次がいたく共鳴し、その後、堀田も広島のマツダをたびたび訪ねるようになった。

こうして「私たちの交友も親密さを加えていった」と、堀田は述べている。彼は、恒次を人間として深く信頼していたのだ。少し長くなるが、堀田の恒次評を紹介したい。

「松田さんは、ざっくばらんな人柄であるが、常に物事に筋を通され、誠に頼りがいのある人であった。私は、銀行の取引きをする時などに、嘘をいわぬということをいちばん大事にしている。どんな会社でも良いところばかりではなく、やはり欠陥もあるもので、それを包み隠さずさらけだすところに信頼関係が生まれ、一緒に仕事をしていくことができるようになる。

松田さんのやり方はまさにそのとおりで、悪い面も含めてすべてをみせ、かつ話してくださり、『現状はこうだが、さらにこうしたい、自分はこういう希望をもっている。ついては、資金を……』と、実に明快なものであった。

手の内をさらし、想像を逞しくする余地をなくしたうえで、互いにいうべきことを主張するという点で、私たちはきわめて共通していたし、それ故に、松田さんには満腔の信頼を寄せていた。そして、約束したら必ずそれを果たされ、やむをえず守れない場合は、その事情をはっきり示して詫びられる、という折り目正しさも松田さんの身上であった[18]」

堀田から見た恒次は、一言でいえば、ウソのない人だった。

のちにロータリーエンジン開発の技術責任者となった山本は、恒次の胸中を次のように推し量る。

「松田恒次さんには自信があったのでしょう。工機部を持っていて、材料技術があって、それから技術屋も新しい物好きが育っていたし、山本を含めて意欲的に取り組むのがその時に居ましたから。口では言わないけれども、おれのところは新しい技術をやる資格があるという自信を持っていたと思うのです。(中略)技術のポテンシャルが何もないのに、やる人は単なる冒険ですよ。彼は、自信をもってマツダの独立のためにこれは必要だという信念を持っていたわけです。だから、覚悟のほど、志が違います」[19]

恒次には、情報の収集能力の高さとともに、それが商売になるかどうかを直観的に見抜く鋭さがあった。山本は、「おそろしくカンのするどい人だった」と証言する。

ロータリーエンジンの実用化に向けた技術開発に際しても、恒次が新聞や雑誌の記事を見て、担当課に指示した結果、部品の開発に結びつくというケースが少なからずあった。それは直接の担当者がサボっていたということではなく、誰もが予想していない結びつきを、恒次が提示したからである。

前出の、元通産省自動車課長で、特許庁長官を務めた佐々木学は、恒次の判断力と決断力について「異常なまでの才能」と脱帽する。

「私が松田さんに感服したのは、その決断の早さと、それを支える卓抜した合理的感覚であった。これが企業経営者というものか、と目を開かれた思いであった。私は今でも、決断の正確さとグッドタイミングが、一級経営者の資格要件であると信じている。

市場見通し、技術開発力、資金など内外の多面的要素を総合して、正確でタイムリーな判断をくだすことは容易ではないと思う。松田さんは、この点異常なまでの才能をもっておられた。現在東洋工業の目玉商品となっているロータリーエンジンの導入決定など、その一例であろう」[20]

あとになってみれば、ということになるのだが、マツダのトップとして恒次の下した決断は、ロータリーエンジンの完成まで、ことごとく思う壺にはまった。もちろん、時代背景として経済規模が急速に拡大し、技術革新も進んで、新たな挑戦が受け入れられる余地が広がったという素地はある。それにしても、佐々木の言う通り、恒次の判断力と決断力は、抜きん出たものがあった。

もうひとつ、恒次の感性で興味深いのは、丸いものに惹かれるということだ。恒次がマツダを退社して「松田精密機械製作所」を立ち上げたとき、恒次が関心を持ったのはボールペンの玉、毛糸の玉、人工真珠、それにみかん、すべてが丸いのである。ボールペンの玉はきわめて小さいが、抵抗なくすらすら書けることが肝要である。真珠も球面に凸凹があっては、商品価値が失われる。みかんの皮むきナイフは、柔らかい、しかも球形のみかんを、身を傷つけないよう、外側だけむかなければならない。

こうしてみると、恒次は丸く加工することの難しさと価値を、経験的に知っていたのだ。ロータリーエンジンも、シリンダーのなかでローターが丸く回転するところに、ひらめくものがあったのではないだろうか。

資金の目当てがつくと、恒次はフォルスターを通じ、ロータリー技術の提携に乗り出した。しかしフォルスターからの返事は、はかばかしいものではなかった。マツダは三輪トラックでの実績はあるが、トヨタや日産と比べれば、世界的には無名の企業である。ＮＳＵは特許をできるだけ高く売りつけようと、ライセンシーを大手や有名メーカーに絞って交渉していたのだ。

日本からだけでも、なんと三四社から申し込みが来ていた。普通なら、恒次に勝ち目はなかった。

ところが運命の神は、恒次に微笑むのである。

吉田茂、池田勇人の支援

一九六〇（昭和三十五）年五月、駐日ドイツ大使のウィルヘルム・ハースが広島を訪れた際、工場見学でマツダを訪問したのだ。そこで恒次が、ＮＳＵとロータリーエンジンで提携したい意思があることを話した。これに、ハースは大いに乗り気になった。

「それは非常にいいところに目をつけた。さっそくあなた自身でドイツに行きなさい」[21]

ハースがドイツ行きを熱心に勧めたのだ。ハースが仲介の労をとり、これを受けたNSUは、ハースを通じて、マツダと交渉する意思のあることを伝えてきた。

左脚が不自由な恒次は、国内旅行さえ好まない。ましてや海外旅行など、出かけたことがない。食事は和食党で、洋食は大の苦手である。それに、マツダで代表権を持っているのは恒次一人ということもある。もし恒次が海外に出かければ、その期間は国内に代表権を持つ者がいなくなり、万が一の事態が起きた場合の対応が心配だ。できれば海外出張は避けたかった。しかし社運をかけたプロジェクトとなれば、行かざるを得ない。

住友銀行頭取の堀田は、恒次がドイツに出かけることを聞くと、さっそくアドバイスをしてくれた。

堀田は一九五七（昭和三十二）年夏に外務大臣、藤山愛一郎から委嘱を受け、「欧州移動大使」として、ドイツをはじめヨーロッパ各国の情勢を二か月にわたって視察し、各国要人とも知己を得た。その経験を踏まえ、堀田は政治家の伝手を頼るよう、提案したのである。

「行くのだったら、吉田さんの添書をもっていったらいい[22]」

吉田さんとは吉田茂元首相、添書とは、紹介状のことである。

「私が吉田さんの添書をもらってあげるよりも、君は池田さんと懇意にしているんだから、君から池田さんを通じて吉田さんの添書をもらったほうがよかろう」

池田さんとは、池田勇人のことである。池田はその年の七月、総理大臣に就いたばかりであった。大蔵省出身で、経済担当相を歴任した池田は経済界と関係が深い。しかも広島出身で選挙区も広島となれば、恒次と「懇意」なのもうなずける。その池田は吉田内閣で、吉田の右腕的存在であった。いわゆる吉田学校の最優等生である。

堀田がなぜ、吉田の紹介状を持参するよう勧めたのかと言えば、戦後の一九四六（昭和二十一）年から一九五四（昭和二十九）年にかけて、五次にわたり内閣を組織し、サンフランシスコ講和会議で主席全権を務めた吉田の知名度は、ドイツでも抜群だったからだ。その吉田の紹介状があれば、「日本の政界はマツダを支援していると推測されるだろう」という思惑である。

さっそく恒次は上京し、池田の私邸を訪ねた。ところが池田の返答は、予想に反して厳しいものだった。恒次と池田は親しい仲だが、それゆえ一私企業に総理が便宜を図ったとなると、それが明るみに出たら問題になりかねない。

その年六月には新しい日米安全保障条約が発効したのだが、その際の安保反対闘争で日本は大混乱となった。責任をとる形で岸信介内閣が退陣し、池田内閣が成立したのである。そうした社会情勢もあり、総理大臣である池田は慎重になっていたのだ。

一九六〇（昭和三十五）年九月末、恒次は、常務の竹林清三（のちに副社長）、同じく常務の上畠貞（のちに専務）、第一調査係主任の前田市郎（のちに専務）、それに秘書役として自身の長女の幸を伴い、羽田からドイツに飛んだ。羽田空港には、住友銀行の堀田も見送りに訪れた。驚いたことに堀田は、吉田茂に書いてもらった、ドイツのアデナウアー首相宛ての紹介状を持ってきてくれていた。

堀田は次のように回想している。

「渡独に先立って、私は、提携交渉を円滑に運ぶために、吉田元首相から当時のアデナウアー首相にあてた添書をもっていかれるようお勧めした。松田さんは、池田首相を通してお願いしようとされたが、池田さんは、『技術提携に政治家を使うな』というお考えで、これは不首尾に終った。

そこで、私から直接吉田さんにお願いしてこれを整え、日独協会会長の高橋竜太郎氏の推薦状も添えて、羽田空港で出発間ぎわの松田さんにお渡しした。松田さんは大変喜んでくれたが、あの時の笑顔が、松田さんを思う時いつもまっ先に浮かんでくる。

余談であるが、いったんは断わった池田さんが駐独大使の武内さんに連絡して、現地での松田さん一行の活動に細心の支援をされたということを、後になって松田さんの口から聞いて、いかにも池田さんらしいと思ったものであった」[23]

恒次に同行した長女の幸は、そのとき大学生である。脚の不自由な恒次の世話係と、日常の通訳を兼ねて同行した。旅の途中、「そんなに良いエンジンなの？」と尋ねた。

恒次66歳（右）。広島出身で当時は首相の池田勇人（左）と、通産大臣の佐藤栄作（中央）。1962（昭和37）年、東京支社完成披露パーティーにて。（『東洋工業五十年史』より）

これに対して恒次は、こう答えた。

「技術者の中には実用化は無理であるとか、四角いピストンが回る筈が無いというような否定的な意見も聞いた。しかし、これに取り組めるのはマツダだけだと思う。（中略）この新型エンジンなら、マツダもフォードやGMなどと同じスタートラインに立って開発を進めることが出来る。マツダには技術的にも人的にも、また困難をなし遂げるという精神性の面でも、成算がある。多少の困難は覚悟の上である。これは我社でしか出来ない」

恒次は幸にはっきりと、そう語った。

「その後、六年もの歳月を要し、四十数億の開発資金を費やしても決して諦めなかったのは、余程に強い自信があったものと感じています」[24]

幸はそう語っている。

NSU本社での交渉

ドイツでは、シュツットガルト市の由緒ある「グラフツェッペリンホテル」に滞在した。NSU本社は、シュツットガルトから北へ約五〇キロ、人口一万五〇〇〇人のネッカーズルムにある。本社での交渉に先立ち、工場内を見学した一行は、ロータリーエンジンの試作機を見学した。

エンジンの上には、直径三センチほどの二マルク銀貨が、立てた形で置かれている。わずかな振動でも、倒れてしまう。しかしエンジンがかかり、回転数が上がっても、銀貨は倒れない。それほどスムーズなのだ。

恒次たちはさらに、ロータリーエンジンを搭載した試作車「NSUプリンツ」に試乗した。すると、その圧倒的な加速や、振動の少なさに驚かされたのである。

ちなみに一九六二(昭和三十七)年一月に「いすゞ」専務に昇格したばかりで、のちには社長、会長を歴任する実力者の荒牧寅雄がロータリーエンジンの開発状況を調べるため同年、ドイツのNSU本社を訪れた際のエピソードがある。

「RE搭載車に乗せてもらって、工場の周囲を一回りしている間に、いともあっさりエンストを起こしたので、私は、これは簡単に飛びつけないぞ、と心証を悪くしたのです[25]」

REとは、ロータリーエンジンのことである。荒牧の帰国後、NSUから技術提携をもちかけられたが、いすゞ側は断った。歴史に「もし」はないが、もし恒次がプリンツに乗っていたとき、エンストを起こしていたら、恒次はどう判断しただろうか。様々な偶然の積み重ねによって、恒次はロータリーエンジンに取り組んでいくことになる。

十月三日、恒次と、NSU社長のハイデカンプとの間で、トップ交渉が始まった。

NSU側は強気に攻めてきた。というのも、世界中から一〇〇社以上がNSUに提携を申し込み、先述した通り、日本だけでも三四社が交渉を希望するという、売り手市場だったからである。

前出の、当時の通産省自動車課長の佐々木は、「某大メーカーが我社も提携交渉を始めたいと話しがあったときは困ってしまった。二社が競合して交渉をすれば提携条件が不利になることは目に見えていたので、とにかく先口のマツダの交渉が終わるまで待ってほしいと説得」[26]した。

こうして交渉が始まった。NSU側の条件は、特許料として日本円で二億八〇〇〇万円、さらに技術開発を相互に公開するクロスライセンスが前提だった。恒次が「特許料が高すぎる」と値切ろうとしたが、「高いと思われるなら他社と契約するまで」と、ハイデカンプはにべもない。恒次も、政財界の有力者をはじめ多くの関係者から支援の約束を取りつけた手前、いまさら破談にすることもできない。

「バタンコ屋から脱却するためのイメージアップ料と割り切ろう。ロータリーエンジン開発の名目で銀行から融資も得られるはずだ。お金に色はついていない。その資金でレシプロエンジンやディーゼルエンジンの改良をはじめ、新技術を開発するための設備投資もできるのだ」

そう考えた恒次は交渉三日目、NSUの条件を呑んだ。オーナーでワンマン社長ならではの決断だった。その契約内容は、以下のようなものであった。

（1）マツダの製造できるロータリーエンジンは、二〇〇馬力以下のガソリンエンジン。

（2）両社は相互に、技術開発の成果を交換する。

（3）マツダがロータリーエンジン搭載車を販売できるのは、乗用車は東南アジア一五か国、トラックはアメリカとカナダを除く全世界。

（4）契約期間は一〇年。

内容を補足すると、（1）について、二〇〇馬力以上については、すでにNSUと契約しているアメリカの航空機メーカー、カーチスライト社が担当する。（2）については、マツダが開発した周辺特許について、NSUに無償で提供するということである。

（3）の内容については、恒次が帰国後、メディア向けに説明した内容と異なっている。日本経済新聞は「松田社長によれば提携内容のあらましは次の通り」としたうえで、「輸出についてはNSU社との市場協定により、エンジン単体の場合はインド以東に限られる。この場合二百馬力以下だからカーチスライトとの競合なしに米国市場へも出せるものと思われる。自動車に載せた場合は全世界に向け輸出権を持つ」[27]と報じた。

しかし実際の契約では、完成車輸出は（3）の条件に限られていた。ロータリーエンジンが実用化できても、欧米に輸出できなければ、その成果は半減してしまう。

発言の意図を推察すれば、あまりに不利な条件でマツダが契約したと伝わると、ロータリーエンジンに対する日本国内の期待感に水を差すと、恒次は考えたのではないか。さらに恒次は、不利な契約内容を、のちに改めさせることができると考えていたのだろう。そして実際に、その通りになったのだ。

こうして十月十二日、現地で技術提携の仮契約を調印し、ロータリーエンジンの基本特許導入を決めた恒次一行は、帰国の途に就いたのである。

第6章　悪魔の爪痕

恒次の後継者

ドイツから帰国した恒次は、さっそくロータリーエンジンの開発体制作りに乗り出した。当然のことながら、開発にあたる技術者が必要である。しかし恒次がまっさきに手をつけたのは、それとはまったく次元の違ったトップ人事である。自分の長男である耕平を、次期社長含みの副社長として、マツダに入社させるというものだった。

耕平が、副社長に就任したのは一九六一（昭和三十六）年六月。そのとき、まだ三十九歳である。当時の耕平は、マツダの子会社で、マツダ車の販売会社である「広島マツダ」の社長だった。

耕平の経歴を見てみよう。恒次の著した『合理性・人間味』によれば、耕平は「大学を出るとすぐに応召し、睦軍経理学校にはいった。終戦になって帰ってきた」とある。一方、『松田耕平追想録』の「年譜」によれば、耕平は「一九四二（昭和十七）年十月　慶応義塾大学法学部政治学科に入学」、「一九四六（昭和二十一）年二月　マツダモータース株式会社（現・株式会社広島マツダ）取締役に就任」、「一九四七（昭和二十二）年九月 慶応大学法学部を卒業」となっている。この「年譜」には、軍関係の履歴については、記載されていない。

戦中、戦後の混乱期のことで、大学の卒業時期について、恒次に多少の思い違いがあったのかもしれない。履歴書としては『追想録』の通りだとしても、恒次の書いたような経緯だったのだろう。

陸軍経理学校は、経理部将校の養成機関で、全国から秀才が集まる難関である。そこで学んだ経理、あるいは資材の調達術などは、一般企業でも役に立つ知識であった。広島マツダは恒次の弟の宗彌が社長だったが、原爆で死亡した。そこで恒次は、宗彌の子どもが父親のあとを継げるようになるまで、耕平に広島マツダを担当させながら、将来的にマツダの後継者となるための修業をさせた。耕平の担当はトラックの販売がメインだったが、経理や銀行との取引を含め、幅広く経験した。

「東洋工業の経営者であり父親である私としては、彼をまだまだ苦労させ勉強させて、一人前の経営者に成長させねばならなかった。それは私の義務だと感じた。〝かわいい子には旅をさせよ〟という言葉もある。私は耕平のために、販売や経理の勉強だけでなく、本当に額に汗して働くことを経験させることにした」[1]

恒次はこう書いているが、実はそうせざるを得ない事情があった。

恒次は専務時代にも、耕平をマツダの取締役に就けようとしたことがあったのだ。しかし役員たちから、「耕平君を会社に入れるなら、重役としてでなく、ヒラ社員として叩き込みましょう。後継ぎにするかどうかは、それから決めればいいことじゃないですか」[2]と反対された。恒次の父であり社長だった重次郎も、その意見に従ったのである。すでに書いたように、恒次はマツダから事実上追放された経緯があるが、その伏線にはこうした行き違いもあった。自分の思惑を否定された恒次は、やむなく耕平を、広島マツダに入れたのだ。

やがて恒次は、アメリカで旧知の工作機械メーカー「シンシナティミリングマシン」社の副社長に、「少しあなたのところで技術を叩き込んでくれませんか」と依頼した。シンシナティミリングマシンは、内面研磨盤などのトップメーカーで、マツダとは長いつき合いである。先方の了解を取りつけると、耕平は一九五六（昭和三十一）年から一九五八（昭和三十三）年にかけて、単身でアメリカに渡り、様々な機械に関する技術を習得した。

このあたり、恒次の〝技術〟に対するこだわりが感じられる。なぜかといえば、これまで紹介したように、恒次の父の重次郎は「技術の天才」であり、恒次は、技術面では到底、父にかなわなかった。義理の弟にあたる村尾時之助は、海軍の技手養成所教官も経験した有能な技術者であり、アメリカ留学の経験もある。一時は重次郎からマツダの後継者と目され、そのせいで恒次が退社に追い込まれたこともあった。それだけに恒次の技術に対するこだわりは、尋常ではないものがあった。耕平をアメリカに送り出したのも、マツダの技術トップとして采配をふるっていた村尾に対抗し得る知識と経験を、身につけさせたいという願いがあったのだろう。

耕平はアメリカで、最初は現場の職工として働き始めた。早くからコンピューターを重視した恒次の意向もあり、英語を勉強しながら、コンピューターの知識も習得した。

このように恒次は、耕平を自らの後継者として、徹底的に仕込んだ。それも、自分の劣っていた部分を重点的にマスターさせたのだ。恒次にとって、自分の経験を踏まえた判断だった。しかし、残念ながら、その判断に欠けていたものがある。それは、恒次の優れていたところが、十分には受け継がれなかったということだ。

恒次は自分の部下として、技術の村尾、総務と販売の河村を車の両輪として配置し、山本以下、有能なメンバーを適所に据えた。彼らはときに、恒次の意向に反したこともあった。それでも恒次は、彼らの言い分を十分聞いたうえで自分の考えを伝え、社内をまとめていった。こうした人心掌握術が、才気煥発な耕平には欠けていた。もっとも、耕平の若さを考えれば、それもやむを得ないことだったのかもしれないのだが。

時期尚早という反対論

恒次は、長男を後継者にすることについて、次のように書き残している。

「二代目とか、社長の息子とかいう問題は、企業の大小を問わず、いろいろと取沙汰されるものだ。うまくいく場合、悩みとなる場合など、さまざまなケースがある。私は、じっくりと思案した末、息子を入れるなら副社長として入れてくれと主張した。（中略）私の下には、専務が二人、常務が二人いた。そこへ私の息子がはいるとなると、次の時代はだれが筆頭に出るのかと、社内中があれこれ詮索することになる。つまり、エスカレーターが四本も五本もできるというわけだ。そうすると、それぞれのエスカレーターの下に人が集まって、どれに乗ったらいちばん早く上がれるだろうかと、思惑するようになる。そうなると、会社を割ることになるし、派閥ができるのは明らかである。私としては、この点をいちばん恐れた。

だから、副社長として入れて、上からも下からも指導し、寄ってたかって鍛え上げて一人前にしてやろうというのなら、エスカレーターも一本だ、というのが、私の考えだった。

結局、この考えを、みなが了としてくれた。そして、心から助けてやろう、協力してやろうという気持になってくれた。そこで私は、副社長として入れる決心がついたのである[3]」

この間の経緯について『東洋工業五十年史』は、「経営陣も新しい状況に即応して強化され、とくに昭和三六年六月には、松田耕平が副社長に就任し、新しい経営感覚が導入されたのである」と記している。耕平の能力については、「広島マツダおよびマツダオート広島時代からその経営手腕は高く評価され、とくに第一線で培われた販売感覚とするどい国際感覚は、開放体制下に飛躍しようとする東洋工業の未来をになうものとして大きく期待されたのであった」と、高評価である。そう言われると、スムーズに後継者として受け入れられたように思ってしまう。

恒次の言い分にも、一理はある。重次郎時代からの重役陣が、それぞれの分野で力を持っている。誰が恒次の跡を継いでもおかしくはなかった。それは、ひとつ間違えば、後継者選びを巡って社内抗争につながりかねないという不安材料でもある。複数の後継候補者が能力的に拮抗している場合、企業トップの血縁者を後継者に指名することで、ほかの有力な候補者を納得させるという手法も、確かにある。

恒次は、「結局、この考えを、みなが了としてくれた」と書いているが、「結局」と書かざるを得なかった点がポイントだ。というのは、耕平の副社長登用には、社の内外から、強く反対する意見が相次いだのだ。

重役陣の多くは、耕平の副社長就任に、難色を示した。海外留学の経験があるといっても工作機械メーカーであり、自動車本体の関係では、ディーラーしか経験していない。しかも耕平は、性格的に一本気なところがあった。仕事に熱心なのは良いのだが、裏返して言えば、のめり込みやすい質(たち)なのだ。重役陣はそこに、危うさを感じ取った。重役たちは耕平について、「いずれは社長に就くのだから、あせらないほうがいい」と、恒次に進言した。

社外監査役も同様だった。広島相互銀行社長で、マツダの監査役を務めていた森本亨は、当時の状況について次のように述べている。

「耕平君を副社長にするというときにね、田中さんがまず、反対していたんです。広島マツダにいたのを、本社へもどして、副社長にするという話のときです。田中さんは『まだ早い』という意見だったんです[4]」

「田中さん」というのは、「山陽木材防腐」社長で、当時はマツダの監査役を務め、のちに広島名誉市民の称号も受けた田中好一である。広島財界の重鎮である田中は、経営者に求められるバランス感覚が、耕平にはまだ足りないと感じていたのだ。

恒次以外、古参の役員は、耕平の副社長就任に難色を示した。「経験を積ませたほうが、本人にとっても、会社にとっても利益になる」と言っているだけで、将来的にも反対と言っているわけではない。至極当然の反応と思える。

しかし恒次は、耕平の副社長就任に執着した。なぜだろうか。

これまで見たように、父親の重次郎は、自らの信じた重役たちに裏切られ、自分が大阪で作った会社から事実上、追放されたことがあった。恒次自身も、専務時代に重役陣から裏切られ、会社から追放された苦い経験がある。

恒次の思惑を推測してみよう。

マツダには、先代からの実力者が役員に残っている。彼らも、できることならトップに就きたいと考えているに違いない。たとえ「耕平君に政権を禅譲するまでのワンポイントだ」と彼らが言ったとしても、一寸先は闇である。自分を追放した、彼らのことだ。いったん社長の座を手にすれば、どうなるものか、わかったものではない。そんな思いがあったのではないか。恒次は、「いつかは耕平を社長に」という重役たちの言葉を、信じることができなかったのだ。

なぜロータリーエンジンなのか

こうした状況のなかで、恒次が目をつけたのがロータリーエンジンだったのである。「一粒で二度おいしい」とは、グリコのキャラメル、「アーモンドグリコ」の有名な宣伝文句である。最初になめるとミルクキャラメルの味、次に噛むとアーモンドの味が楽しめる。恒次にとって、ロータリーエンジンはアーモンドグリコ以上のおいしさだった。なぜなら、一粒で何度もおいしかったからである。

第一は、ロータリーエンジンの基本特許を導入することで、銀行からの融資が受けやすくなる。通産省主導による自動車業界再編の荒波を、独力で乗り切るためには、設備投資のための資金が必要だった。マツダは三輪製造の実績はあるが、乗用車の製造は乗り出したばかりで、経営体力はまだ十分とはいえない。恒次は調達した資金をロータリーエンジン開発の名目で、様々な研究や、汎用性の高い施設の拡充にも利用できると考えた。

第二は、ロータリーエンジンがどの程度、市場に受け入れられるかはわからないが、マツダの技術力を向上させ、それを世間にアピールする絶好のチャンスとなる。「バタンコ屋」、「バタバタ屋」と呼ばれていたローカル企業が、世界最先端の技術を持つ企業としてイメージチェンジできるのであれば、提携のための投資など、ワンマンオーナーの恒次にとって安いものだった。

第三は、ロータリーエンジンの実用化に成功すれば、マツダにとっての選択肢が広がることになる。恒次が重次郎から折に触れて叩き込まれてきたのは、「どうすれば会社をつぶさずに済むか」ということだった。景気の波は、重次郎や恒次という個人の力で、どうこうできるものではない。ただし、不景気の波が襲ってきても、リスクを分散することで、事態を乗り切ることはできる。大きくなった企業の強みのひとつは、そこにある。ひとつの事業に専念していると、好調のときは良いのだが、売り上げが落ちると、会社がすぐに傾いてしまう。自動車好きの人にアピールできる高性能のロータリーエンジンを持ちながら、安定した性能のレシプロエンジンも提供することで、企業としての幅が広がり、恒次念願の「ピラミッドビジョン」が実現することにもつながる。

以上の第一点から第三点は、マツダという企業にとってのメリットだ。だが、第四点は、恒次にとっての個人的な関心事だった。それは耕平を、後継者として認めさせるための機会と捉えたことである。

恒次はそのとき六十五歳。当時、一般の社員が定年退職する年齢は五十五歳である。その頃の男性の平均寿命はというと、六十五歳であった。そろそろ、人生の幕引きを迎えようとしているのは間違いない。しかも恒次は若い頃に大病を患い、片脚を失った。原爆による被爆も体験している。いつまで生きられるかわからないという不安が、脳裏をよぎる。自分の目の黒いうちに耕平の、後継者としての位置づけを明確にしておかなければならない。そのためには耕平が実績をあげて、誰からも文句の出ないようにするのが一番だ。そう考えた恒次は、耕平にロータリーエンジンの開発を担当させることにしたのである。

耕平は、一九六一（昭和三十六）年六月二十日、副社長に就任した。耕平は就任初日の様子を、次のように語っている。

「父はよほど嬉しかったのか、当時の副社長室に訪ねてきて、机や椅子の配置など、こまごまと指図してくれました」[5]

恒次自身、「私も世間並みの親ばかだ」と率直に喜びを表している。

技術トップの村尾に対して、技術面で対抗できる力をアメリカで身につけさせた。しかし、総務面では老獪（ろうかい）な重役にまだまだ耕平は太刀打ちできない。そう考えた恒次は、先代からの番頭格であった河村を、耕平の副社長就任から三年後の一九六四（昭和三十九）年、広島商工会議所の会頭に就任させた。河村はそのとき、六十二歳。五年前、専務に昇格していた。押しも押されもせぬ、マツダの実力者である。

商工会議所の会頭といえば、広島経済界トップの椅子である。単なる名誉職ではなく、経済界を取りまとめる要職である。河村は専務職を引き続き兼務したが、商工会議所の会頭は、マツダの片手間でできる仕事ではない。栄転で花を持たせる形をとりながら、河村をマツダの経営から実質的に外したのだ。

「わかってくれ、河村君」[6]

河村に対し、恒次はこう言うしかなかった。

のちに河村は、先代の重次郎を「スケールの大きい男」と評価するのに対し、恒次については父親と比較してスケールが小さかったと振り返る。

「恒次さんはこまいですよ。やはりおやじの比ではないですよ。おしいですよ。あのひとを早く失ったのは[7]」

そう言わざるを得なかった河村も、残念だったに違いない。

河村は毎朝八時前に社用車で恒次宅に向かい、恒次と共に相乗りで会社に向かう。夕方の退社時も、恒次を自宅に送り届けたあと、河村は自宅に向かう。河村が商工会議所の会頭を務めた三年間を除き、戦後、恒次が亡くなるまで二〇年以上にわたり、恒次の出社に際して、ほとんど毎日繰り返された日課である。車中で恒次は河村と、なにかにつけて意見を交換する仲だった。そんな先代からの重鎮であり、長いつき合いのある河村との間に、深い溝ができてしまったのだった。

恒次の強引とも思える副社長人事が社内に波紋を呼び、まだ若い耕平の肩に重圧となってのしかかったのは、想像に難くない。

耕平をめぐる人事は、マツダ社内でおおきなしこりとなって残ることになった。問題は、経験の浅い耕平に、客観的なアドバイスができる〝ご意見番〟的な実力者が、いなくなったことだ。結果的に耕平の周りは、一部を除いてイエスマンばかりとなってしまった。河村は、それを惜しむ。

「腹を切るだけの覚悟で諫言できるスタッフがいなかった。また、そのようなスタッフを教育し、育成するオーナーであり、大将であるべきでしょう。実際にいやなこともいえる部下があるべきでしょう。それには自分が死なないといえないですからね[8]」

その影響は、恒次亡きあとの会社運営に、如実に現れることになる。

難問「悪魔の爪痕」

一九六一（昭和三十六）年七月、大蔵省、外務省、そして通産省から技術提携に関する認可が下りた。当時は、外貨が流出する事業に対しては、政府の認可が必要だったのだ。マツダはロータリーエンジン開発に関して、政府のお墨つきを得たということである。

ロータリーエンジンの特許契約は、確かに結んだ。そういうと、高額な契約料を支払うかわりに、ロータリーエンジンを生産する技術を獲得したと、普通は考える。ところが、この場合はそうではなかった。マツダが契約したのは、あくまで基本特許であり、そのままでは実用化できない代物だったのである。

恒次は副社長に就任した耕平を、ロータリーエンジン開発チームのリーダーに指名する。政府の認可が下りた直後の同年七月、チームの初仕事として耕平は、技術担当常務の竹林清三らを率い、技術研修団の団長としてNSUを訪れた。そのときのことを、当時は実験研究部第一研究課長だった高田和夫は次のように書き残している。

「こんなに素晴しいエンジンなのに、なぜいまだに商品化されないのか」

NSUのフレーデ博士が打ち明けた。

「貴方達とは契約により既に同志になったので、まだ商品化されてない大きな原因を打ち明ける。（中略）実は、今のところレシプロエンジンに比べて、耐久性と信頼性に劣る部分がある。いわゆるチャターマークで、ローターハウジングの一部分に洗濯板のような磨耗が発生する。（中略）それがだんだんひどくなって、ついにはクロムメッキが剝離し、運転不能に至る」[9]

改めて確認することになるが、バンケル博士が開発したロータリーエンジンは、おむすび形ローターの三面と、細長い楕円形のまゆ型をしたハウジング内部とで作る三つの空間が、ローターの回転に伴ってその体積を変化させながら、「吸入」「圧縮点火」「爆発」「排気」の四行程をこなしている。このため、当時は鋳鉄製だったローターの先端と、硬質クロムメッキが施されたハウジング内の接地面に大きな負荷がかかることになる。最初はスムーズに回転していても、金属どうしがこすれあううち、目に見えないほどのきわめて小さな傷が生まれてくる。これが波状摩耗、チャターマークである。別名「悪魔の爪痕」と呼ばれた。

インターネットの用語で、「チャット」という言葉がある。パソコンなどを使った会話のことであり、チャターは「おしゃべりする」、転じて「ガタガタいう」、「ガタガタする」という意味にも使われる。

チャターマークが発生すると、目に見えない程度の傷であってもガス漏れが起き、出力は極端に低下する。走行距離二万キロ程度になると、チャターマークは目に見え

NSUを訪問した山本健一（左から２人目）と副社長の松田耕平（左から３人目）。1963(昭和38)年1月。

るほどに大きくなり、ロータリーエンジンは使い物にならなくなる。その頃でも車の寿命は、最低で一〇万キロ以上と考えられていた。これでは、商品として成立しない。チャターマークは、ロータリーエンジンの致命的な欠陥であった。

恒次が契約交渉のためＮＳＵを訪れたとき、ＮＳＵ側はロータリーエンジンのすばらしさを並べ立てた。世界中から、あまたの有名企業が交渉を希望するという売り手市場で、なんとしても目玉となる技術が欲しい恒次は、ＮＳＵの言い値で提携交渉を妥結した。しかし、蓋を開けてみると、ＮＳＵのロータリーエンジンは、完成の域には程遠いものだった。マツダのロータリーエンジン開発は、そういうレベルからスタートしたのである。

マツダに入社して副社長になりたての耕平は、驚くと共に青くなった。もしこの問題が解決できなければ、マツダは大金を払って、ガラクタをつかまされたと、物笑いの種になってしまう。そして、〝耕平社長〟の芽も摘まれてしまうかもしれない。耕平はチャターマークについて、外部に決して漏らさないよう、部下に厳命した。

技術研修団が帰国すると、さっそくチャターマークの件を恒次に報告した。不安にかられた耕平以下を前に、恒次は言い放った。

「やるのや！　三年や四年かかったって、ええやないか[10]」

困難なことはわかっている。しかし、指揮者が右往左往しはじめたら、できるものもできなくなる。リーダーは部下に、毅然とした態度を見せなければならない。原爆の惨禍をくぐり抜け、いまやマツダの〝ドン〟となった恒次の真骨頂である。

同時に、そこにはしたたかな経営者としての、恒次一流の計算があった。前述したように、ロータリーエンジン開発には、資金調達やイメージアップ、さらに後継者の地位を確立させることなど、恒次にとって様々な思惑が込められていた。逆に言えば、恒次にとってのロータリーエンジン開発は、重要な課題ではあるが、それでもワンオブゼム、いくつかあるテーマのうちのひとつに過ぎないのである。一方、耕平にとっては入社早々に任されたビッグプロジェクトである。その成否が、後継者としての地

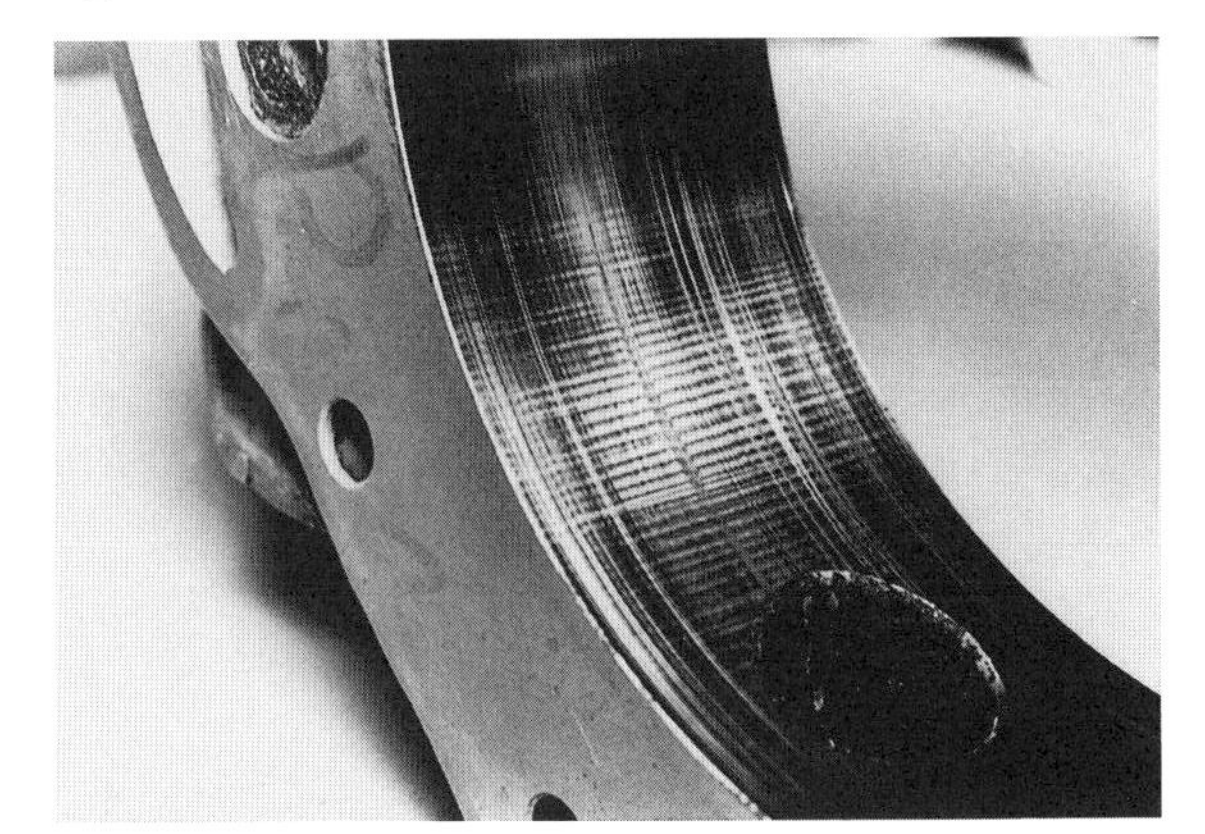

ハウジングにできた「悪魔の爪痕」チャターマーク。

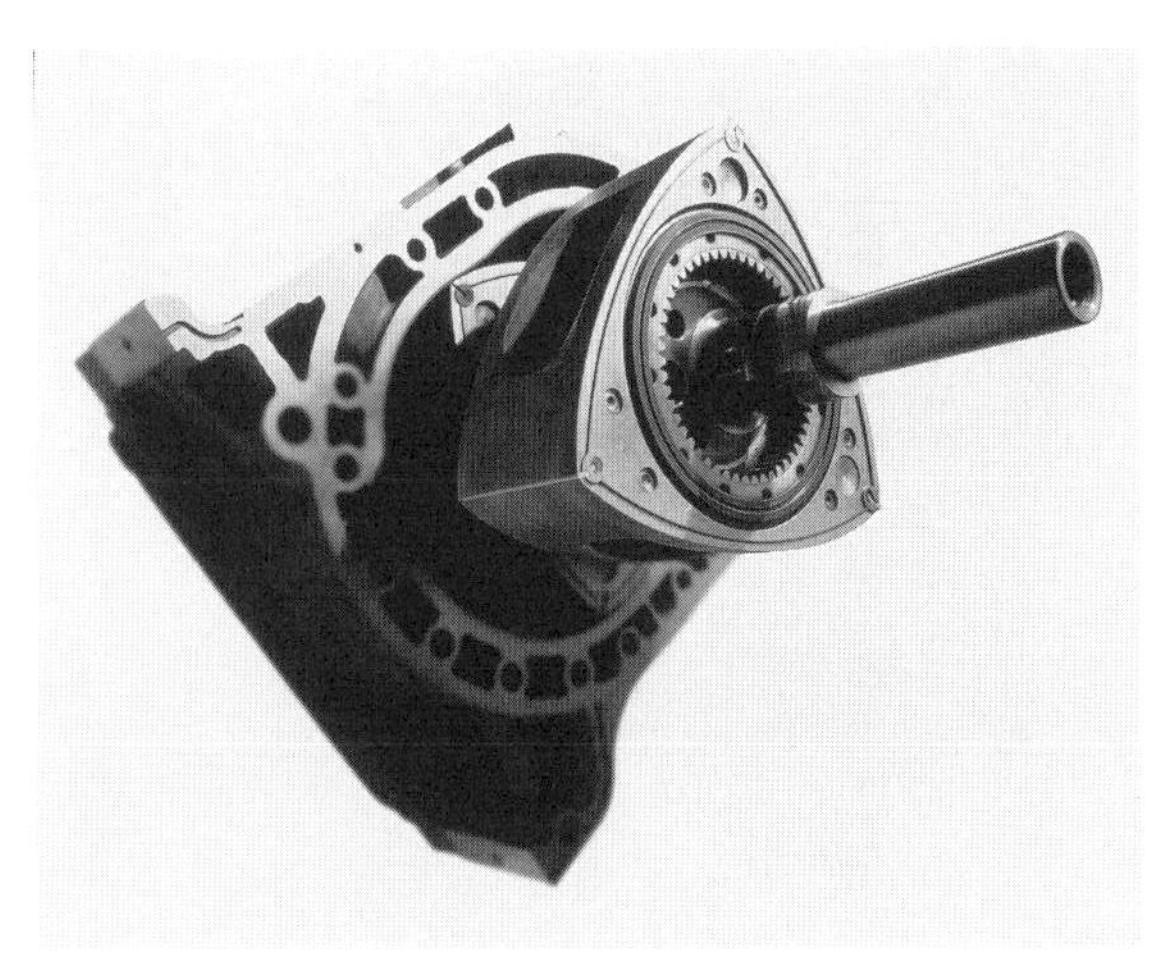

1991年発売の3代目 RX-7ロータリーエンジンのローターとハウジング。

位を固められるかどうかにかかっている。恒次にとってのロータリーエンジンと、耕平にとってのロータリーエンジンは、その受け止め方が異なっていた。それが、のちのマツダにとって、重要な意味を持つことになる。

知らされなかった難問の山

こうしてマツダのロータリーエンジン開発は、苦難の道を歩き始めることになる。社内には「ロータリーエンジン開発委員会」が設けられた。メンバーは設計部、材料研究部、生産技術部、自動車製造部、実験研究部の精鋭である。

一九六一（昭和三十六）年十一月には、NSUから試作エンジン「KKM400」が届いた。毎分九〇〇〇回転という高回転で、四八・八馬力もの高出力が得られた。

「高速で回すと実にスムーズに回るわけです。僕はびっくりして〝はあっ〟と思いましたね」

のちにロータリーエンジン開発部長となる山本健一の回想である。ロータリーエンジンは本来、高速回転に適したエンジンなのだ。アメリカの航空機メーカー、カーチスライトがロータリーエンジンに乗り出したのも、高速で運転し続ける航空機のエンジン特性にぴったりだったからである。

しかし順調だったのも束の間、アイドリングや低速回転を試すうち、白い煙が噴き出すようになった。エンジン内部に漏れたオイルが燃えていたのだ。運転開始後、約二〇〇〇時間で、エンジンは突然、止まった。ハウジング内のメッキが、チャターマークではがれてしまったのだった。

試作エンジンと同時に、設計図も届いた。その設計図をもとにマツダ製の試作第一号エンジンが完成した。当然のことながら、これもまったく同様で、使い物にならない。

担当者は来る日も来る日も、実験と開発に明け暮れた。様々な材料を試したり、形状に工夫を凝らしたりしてみた。しかし一向にチャターマークの問題は解決しない。果たして実用化できるのか。開発委員会のメンバーは、不安に襲われた。

一九六二（昭和三十七）年からは、小型のワゴン車にロータリー車にロータリーエンジンを搭載し、実車による走行テストが始まった。問題となったのは、低速でロータリーエンジンの回転が不安定になることだった。特にエンジンブレーキがかかると不整燃焼が起こり、ガクガクとひどく揺れる。「電気アンマ」と揶揄された。排気管からは、もうもうと白煙があがった。こちらは、「かちかち山のタヌキ」というあだ名がつけられた。エンジン内部の潤滑油が燃焼室に漏れ出し、燃えたためだった。

アイドリングやストップを繰り返すと、エンジンがかからなくなったこともあった。調べてみると、点火プラグが着火しなくなっていた。レシプロエンジンの場合、燃焼室は爆発の高熱にさらされる一方、冷たい混合気にも触れて冷やされる。ところがロータリーエンジンの点火プラグは、爆風にさらされ続けるという、構造上の問題だった。

恒次たちがNSUで見せられたロータリーエンジンのテストや試乗車は、すこぶる快調だった。種明かしをすれば、それは一連のトラブルが起きる前の初期状態だったからだ。NSUは問題点を把握しておきながら、それを契約前には伝えていなかった。はっきり言うと、詐欺にあったようなものだった。

東大の権威からの全否定

ロータリーエンジンの開発には、専門家からも疑問の声があがった。内燃機関の権威である東京大学名誉教授の富塚清が、その筆頭だった。

富塚は、ロータリーエンジンの最大の欠点は、気密保持にあると考えた。ジェームズ・ワット以来、考えられてきたロータリーエンジンはこの点で欠陥があり、バンケル型についても「何ら新しい手口が施されていない」以上、従来のロータリーエンジンと同様に失敗だと決めつけた。

具体的には、燃焼室の形が問題だというのである。レシプロエンジンで、内部をピストンが上下動するシリンダーは、理屈のうえでは断面が四角形の直方体でもよいはずだが、内圧や熱変化がかかった場合、「長方形の場合はまさに複雑怪奇、即座にその形を予想することは至難」であり、一方で円筒形の場合は「丸がのび縮みするだけで、丸はやはり丸だから始末はよい」として、円筒形のシリンダーが使われていると説明する。それを踏まえて、ロータリーエンジンの場合、「空間の断面は長方形となり、「気密保持することがいかに困難かだけは即座に想像することができる」と主張する。

私たちが目にするロータリーエンジンのカットモデルは、細長いまゆ型の容器であるハウジングに、おむすび形のローターが入っている。これを横の切断面として、縦の切断面を思い描いていただきたい。おむすびは横から見れば三角形だが、九〇度ずらしてみると、長方形になる。ロータリーエンジンの場合も同様で、燃焼室を縦割りしてみると、長方形になる。これをもって富塚は、気密保持が難しいというのだ。

富塚は、信頼性、耐久性の面でシンプルであることこそ、内燃機関にとって最も重要であると考えた。そうすると、ハウジング内部の複雑な曲線に異常摩耗が生じるのは避けられず、ロータリーエンジンは理論的に成り立たないのだと強調した。

そのほかにも富塚は、問題点を次々に挙げる。

レシプロエンジンの円筒形シリンダーは「製作簡単、補修容易」だが、ロータリーエンジンでは「外周のまゆ形も、側板の製作や締付けも困難」。確かにロータリーエンジンのまゆ型は、複雑な曲線で、コンピューターを駆使してようやく、製造できた面がある。

「レシプロでは激しい摺動部を熱源から徹底的に隔離、安全性と長命との獲得に成功」しているが、ロータリーエンジンでは「熱を中心部に追いこみ、その取り出しに腐心せざるを得ぬ」。

ロータリーエンジンは熱源と回転部が近すぎるため、構造的にもろくなるという主張だ。

「レシプロは長命、すりへっても部品入れかえ楽」だが、ロータリーエンジンは「反対[11]」などなど。

構造論から始まって、熱効率や出力、製造やメンテナンスに至るまで、すべてレシプロエンジンがロータリーエンジンに勝っていると結論づけた。

富塚は、内燃機関の基本動作はガスを圧縮し、膨張するのが不可欠な動作であるとしたうえで、「そのことは往と復につながる」とし、これを端的に実行するのがレシプロであると主張する。レシプロエンジンこそ、内燃機関に相応しいと断言するのである。

付言すれば、富塚は2サイクルエンジンこそが、最も効率が良いとする立場の専門家であった。いまでこそレシプロエンジンの主流は4サイクルであるが、2サイクルエンジンは、4サイクルエンジンに比べて、単純比較で二倍の爆発回数があるため、理論的には二倍の出力があると、富塚は考えたのである。

富塚は専門誌のみならず、一般向けの自動車雑誌『モーターファン』でも、ロータリーエンジン不要論を展開した。富塚の弟子にあたる東大などの大学教授たちも同様に、ロータリーエンジンに異を唱えた。

「レシプロ教のベテラン信徒達が異教進出を阻止するために決起した感がありましたね」

山本の回想である。そもそも山本自身、ロータリーエンジンの開発には消極的だった。

「私はロータリーエンジンに関わりましたが、それまでは往復ピストンエンジン以外あり得ないという一種の信仰みたいなものが私にはあったわけです。それにはいろいろ改善の余地があったとしても内燃機関というのは往復ピストンエンジンそのものでした。バンケルエンジンなんていうくるくる回るようなものは、信仰から言ってあり得ないと思いました[12]」

山本が「信仰」と表現しているのが面白いが、当時はほとんどの技術者がそう思い込んでいたということだ。

富塚はユーザーとしての立場からも、ロータリーエンジンを否定する。

新しいものを採用する場合、例えば「ターボジェット」や「トランジスタ」のように、性能が一挙にそれまでの数倍から数十倍にもなるというのなら、否応はない。ところがロータリーエンジンの場合、「せいぜい旧来のレシプロと同じというのでは何の魅力があろうか？」。

実は、ここにこそ、マツダのみがロータリーエンジンの実用化に成功したポイントがある。レシプロエンジンで何ら問題がなく、それどころか多くの会社や研究者が改良に改良を重ね、レシプロエンジンは進化し続けている。トヨタや日産、あるいは海外のGMやベンツにしても、ロータリーエンジンに興味は示したが、なくても何ら問題はないのである。しかもロータリーエンジンは、それまでのレシプロエンジンの生産設備がほとんど使えない。まったく新しい、しかも大規模な設備投資が必要になってくる。それだけのメリットがあるかどうか、という問題である。

しかし、マツダにとって、恒次にとっては違ったのだ。ロータリーエンジンがあるのとないのとでは、日本の自動車業界におけるマツダの立場が、大きく違ってくる。社内における耕平の立場も、大きく違ってくる。

必要に迫られ、他社に先駆けてコンピューターを導入したと第5章で説明したが、ロータリーエンジンへのチャレンジも、マツダにとって、そして恒次にとって「必要だった」ということに尽きるのである。

ロータリーエンジン専用の研究室。

ロータリーエンジン研究部発足

一九六二（昭和三十七）年八月、設計部次長だった山本は、この一年の研究報告と、NSUの進捗状況を視察するため、ドイツを訪れた。しかし、NSUの研究もまったくと言っていいほど進んでいなかった。

帰国した山本から報告を受けた恒次は、さすがにこのままではうまくいかないと感じ始めた。確かにロータリーエンジン開発委員会のメンバーは精鋭ぞろいだが、従来の業務を担当したままの兼務であった。

恒次は決断した。一九六三（昭和三十八）年四月、「ロータリーエンジン開発委員会」を昇格させた「ロータリーエンジン研究部」を発足させたのである。山本を部長に据え、当初からロータリーエンジンに関わってきたメンバーを中心に総勢四七人が選ばれた。

山本は、部の名称として「ロータリーエンジン」を冠することに反対だった。実用化に成功するかどうか、わからないという不安が、内心ある。実は山本は、ロータリーエンジンの研究部長に指名されたことを、〝左遷〟と感じていたのだ。さらに、社内でも秘密にしておいたほうが、成功したときのインパクトが強いのではないか、とも考えた。ところが、恒次はこの考えを言下に否定した。

「ロータリーエンジンの看板を下ろすことは、まかりならん」

とりつくしまがなかった。

翌年には、総工費三億円をかけて、ロータリーエンジン専用の研究室も完成した。ロータリーエンジン研究部のメンバーは、赤穂浪士と人数が同じことから、「ロータリー四十七士」と呼ばれるようになる。しかし、彼らにまさか、赤穂浪士と同様、主君の仇討ちをする運命が待っていようとは、そのとき、知る由もなかった。

マツダの迎賓館

恒次はロータリーエンジンの開発にあたって、どのように技術陣に接したのだろうか。

部長に就いた頃の、山本の回想である。

「僕は恒次さんに何度も〝出来ません〟と言った。ついには出来ないことを証明してみせようと試みたんです。恒次さんに怒鳴られてこのプロジェクトを解散したかったわけです。ところが恒次さんは怒鳴るどころか黙っているんです。そして来る日も来る日も自分のアイデアをメモに書いて持って来るんです。これには本当に参りました」

会議で「もう無理だと思います」と投げやりな発言が出ても、恒次は叱責しない。それればかりか、恒次なりに新しいプランを提案するのである。

「〝命を賭けてもやる〟。そう思うようになったのは、恒次さんの執念があったからですよ。僕なんか足元にも及びませんでした[13]」

ロータリーエンジン研究部に対する社内の風当たりは、強かった。何しろ、海のものとも山のものともわからない技術である。そこに、四七人もの優秀な技術者をとられてしまったのだ。しかも、肝心の成果はなかなか出ない。

しかし恒次は、常に彼らをかばった。ただちに目に見える形で成果を出すよう、あからさまに求めたりはしなかった。

「ロータリーエンジンを開発しているときも、ぼくはいっぺんも請求したことはない。そのかわり、月に二回は開発会議で聞くんです。いつでも感心することばっかりですよ。そやけども『こんなこともどうや』というてます。『それをやれ』と命令したことはあらへん。

なるべく大まかな目標をパッと与えて、あとはまかせてしまう。そうしなきゃ、伸びて行かんですよね。野放図に横に行きよったらおもしろないから、その締めくくりだけは、キュッと、だれかがしないといけない。だから結局、ぼくらは羊飼いやな。羊飼いのシェパードの一匹であると考えてもろたらええねん。社員があんまり散らないように、方針へ向かって行くようにするわけだ。重役はシェパードだから、社員が目標に短時間で到達できるように、してやらにゃいかん」[14]

なかなか進展しない開発状況に、内心は不安で、不満もあったかもしれないが、山本たちには一切、文句をつけなかった。それが逆に、山本たちを奮い立たせた。

「無茶なことをやっているようでも、つねに会社の将来を考えている。けっして自分のわがままや好みだけでいっているのではないということが、人の心を打つ。

それと人の使い方。私は松田恒次に、大変信頼されたと思っている。けっしてそれを口に出していったわけではないが、姿勢でそれと示している。すると文句をいいたくてもいえなくなる」[15]

この人のために、ロータリーエンジンを完成させなければならない。四十七士のハートに火がついたのである。

恒次は自分に絶対の自信を持っていると同時に、相手が誰であれ、話をよく聞き、相手の意見に耳を傾けた。恒次はアイデアマンで、その発想はユニークだが、それは幅広く多くの人と話をするなかから湧いてきたものだ。

第4章で、オペルとの提携話に絡んで、コメントを引用した中川電機社長の中川懐春は、恒次の経営者として秀でた点をこう述べている。

「親譲りであろう、松田さんは精密機械が大変お好きであった。それでいて、冶金や鋳造の方にも並々ならぬ興味をもたれる幅広さがあり、それが松田さんの偉いところであった。

私は、精密機械の好きな人をほかにも知っているが、そういう人は、冶金や鋳造のような地味な、いわば裏方の技術にはあまり関心をもたないのが普通である．松田さんはそれを両立させられた。その幅広さが、東洋工業に多くの技術革新をもたらし、わが国自動車業界における特異な地位を築きあげる推進力となったのだと思う。（中略）相手の身分の上下など関係なく、じっくりと話を聞かれ、そこからたえず何かを学びとろうとされる真摯な態度、これもなかなか真似のできないことである」[16]

マツダは、宮島の対岸に「迎賓館」と名づけられた、高級な宿泊施設を持っていた。これも恒次の発案である。

「広島に来て、工場を見てくれませんか」

東京の人に、こう誘っても、なかなか来てはもらえない。しかし、「宮島見物に来ませんか」となると、「時間があれば、ちょっと行ってみようかな」という気にもなる。何と言っても宮島は、「日本三景」のひとつなのだ。だが観光シーズンとなると、どこも旅館は満室となる。そこで恒次は、迎賓館を建設したのだった。

宮島観光のついでにマツダの工場を見学してさえもらえれば、マツダファンになってもらえる自信が恒次にはあった。「お茶で十ぺん、お酒で一ぺん」が父、重次郎の教えである。本社で商談をしたり、工場を見学したりした後、迎賓館で浴衣に着替えてもらい、胸襟を開いて懇談する。「おもてなし」の精神を、恒次は大切にした。

公私の別をはっきりさせる恒次は、たとえ役員であろうと社員は迎賓館に宿泊せず、あくまで顧客の接待に努めた。皇族を迎えた際、恒次は一回だけ宿泊したことがあるが、それは特別なケースである。

その迎賓館に一九六四（昭和三十九）年六月、エンジン関連の部品メーカートップを招いて、懇談会が催された。

「これからの厳しい国際競争に生き残るため、ロータリーエンジン開発に取り組むことにしました。通産省は日本の自動車メーカーを三社程度に集約して、自由化に備えようとしています。そんななかで、マツダが独立企業として生き残るためにはロータリーエンジンの完成が必須です。それは皆様のご協力なくして不可能です。どうぞよろしくお願いします」

恒次は、悲壮感さえ漂わせながら、頭を下げた。迎賓館でくつろいでいた各社の幹部は、居住まいをただした恒次の気迫に押され、「できるだけの協力をしましょう」と約束した。それは、嘘ではなかった。「悪魔の爪痕」や「電気アンマ」、「かちかち山のタヌキ」といった最重要課題は、いずれも関連する部品メーカーの協力があってこそ、解決できたのだった。

業界再編の大渦

GATT(関税と貿易に関する一般協定)の「ケネディラウンド」による関税の一括引き下げで、乗用車の関税が一九六八(昭和四十三)年以降、大型車は三五%から二八%へ、小型車は四〇%から三六%へと引き下げられることが決まった。これまでは関税によって守られてきた国産自動車だが、関税引き下げ以降は、品質に優れた外国製の自動車が安い値段で入ってくる。これに対して通産省が考えたのは、業界再編で対抗することであった。自動車は典型的な資本集約型産業であり、設計や設備投資、製造、そして販売のあらゆる面から見ても、量産効果がきわめて大きいからである。

一九六六(昭和四十一)年、日産と「プリンス自動車」が合併した。プリンスは一九四七(昭和二十二)年、航空機メーカーに在籍していた技術者によって設立された会社である。当初はガソリン不足を背景に、電気自動車メーカーとしてスタートしたが、のちにガソリン自動車に転じた。「スカイライン」や「グロリア」、「ホーミー」などの日産ブランドは、もともとはプリンスのものである。プリンスは、高い技術力を誇ったが、技術偏重の社風はコスト高につながり、経営難に陥った。そこに外国車の輸入自由化対策として、通産省の強い指導が加わった。

そのとき業界六位のプリンスは、タイヤメーカーである「ブリヂストン」の傘下にあった。ブリヂストンの石橋正二郎会長はまず、トヨタとの合併を探った。しかしトヨタ側は、プリンスと合併すると乗用車のシェアが五〇%近くになり、独占禁止法に抵触する恐れがあることを懸念した。加えて、プリンスのメインバンクであった住友銀行が以前、トヨタに対する緊急融資を断った経緯も伏線となり、この話を断った。

返す刀で石橋は、日産に話を持ち掛けた。当時、「銀座の通産省」とも呼ばれた日産は政治力もあり、プリンスを合併してトヨタ追撃態勢に入ったと見られた。

主にトラックやバスを製造している「日野自動車」も、業界再編の渦に巻き込まれた。日野は、戦後は小型乗用車も生産していた。しかし一九六六（昭和四十一）年、トヨタと業務提携し、その傘下に入った。独占禁止法に抵触しないよう、トヨタの、日野への資本参加は五%にとどめた。これにより、日野は乗用車の生産を中止し、トヨタグループにおけるトラックやバスの専業メーカーとなった。

トヨタと日野の提携を見て動いたのが、ダイハツである。三輪トラックでマツダとトップを争うダイハツは、業績は順調だった。しかし通産省主導による業界再編の指導があり、将来も見通しにくい。ダイハツは軽、トヨタは小型車と普通車という棲み分けも可能である。一九六七（昭和四十二）年、トヨタはダイハツに六％の資本参加をし、ダイハツもトヨタグループ入りした。

いすゞと三菱、それにスバル（富士重工）は、それぞれの頭文字をとって「ＩＭＦ」と呼ばれ、三社が提携してトヨタ、日産に次ぐ第三勢力を目指すという動きも見られた。しかしいすゞには、かつてトヨタ、日産と並んで「御三家」と呼ばれた名門意識がある。三菱には、三菱グループの看板がある。スバルには、日本最大の航空機メーカーだった「中島飛行機」の技術を継承するというプライドがある。三者三様に主導権を握ろうとして、結局、三社の提携は実現しなかった。

一九六八（昭和四十三）年、スバルは日産と、いすゞは三菱との業務提携にそれぞれ踏み切った。

マツダとホンダは、こうした業界再編の動きにまだ、巻き込まれていなかった。

ホンダはオートバイ部門の国際競争力が強く、社風として独立心が強い。四輪車メーカーとしての歴史は浅いが、独立してやってゆけるという見方も強かった。

残るは、マツダである。恒次の本心は、業界再編に否定的だった。一時点における企業規模だけを評価することに、恒次は疑問を呈する。企業にとって大切なことは、適正な利潤を確保しながら、継続的に企業活動を拡大していくことである。単に規模が大きくなるだけの合併では、むしろ競争力は低下すると考えていた。独立独歩こそ、恒次らしさである。

自動車の場合で言えば、一車種あたりの生産、販売台数が増えることが絶対条件である。多車種少量生産では、意味がない。恒次はその意味で、日産とプリンスとの合併も、冷ややかに見ていたのである。

輸入車との競争についても、恒次は一時抱いた危機感を和らげつつあった。価格や性能の差は、国産車メーカーの努力で、急速に解消されつつある。デザインや高速性能では負けているかもしれないが、経済性や堅牢さなど、外国車にはない持ち味も出てきた。販売サービス網に至っては、外国車勢は対抗できない。こうした努力を重ねているにもかかわらず、政治家や官僚の胸三寸で企業の命運が握られてはたまらないと思っていた。だからこそ、ロータリーエンジンの開発に力を込めた。その決意表明が、「ロータリーエンジン研究部」の看板であったのだ。

第7章　コスモスポーツ

クリアされていく難問

業界再編の動きを横目でにらみながら、文字通り、寝食を惜しんだ四十七士の奮闘で、課題も少しずつではあるが、解決されていった。

「かちかち山のタヌキ」を引き起こすオイル漏れには、ゴムを取りつけて側溝面との気密を確保することで対処した。高温でゴムが溶けるのではないかと心配されたが、ゴムは溶けず、オイルは漏れなかった。ゴムを取りつけた場所は、思ったより高温にはならなかったのだ。「常識」にとらわれず、なんでもやってみようという取り組みが、成功したのである。

不整燃焼による車体の振動、「電気アンマ」対策である。吸気方式を「ペリフェラルポート」から「サイドポート」に変更した。これはアメリカのカーチスライトがすでに採用していたシステムだ。

どういう仕組みかというと、ペリフェラルポートでは、吸気や排気をする孔を、ローターが回転するまゆ型ハウジングの内周面に開けていた。これは、NSUが当初から採用していた方式である。これを、ローターを挟む鉄板、つまりサイドハウジングに穴を開けて吸排気させたのだ。これによって、気密性を増すことに成功した。

スパークプラグをそれまでの一本から二本に増やしたのも、効果的だった。あらゆる回転域で、安定した燃焼を確保できるようになったのである。

さらに、マツダが独自に開発した機構として、「2ローター」というシステムがある。ひとつのローターでは、特に低速回転で、回転力の変動が大きくなる。このため当初のロータリーエンジン搭載車は、低速走行が苦手だった。この問題を克服したのが2ローターである。ふたつのローターの変動をうまく組み合わせることで、均一な回転力が得られるようになったのである。

燃料と空気とを混合するキャブレターも、ロータリーエンジンの特性にふさわしいものへと改良された。こうしたいくつもの対策の結果、低回転での安定性が増し、不整燃焼の問題は解決した。

残るは、最大の課題だったチャターマークである。

ロータリーエンジンのおむすび形をしたローターは、きわめて高速で回転する。そのローターの三つの先端にあるのが、作動室の機密を保持する目的で取りつけられる「アペックスシール」である。「アペックス」とは、英語で「頂点」という意味である。

例えば、のちに「ルーチェ」に搭載された13B型エンジンの場合、毎分六〇〇〇回転の最高出力時に、アペックスシールの平均速度は毎秒二五・七メートルにも達する。これは同じレベルのレシプロエンジンの平均ピストンスピードに比べて約二倍という速さである。

アペックスシールと、ハウジングが高速で擦れ合うことで、ハウジングの内壁にチャターマークが発生する。

このうち、ハウジングの内壁については、硬度や潤滑などの利点で、クロムメッキが理想的だと判断されていた。そこで、アペックスシールをどう改良するかがポイントとなる。ハウジングを傷つけるほど、堅くてはいけない。しかし、柔らか過ぎるとすぐにすり減ってしまい、耐久性が問題となる。爆発による高温と、ガスの吸引による低温にもさらされる。極端な温度差にも強くなければならない。高価な金や銀を含む合金はもちろん、牛の骨まで、五〇〇種類以上使って試してみたが、帯に短し、たすきに長しで、どうしても解決できなかった。

「私はチャターマーク発生の原因はアペックスシールの固有振動数に基づく摩擦振動ではないかと考えた。もしそうであるなら固有振動数をかえてみればよいのではないかと日夜思いをめぐらした」

わかりやすく言えば、山本は、一種の振動が原因だと考えたのだ。ある日突然、アペックスシールに孔を開けるというアイデアを思いついた。
「アイデアというのは、夜、寝床の中で出すのですね、邪念がなくなるから。会社で電話をかけながら考える時には、自分の都合のいい条件だけで考えやすい。寝床にいる時は、待てよ、この場合にどうなるだろう、これだったらどうだろうというように非常に純粋に条件を入れて考えられるでしょう。ここから出て来るアイデアは、普通思いつかないものが出ます」[1]
寝床で考え、枕元のノートにメモしたアイデアである。金属製のシールの内部に、細い横孔を上下に二本開け、さらに横孔をつなぐ縦孔を数本開けたのだ。試してみると、三〇〇時間を超えても、調子が落ちない。これまでより大幅な改善が見られた。孔をあけたことで、周波数特性が変わって振動が抑えられ、さらに弾性も加わったことが改善の理由だった。この新型アペックスシールは「クロスホロー」と名づけられた。「クロス」は「交差する」、「ホロー」は「空洞」という意味である。一九六三(昭和三十八)年のことだった。最終的に、クロスホローでも商品化できるまでの耐久性は得られず、採用は見送られたが、そのときのことを山本は、次のように述懐している。
「クロスホローは世の中には出なかったが、新しい物の考え方、模倣でなく技術者が自らの力で自信を持って問題解決に挑戦するという、風土を確立するための大きな出来事であったと思う」[2]

クロスホローを見たNSUの開発陣は、その斬新なアイデアに驚き、マツダを高く評価した。こうして、マツダが着実に実績をあげてくると、NSUとマツダの力関係は、逆転するのである。

その後もアペックスシールの改良は続けられた。

目をつけたのがカーボン、つまり黒鉛である。そこでも、恒次のカンが冴えわたった。

恒次が読んだ工業新聞で、カーボン製品のトップメーカー「日本カーボン」が新幹線のパンタグラフ用に、「従来の製品と比べて一〇倍もの強度を持つカーボンを開発した」という記事を見つけたのがきっかけだった。

カーボンは水や油を取り込みやすい性質があるため、摩擦係数が小さい、つまり滑りやすいうえ、硬度も低い。相手を傷つけにくいのだ。しかしその分、カーボンは強度が不足し、もろいという弱点があった。

その頃、エンジン部品にカーボンを使うという発想はなかった。しかし社長の提案とあれば、検討せざるを得ない。日本カーボンに協力を要請し、共同開発が進められた。剛性の強い金属をいろいろ混ぜてみたが、うまくいかない。

ところが、どういうことか、逆に、強度の低いアルミを特殊な方法でしみ込ませてみると、十分な強度が得られたのである。エンジンテストで一〇万キロを走らせてみても、摩耗はほとんど見られず、チャターマークは発生しなかった。これでついに「悪魔の爪痕」問題をクリアしたのだ。「常識」を覆す、恒次と開発チームのお手柄だった。

こうした技術開発にあたって、マツダには、ライセンスを持つNSUにはない強みがあった。それは、マツダが自動車部門だけでなく、工作機械の製造部門、それに長さの基準器であるゲージブロック部門を持っていたことである。確かに自動車以外の部門は、売り上げから見れば規模は小さい。しかし、それらの部門で材料の研究を行ったり、新たな部品や工作機械を作ったり、緻密な計測をしたりすることができた。例えば、極めて高い精度が得られるダイカスト鋳造も、外部の工場に委託することなく、マツダの本体で行うことができたのだ。

マツダでは、新しい図面が出れば、超特急仕上げだと、二か月ほどで部品が届く。NSUから設計図が届くと、わずか三か月という驚異的な速さで試作エンジンが完成したのは、そのおかげだった。ロータリーエンジン内部の複雑な形状を測定するため、独自の測定器を作れたのも、マツダならではと言える。

これに対してNSUでは、新しい設計図ができても、注文を出してから納入されるのに早くて三か月から半年、遅ければ一年はかかるという状態だった。マツダはNS

ロータリーエンジン試作第一号。水冷式1ローター、排気量400cc。1961(昭和36)年11月。

Uの数倍の速さで、開発を進めることができたのである。

恒次の決断で導入したコンピューターが、一連の開発に大きく役立ったのは言うまでもない。ロータリーエンジンの特徴であるローターハウジングの内部は、トロコイド曲線と呼ばれる複雑な曲線をしている。こうした形状を形成するには、コンピューターの手を借りなければ、正確な図面を描くことすらできない。製図から製作、そして試験の段階に至るまで、あらゆる場面でコンピューターが威力を発揮したのである。

ロータリーエンジンを搭載す

る、専用車の車体も完成した。
名前は、宇宙開発が進みつつあった時代にふさわしく、イタリア語で宇宙を意味する「Cosmo」からつけられた。

コスモスポーツ登場

一九六三（昭和三十八）年十月に開かれた第一〇回東京モーターショーで、「コスモスポーツ」が華々しくデビューした。会場には、恒次がプロトタイプのコスモスポーツで乗りつけるという演出が行われた。通産省の業界再編プランによって、マツダはミニカー専業メーカーと想定されたこともあった。これに対する、恒次なりの回答だった。マツダは、誰に妨げられることなく、広い宇宙に羽ばたいてゆく。そのシンボルが、コスモスポーツだったのだ。

小型軽量のロータリーエンジンならではの、低くて美しいボディラインが注目を集めた。恒次にとって、至福のときであった。

会場では、マツダの開発した二種類のロータリーエンジンも展示された。デビューしたコスモスポーツは、まだ試作段階だった。自動車メーカーにとって画期的な新型車を発表する場合、その内容をなかなか明らかにせずに期待感を高めたうえで、発売直前にベールをとって姿を見せ、消費者の購買意欲をそそるという手法がよくとられる。しかし、コスモスポーツの場合、それとはまったく逆の手法がとられた。発売時期が未定のまま、早々とその姿を人びとの前に現し、多くの人たちにロータリーエンジンという、レシプロエンジンとはまったく異なる新しいエンジンが出現したことをアピールした。詳しくは後述するが、マツダ車のディーラーに試作車を配備した。実際に販売を担当する社員に乗ってもらい、ロータリーエンジンを体感させたのだ。レシプロエンジンとどう違うのか、百聞は一見に如かず、というわけだ。こうした斬新な手法を打ち出したのも、恒次である。

東京モーターショーが終わると、恒次は山本を伴い、コスモスポーツの試作車二台と共に十日間かけて広島に向かった。コスモスポーツはまだ試作段階で、いつトラブルが出るかわからない。山本は冷や冷やしどおしだった。

恒次たちはまず、広島出身の総理大臣、池田勇人を訪問した。池田は、ロータリーエンジンの実現を、わがことのように喜んでくれた。

日本興業銀行頭取、中山素平を訪ねたときのことだ。

「頭取、私のやりたいといっていたのはこれなんです、この男が責任者なんです。資金の協力をよろしくお願いします[3]」

恒次に紹介された山本は、恒次の一生懸命さを肌で感じた。

住友銀行頭取の堀田庄三、マツダの大株主でもある野村證券の社長、瀬川美能留(みのる)も訪ねた。彼らの支援があったからこそ、ここまで来られたのである。恒次は一層の協力を求めた。

恒次たちは有力支援者のほかにも、東海道と山陽道のマツダ販売店を訪ね歩いた。先頭を二台のコスモスポーツが走り、そのあとを、乗用車に乗った恒次たちが続く。販売店が近づくと、恒次は不自由な脚で「よっこらしょ」とコスモスポーツの助手席に乗り込み、販売店に到着するのである。そのときはまだ、NSUもロータリーエンジン搭載車を発売していない。社長が、世界初の車で到着とあって、販売店の関係者は拍手喝采である。マツダは他社がやらないものをやり、個性的な会社として生きていく。その象徴が、ロータリーエンジンだ。にぎやかに出迎えられた恒次はまず、ロータリーエンジン開発の決意を述べる。

「自動車産業再編成でマツダの名がなくなるとのうわさがあるが、信用しないでほしい。マツダは他社がやらない技術革新をものにして、個性化による独立を確保する。その技術革新を山本が説明する」

これを受けて山本が、ロータリーエンジンの模型を示しながら、販売店の社員たちにわかりやすく解説していった。

「難しいのですと言えませんでした。ものにしてみせますというようなことを、つい言ってしまうわけです」

原爆ドームをバックにしたコスモスポーツ（MAZDA 110S）。

彼らが目を輝かせながら、話に聞き入る姿を見て、山本は、改めてロータリーエンジン開発に対する決意を固めた。

「その時に、松田恒次さんが非常にうまいのは、僕は何とかしてものにしてみせますと言うと、すぐ引き継いで話を続けるのです。『山本がああ言ったでしょう。信用してやって下さい。その代わり、今の車を売ってくれないと資金が続かない』と、そうすると『売ります』と誓ってくれるのです。それをずっとやってきました」[4]

恒次の面目躍如である。そのとき、山本は四十一歳だったのに対し、恒次は六十七歳。左脚は義足で、右脚はリウマチの痛みが引かない。十日間の車による移動は、恒次にとって決して楽ではなかった。しかもワンマンのオーナー社長が、販売店の社員たちに頭を下げて頼むのだ。山本は、恒次がいかにロータリーエンジンに打ち込んでいるかを、骨身に沁みて思い知らされた。

山本は、恒次が「ロータリーエンジン研究部」の発足にあたり、ロータリーエンジンの看板を下ろさせなかった理由がようやくわかってきた。資本の自由化や業界再編という荒波のなかで、会社のトップが何を考え、どう対処しようとしているのか。それを社内はもちろん、社外に対しても明確に発信する必要があった。そうでなければ、第一線で働く社員たちはついてこない。銀行からの信用も得られない。そのために、ロータリーエンジンという看板を高く掲げる必要があった。それを山本は、販売店で

コスモスポーツのモックアップ。(『東洋工業五十年史』より)

恒次67歳、コスモスポーツの試作車で東京―広島間を試走。
1963(昭和38)年。(『東洋工業五十年史』より)

ロータリーエンジンの説明にあたりながら、理解した。そして、必ず成功させなければならないと、おそまきながらに腹をくくったのだった。

ちょうどその頃、一九六三（昭和三十八）年七月に「名神高速道路」栗東—尼崎間が開通し、日本も高速道路時代を迎えることになる。高速走行時代に対処すべく、マツダは本社から約七〇キロ離れた広島県三次市に、テストコースを整備した。

一九六五（昭和四十）年五月に完成した「三次自動車試験場」の敷地面積は一五〇万平方メートルで、当時としては国内最大規模を誇った。全長四・三キロのテストコースは上空からの写真で見ると、ロータリーエンジンのローターに似て、三角形のおむすび形になっている。それに象徴されるように、マツダのロータリーエンジン開発に伴う大規模な設備投資の一環として、作られたものだ。

その頃、連続して時速二〇〇キロを出せるテストコースは、ほかになかった。コスモスポーツは、そのテスト第一号車となったのである。

寒冷地の対策も検討すべく、マイナス三〇度の北海道で走行テストも行った。

しかし、それだけでも不十分と、恒次は全国のマツダディーラーにコスモスポーツの試作車六〇台を配車し、実地に即したデータ集めを行うことにした。なんといってもロータリーエンジンは、従来のレシプロエンジンとは仕組みがまったく異なるため、整備の手順や内容も違ってくる。全国各地では天候はもちろん、道路条件など、地域によって環境も大きく異なってくる。あらゆる場面を想定してチェックするため、ユーザーに一番近いディーラーの意見を聞くことにしたのだ。恒次は常に、利用者の視線で、ものごとを考える。それが恒次らしさである。

新型車の姿を、マツダのディーラーを含めた多くの人に見てもらうことで、まったく新しいエンジンであるロータリーエンジンに対する期待感は、日に日に高まってゆく。

各地のディーラーからは、毎日のように詳細なリポートが本社に送られてきた。これに対して本社の技術陣も各地に出向き、テスト社を一台ずつチェックして、問題がないかどうか、検討した。

こうしたマツダの、ディーラーを含めた全社一丸となった対応で、最終的にすべての課題がクリアされたと、恒次は判断した。

ロータリーエンジン時代到来

NSUから基本特許を購入して六年の歳月と、四〇億円以上とも言われる巨費をかけたプロジェクトは一九六七（昭和四十二）年五月三十日、ロータリーエンジン搭載車、コスモスポーツの発売という形で実を結んだ。最高時速は一八五キロ、〇―四〇〇メートル発進加速を一六・三秒で駆け抜けた。当時としては圧倒的な加速力であった。

恒次の狙いであった「技術のマツダ」を、日本内外に見せつけたのである。

　マツダはしばしば、「世界で唯一、ロータリーエンジンを実用化させたメーカー」と言われる。

　実は、コスモスポーツが、世界で最初のロータリーエンジン搭載車というわけではない。それは一九六四（昭和三十九）年にドイツのＮＳＵが発売した「ＮＳＵバンケルスパイダー」である。ＮＳＵは、ロータリーエンジンの特許を持つメーカーとして、世界初の栄誉に与（あずか）った。自社の既存の車のボディに載せて売り出した。しかし、チャターマークの発生など故障が相次ぎ、約二四〇〇台を販売しただけに終わった。ＮＳＵはその後もロータリーエンジン搭載のセダンを発売するが、クレーム続きであった。結局ＮＳＵは、一連の失敗による負担に耐えかねて、一九六九年にフォルクスワーゲンの傘下に入るというありさまだった。

　一方、マツダのコスモスポーツは、外観を含めて十分に練り上げられた製品となっていた。ＮＳＵバンケルスパイダーはローターがひとつだけのエンジンだが、コスモスポーツは四九一ccのアルミ製ロータリーユニットをふたつ並べて搭載した。２ロータータイプのロータリーエンジン搭載車は、世界初登場である。

　変速機は四速マニュアルで、最高出力は一一〇馬力。乗車定員は二人で、骨組みフレームを排したモノコック構造のボディである。同じ程度の馬力を持つレシプロエンジンと比べて、大きさが三分の二程度に抑えられたコンパクトなロータリーエンジンの特性を活かし、地を這うような尖ったノーズと、低いボンネットという、流麗でシャープなスタイリングを実現した。

全長は四一四〇ミリ、車高は一一六五ミリしかない。車重はわずか九四〇キロという、軽量で高性能なスポーツカーに仕上がった。

「走るというより、飛ぶ感じ」

発売当時につけられた、コスモスポーツのキャッチコピーである。高回転域まであっという間に吹き上がるエンジンは、「ロータリーフィーリング」と表現され、軽量で流線形のボディと相まって、「飛ぶ感じ」となって現れた。

コスモスポーツは、一九七一（昭和四十六）年から一年間にわたりTBS系列で放送された特撮テレビ番組『帰ってきたウルトラマン』で、地球防衛組織「MAT」の隊員がハンドルを握る専用車として登場した。その近未来的なフォームは、当時の子どもたちを魅了したものである。

価格は一四八万円。「日産スカイライン2000GT」が、九四万円の時代である。「クラウン」や「セドリック」などの高級セダンを三〇万～四〇万円、「フェアレディ」などスポーティなモデルを五〇万～六〇万円も上回り、当時としてはきわめて高価だった。

翌一九六八(昭和四十三)年、最高出力を一二八馬力にパワーアップした改良型が発売された。最高時速は二〇〇キロ、〇―四〇〇メートル加速は一五・八秒で、速さに磨きがかかった。

ロータリーエンジン搭載車の販売実績と、ロータリーエンジン搭載車の系譜を見ていきたい。

まず、ロータリーエンジン元年の一九六七(昭和四十二)年は、コスモスポーツの三四三台だけだった。

翌一九六八(昭和四十三)年七月には、「ファミリアロータリークーペ」が発売された。こちらはコスモスポーツと違って、最高出力を一〇〇馬力に抑え、低速性能と経済性を優先させた。それでも最高時速は一八〇キロで、当時としては高性能である。価格は、コスモスポーツの半額以下という七〇万円に抑えた。それぞれ他社の一〇〇〇ccクラスに比べれば、二〇万円ほど割高になったが、ロータリーエンジンに憧れを感じていたユーザーは飛びついた。この結果、同年のロータリーエンジン搭載車販売台数は一挙に、七〇九七台となった。

一九六九(昭和四十四)年には「ファミリアロータリーSS」が、マツダのロータリーラインナップに加わった。こちらは4ドアセダンとして、初めてのロータリーエンジン搭載車である。価格も「ファミリアロータリークーペ」を下回り、ファミリー層から支持された。

同年には、高速安定性と居住性を高めた高級乗用車「ルーチェロータリークーペ」が発売された。こうした結果、ロータリーエンジン搭載車の販売台数は二万八七四二台で、急激に伸びた。

一九七〇(昭和四十五)年五月には、高速性能を重視した「カペラ」が発売された。最高出力は一二〇馬力で、特にアメリカで爆発的な人気を集めた。圧倒的な加速を誇り、高回転域での運転に適したロータリーエンジンは、高速道路の発達したアメリカの道路事情に、見事にマッチしたのである。

当初、マツダとNSUとの契約で、マツダの海外における乗用車の販路は、アジア地域に限られていた。しかしロータリーエンジン開発にあたって、マツダの技術力が認められたことに加え、「ロータリーエンジン車の欧州輸出は両社の同意を必要とする」という限定条項も、NSUに支払う基本料金を増額する条件で一九六八(昭和四十三)年十月に撤廃され、アメリカを含めた全世界への輸出が可能となったのである。

ロータリー人気で、工場はフル生産体制をとったが、それでも追いつかないほどだった。こうしてマツダは、ロータリーエンジン搭載車の量産化に、世界で唯一成功したのである。

そうはいっても、ロータリーエンジン搭載車の台数自体は、マツダ全体から見れば、一部にとどまった。象徴的存在であるコスモスポーツの生産実績は、生産を終了した一九七二（昭和四十七）年までの五年間で、わずかに一一七六台である。しかし、そのインパクトは強烈で、売り上げをはるかに上回る効果があった。技術と個性に優れたマツダというアイデンティティを確立したのである。

その頃の自動車業界は、一位はトヨタ、二位は日産で指定席である。マツダはオート三輪の好調を梃に、業界三位に躍り出たが、やがてホンダや三菱も四輪車の生産に参入し、激しい三位争いを繰り広げていた。

こうしたなかで「ロータリーエンジンのマツダ」という企業イメージは、他社にはないマツダならではの個性であり、財産であった。

マツダはロータリーエンジン開発の一方で、魅力的なレシプロエンジン搭載車も積極的に発売した。一九六七（昭和四十二）年には、一〇〇〇ccエンジンを搭載した「ファミリア一〇〇〇」を発売した。価格は三九万八〇〇〇円。一〇〇〇ccクラスの大衆車ではじめて、四〇万円を切る価格を打ち出した。このクラスではトヨタが「カローラ」、日産が「サニー」、三菱が「コルト」、ダイハツが「ベルリーナ」、スバルが「スバル一〇〇〇」を出して激戦が繰り広げられている。それまでは日産サニーが四一万円で一番安かった。マツダはこのクラスに殴り込みをかけたわけである。

こうしたラインナップで、マツダの四輪車の生産台数は、一九六六（昭和四十一）年

恒次社長（右）と耕平副社長（左）。1970（昭和45）年1月30日、創業50周年式典終了後の記者会見。

で三九万九〇〇〇台だったのが、一九六八（昭和四十三）年には四七万五〇〇〇台。二年で一九％も増えたのだ。

これこそ、恒次の狙いだった。かつては「バタンコ屋」と呼ばれた泥臭いマツダのイメージが、「ロータリーのマツダ」という最先端のイメージとなった。それによって、マツダ車全体が売れるのだ。恒次のブランド戦略が、見事に当たったのである。

一九七〇（昭和四十五）年一月、創業五〇周年の記念式典で、恒次は高らかにロータリーエンジン時代を宣言した。

「一九七〇年代はロータリーエンジンの時代である。（中略）私は七〇年代の終わりには、世界の車はおそらく大半がロータリー・ピストン・エンジンになると信じております。（中略）このロータリゼーションのなかにあって、東洋工業はその中心的勢力として不動の地位を占めるものと確信しております」

当時はロータリーエンジンを「回転ピストン型エンジン」、あるいは「ロータリー・ピストン・エンジン」と呼ぶこともあった。

恒次の絶頂期であり、高らかな勝利宣言であった。

〝ロータリゼーション〟とは、〝モータリゼーション〟を踏まえた、恒次の造語である。ロータリーエンジンが社会に広く行き渡り、大衆化するという意味だ。

同時にそれは、バランスをとった経営を旨とした重次郎の教えから、逸脱する危険性を秘めた内容でもあった。恒次はあくまでも、レシプロエンジンとのバランスをとりながら、ロータリーエンジンの展開を考えていた。しかし、言葉の上ではロータリーエンジン時代を強調することになった。しかし、そのときの恒次は、その危うさを知る由もなかったのである。

世界のトップへ

いまのマツダはスカイアクティブエンジンで名を馳せているが、ひと昔前は、マツダと言えばロータリーエンジン。そしてロータリーエンジンと言えば、マツダであった。

一般にはマツダの専売特許のように思われているが、すでに述べたように、ロータリーエンジンの基本特許は、ドイツのNSUとバンケルが共同保有していた。NSUとバンケル連合はロータリーエンジンのライセンスを、自動車用と産業用、大型と小型、さらには販売地域など、様々な枠組みで切り売りした。一九五八年から一九七三年まで、NSUが契約したメーカーは世界で二三社に上った。

日本勢で見てみると、ロータリーエンジンのライセンス契約を結んだのは当初、二社。マツダのほかに、「ヤン坊マー坊天気予報」のCMでおなじみだった「ヤンマーディーゼル」が、一九六一(昭和三十六)年二月に契約していたのだ。マツダのライセンスは乗用車とトラックだが、ヤンマーは産業用、農業機械用の提携である。

ヤンマーは、アペックスシールに硬度の高い「チルド鋳鉄」を採用し、モーターボート用の船外機と、チェーンソーの開発に取り組んだ。

一九六九(昭和四十四)年には、世界初のロータリー船外機を発売した。低振動が売り物だった。しかし始動性や排気ガスに難点があり、本格的な生産に踏み切ることはなかった。

一九七四(昭和四十九)年には、ロータリーチェーンソーを発売した。従来型の2サイクル単気筒エンジンを搭載したチェーンソーは振動が激しく、山林労働者の間では「白ロウ病」として知られる深刻な職業病が多発していた。これに対してロータリーチェーンソーは回転が滑らかで、振動が従来の三分の一にまで減少した。そのうえ、切れ味が鋭いという点が評価され、農林省から「理想的なチェーンソー」として認定されたほどだった。残念ながら、携帯が容易なサイズへの小型化が難しかったことや、整備の難しさ、それに従来品と比べてどうしても割高になる点を最後まで解決できず、一九七九（昭和五十四）年に、生産を中止した。

自動車関係に話を戻すと、日本のメーカーでは一九七〇（昭和四十五）年に日産とスズキ、一九七一（昭和四十六）年にトヨタ、一九七二（昭和四十七）年にはヤマハ発動機と川崎重工がＮＳＵと契約し、ロータリー陣営に加わった。

特に日産は一九六八年、マツダに「ロータリーエンジンを買いたい」[5]と申し入れた経緯もあった。このときはマツダ側の量産体制がまだ整っておらず、実現はしなかったが、ロータリーエンジンに熱い視線を送っていたのである。

スズキは国産で唯一、ロータリーエンジンを搭載したオートバイ「ＲＥ５」を一九七四（昭和四十九）年、海外向けに発売した。生産台数は約六〇〇〇台にとどまったが、世界でもっとも多く生産されたロータリーエンジン搭載バイクであった。

一方、いすゞは、ＮＳＵの特許に抵触しない独自のロータリーエンジンを開発し、六か国に特許出願した。ＮＳＵのバンケル型はロータリーのみが回転し、容器は固定されているのに対し、いすゞ型は三つ葉のクローバーのように配置された三つの容器自体も回転するという複雑なシステムをとっていた。東京モーターショーに出品すると、マツダのロータリーエンジンの対抗馬のようにマスコミに騒がれたものだった。一九六六（昭和四十一）年には乗用車「ベレット」に載せてテストを行うところまでこぎつけたが、結局、日の目を見ずに終わったのである。

海外に目を転じると、アメリカでは「カーチスライト」が契約した。カーチスライトはその名のとおり、ライト兄弟による会社がルーツのひとつで、第二次世界大戦中は全米の製造業で第二位の規模を誇った有力な航空機メーカーである。大型のロータリーエンジンを製造し、航空機に搭載した。

ヨーロッパではNSUの地元ドイツが多く、「ダイムラーベンツ」や「ポルシェ」といった自動車メーカーのほか、「フィヒテルザックス」、「クレックナー」、「フンボルト」、「マン」、「ラインシタールハノマーク」などの機械、エンジンメーカーが契約した。イギリスでは「ロールス・ロイス」のほか、ディーゼルエンジンメーカーの「パーキンス」、イタリアでは「アルファロメオ」、フランスの「シトロエン」など、著名な自動車メーカーや機械、エンジンメーカーが軒並み名を連ねた。

NSUは前述したとおり、一九六四（昭和三十九）年、世界に先駆けてスパイダーを発売した。NSUと提携したシトロエンも一九六九（昭和四十四）年、マツダに続いてロータリーエンジン搭載車「M35」を販売した。

メルセデスベンツは一九六九（昭和四十四）年に、ロータリーエンジン搭載のコンセプトカー「C111」を発表した。空を飛ぶカモメの翼をイメージさせる「ガルウィングドア」の鮮烈なデザインで、モーターファンの目を引いた。

一九七〇（昭和四十五）年八月五日付の日本経済新聞は、一面トップで「ロータリーエンジン GM、今秋から採用」と大きく報じた。それによると、世界最大の自動車メーカー、アメリカのGMは、ロータリーエンジンの技術導入契約を結び、手始めに小型車ベガとコンパクトカーの一部にロータリーエンジンを装備するとした。記事ではその理由について、第一にアメリカで公害対策の一環として、排気ガス規制が強まったことをあげている。

当時、アメリカで始まった排気ガス対策は、高オクタン価のガソリンを廃止して、無鉛ガソリンにしようというものだった。しかし無鉛ガソリンでは、エンジンの燃焼室が高温になると点火プラグで点火する前に自然発火してしまいノッキング、つまり異常燃焼が起きやすいという欠点があった。ところがロータリーエンジンは、燃焼室自体が高速で移動しているため、すぐに冷やされ、無鉛ガソリンでもノッキングが起きないという特性がある。排気ガス対策は、ほかにも一酸化炭素や窒素酸化物などがあるが、当時はガソリン無鉛化対策が緊急の課題だったのだ。

さらに記事では、ロータリーエンジンを導入する第二の理由として、低コストをあげる。「ロータリーエンジンはレシプロエンジンと違い気化器や自動燃料噴射器などのエンジンコストだけをとると現在の約五分の一ですむといわれる」と述べている。

これにより一九七二年秋以降、「GMの小型車とコンパクトカー（すべて米国製）は既存のレシプロエンジン車からロータリーエンジン車に切り替わる」という。世界一のメーカーがロータリーに乗り換えれば、世界は変わる。記事はさらに続く。

「GMのロータリーエンジン採用とニクソン大統領の公害追放政策さらには国連を中心とする国際的な公害追放機運が重なり合って世界の自動車業界には今後急速に既存のレシプロエンジンから新エンジンへの切り替え機運が高まるものとみられる」

読売新聞によれば、GMは特許とノウハウの導入に、一八〇億円を支払った。[6] それだけの価値があると見られたのだ。

小型軽量、高出力のロータリーエンジンは、これに「低公害」という勲章も加わって、輝ける次世代エンジンとなったのである。

オートバイでは、一九七三年にドイツの「ヘルクレス」社が世界で初めてのロータリーエンジン搭載バイク「W2000」を発売した。一九七七年にはオランダ「バンビーン」社の「バンビーンOCR1000」が登場した。約四〇台しか生産されなかったが、最高速度が二三〇キロで当時の世界最速、リッター当たり一〇〇馬力を超えるスーパーバイクとして話題になった。

こうしたなかでも、マツダこそ、ロータリーエンジン製品の量販に成功した、世界で唯一のメーカーである。その過程で新しい技術が次々に生まれ、マツダの技術力に磨きがかかった。それはなんといっても恒次の執念があったからこそ、達成し得た成果であった。

NSUの制約があまりにも多いことから、マツダの社員からは「本当にどうしてあいう契約をしたのか、と思う。うぶだったんだね」（渡邉守之マツダ名誉相談役）、「あまりにも不公平なところがあるから、裁判にかけたらどうかという話もでた」（紺家逸治元東洋工業調査室翻訳課長）。特に、開発した技術を相互に提供することになっていたため、「特許は全部取られた」という思いもあった。しかし「あれでうちの外国との提携をやる時のノウハウをつかんだと思います」（渡邉相談役[7]）という教訓も得られたのだった。

フォードとの提携交渉

前述したように、一九六〇年代以降の自動車業界では資本の自由化を控え、外国資本との提携や合併などによる業界再編が模索された。

恒次はかねてから、大手に吸収されるのはまっぴらごめんと、対外的には自社単独路線を強調していた。すでに述べたように、確かにロータリーエンジンの導入を決断する前には、大手の傘下に入ることも頭をよぎった。しかし恒次は、ロータリーエンジンの実用化によってマツダの個性を確立し、なんとか自主独立の道を確保したのだ。

「他人の手を引くほどの力はないが、他人に手を引いてもらわなくても歩ける」[8]

恒次はそう公言してはばからなかった。トヨタ、日産に次ぐ、業界三位の自動車メーカーとしての地位を固めつつあったからだ。しかし上位二社との差は大きい。しかも、自動車の安全性向上問題や公害規制の著しい強化など、内外を取り巻く環境は、厳しさを増すばかりだ。

恒次は従来の路線を変え、外国企業との関係強化を考えるようになった。その裏には住友銀行頭取、堀田の情報と助言もあった。

一九六八（昭和四十三）年六月、読売新聞の一面トップに、「東洋工業、外車との提携の用意」[9]と見出しを打った五段抜きの記事が掲載された。記事によれば、マツダに対して、すでにフォード、クライスラーから非公式で販売提携の打診が行われているほか、モルガン財閥などからも「資金提供の用意がある」との書簡が寄せられているとした。解説記事では、ロータリーエンジン搭載車の輸出と引き換えに、外国メーカーの自動車組み立てと販売を引き受けようという狙いだと分析している。続報によれば、「東洋工業は故池田首相の在職中に政界筋を通じてゼネラル・モーターズとの提携を打診したこともあり、外資との接触が多いだけに、ひょっとしたら外資と手を組むのではないか」[10]との観測も出た。GMの件は、第4章で紹介したGM傘下のオペルとの提携話である。

一九六九（昭和四十四）年にマツダは、日産、フォードと提携し、三社で自動車の自動変速機を製造する合弁会社設立に向けて協議に入った。その際、日本側の日産とマツダが、代表権を持つ役員の割り振りや、自動変速機の設計について対立が表面化したが、なんとか合弁会社発足にこぎつけた。

同年六月、こんどはアメリカの航空機メーカー、カーチスライトとマツダが、アメリカで航空機エンジンの合弁会社を設立することで合意した。カーチスライトは、NSUと提携しているロータリーファミリーの中核企業である。合弁企業では主に、小型機などのプロペラエンジンにロータリーエンジンを使う目的で、マツダは小型機の分野にも進出することになった。

一九七〇（昭和四十五）年、恒次はついにアメリカのフォードとの資本提携交渉に踏みきった。フォードからマツダに、資本提携を強く申し入れたことがきっかけだった。

恒次としては、フォードの資本と技術を導入して自らの体質強化をはかり、しかもなお、マツダの自主独立性を堅持しながら、「世界のマツダ」へ飛躍するという、一石三鳥を狙ったアイデアであった。提携はしても、フォードに飲み込まれないというのが、恒次の前提である。

他社も動いた。三菱重工は、一九七〇（昭和四十五）年二月、クライスラーと基本契約を交わし、同年六月に「三菱自動車工業」が発足した。

トヨタ、日産と並んで、かつては「御三家」と称されたいすゞも時代の趨勢には逆らえず、一九七一（昭和四十六）年、GMとの資本提携に調印した。

そしてマツダである。フォードとの交渉には、副社長の耕平があたることになった。フォードは最低でも二五％の出資を主張した。これに対して恒次は耕平に対し、マツダの経営権が侵されることのないよう、出資は二〇％までと、厳命していた。しかし交渉がようやく本格化しようとしたとき、恒次の身体はすでに、病魔に侵されていたのである。

第8章　広島で共に生きる

無駄を省いて贅沢をする

「無駄を省いて贅沢を」

これが恒次の生活信条である。無駄を省くということについて、恒次は次のように語っている。

「現在、何気なくやっている事柄を、もう一度見直して、そこに合理性があるかどうかということを考え直す。そして、つねに合理的な方向にもっていくことである。そして、その省かれたムダを、贅沢にまわしていけば、よりレベルの高い生活が営めるわけである」

恒次は、ケチになれと言っているのではない。「何気なくやっている事柄」について、安全や安心など、決して手抜きしてはならないことを確保したうえで、自分や社会にとって必要のないことにお金を使うのは無駄であり、不合理だと言っているのだ。そうなるとポイントは、「自分や社会にとって、何が必要で、何が大切か」という価値観になってくる。

その例として恒次は、ある外国人から教えられた教訓を紹介している。誰あろう、ロータリーエンジンの提携交渉で仲介をしてくれた、ドイツ人のフォルスターである。あるとき恒次が、ドイツ在住の彼に、紙質の良い分厚い封筒で航空便を出したことがあった。これについてフォルスターはひどく怒り、わざわざドイツ製の薄くて軽い封筒を、恒次に船便で送ってきたのだ。

彼からの手紙はいつも、紙面一杯に、すみからすみまでタイプしてある。もし余白が出れば、それを切り落として送ってくるのだ。これについてフォルスターは、次のように言う。

「こうすることによって、航空料金が安くあがるということではない。少しでも多くの人々の手紙が飛行機に積み込まれる。自分の利益のためばかりではなく、飛行機ができるだけ有効に使えるようにである」

恒次はこうした考え方になるほどと感心し、同時に、こうした考え方のできるドイツ人の偉さを知った。自分の利益だけでなく、顔も知らないほかの人たちの利益、社会のしあわせを考えているのである。

恒次やフォルスターは、いつも軽い封筒を使えと言っているわけではない。場合によっては、「紙質の良い分厚い封筒」を使ったら喜ばれる場合もあるだろう。例えばお祝いのカードなどである。ビジネス用なら、薄くて軽い紙で十分だし、その方が合理的で、ほかの人たちの迷惑にもならないと言っているだけなのだ。

では、恒次にとっての贅沢である。

「ムダと贅沢の限界は、個人個人によって違うわけで、私が贅沢をしていると思ってやっていることが、他人から見るとムダをしているんだろうといわれる可能性は十分ある。しかし、自分で贅沢をしたいからしているんだと思ってやっておれば、それでよい。自分のガラに合った贅沢をするということである」[1]

恒次にとって贅沢とは、普段とは違った「ハレの日」に豪華な食事をしたり、大名旅行をしたりすることではない。不必要な無駄を省いたうえで、自分たちが十分に満足できる、しあわせな生活を送ること。それが一体となってこその贅沢なのである。

恒次は広島を愛し、自慢する。食べ物では魚も野菜も新鮮で美味しく、しかも安い。文化面でも美術館や文化ホールなどが充実している。ゴルフ場もすぐ近くにある。東京と違って、職場と住宅が近い。そんな魅力いっぱいの広島に対して恒次は、「センスアップしてほしい」と注文をつける。

「百貨店を含めて、あらゆる商店の人たちが、実用ばかりにとらわれずに、広島市民のセンスをリードするんだという心意気でやってほしいと念願している。とくに私たちは、〝車〟という、時代の最先端のものを生産しているだけに、色彩感覚やセンスをみがかなくてはならないからだ[2]」

恒次は新しいもの、珍しいものに対する関心が、人並みはずれて強く、プラスアルファを取り入れる積極性を持っていた。コンピューターを同業他社に先駆けて導入したのも、「ルーチェ」のデザイナーにイタリアのジウジアーロを、国内では最初に起用したのも、そしてロータリーエンジンの導入も、その表れである。それが恒次にとっての、贅沢なのである。

そんな恒次の趣味は、将棋と盆栽だ。職場の役職にかかわりなく、恒次はよく将棋を指した。昼休みに盤を囲んで熱中し、始業のサイレンが耳に入らなかったという失敗もたびたびあった。

父、重次郎譲りで盆栽も好きだった。大ぶりで高価な盆栽ではなく、どちらかといえば、自分で持てるような、小ぶりな盆栽を好んだ。盆栽業者が多く集まる埼玉県の大宮には、時間を作ってよく出かけたものだった。紫やピンクの花の咲く「テッセン」がお気に入りだった。橙や赤色の大きな花を咲かせる「ノウゼンカズラ」も、可愛がって育てていた。

大宮にある盆栽園の園主、村田久造は、恒次の思い出を次のように語っている。

「確か昭和四十年の新春、三越本店で開かれた日本盆栽名品展へご来場になった時のことであります。会場を一巡され、付設の売店をごらんになって、ふと、『寒東洋』

にお目がとまりました。（中略）正札には三十万円と小さくありました。それをこともなげに、これを買うと仰せられますので、私は心中、お金持は違っているなあと思いました。

そうこうするうち、『アッ』と小さな声をだされ、次に隣りの人たちもびっくりするほど、日玉をむいて洪笑されました。三万円とお間違えになったからです。三十万円ではなあ、と漏らしておいでになりましたことを、今もはっきり覚えております。東洋工業がこの木瓜（ぼけ）の名前に通じ、興味を覚えられたのだと思います。その後、よくこの時のことを話題になさいまして、大笑いされました[3]」

恒次はこのときのことがよほど悔しかったとみえて、「いい樹だったねぇ」と、よく話題にしていた。広島の「色彩感覚やセンス」に注文をつける恒次だけに、盆栽の良さはわかるのだが、値段をつける評価眼は、「一流」とまではいかなかったようである。

市民の希望の星

「赤ヘル軍団」で知られるプロ野球の「広島東洋カープ」は、熱狂的なファンが多いことで有名である。理由はいろいろあるが、歴史的に見れば、アメリカによる広島への原爆投下を抜きには語れない。一九四五年八月六日に投下された原爆で、広島は

「今後七十年間は草木はもちろん、一切の生物は生息不可能」とまで、新聞に書かれたのである。原爆症で苦しむ人たちが街にあふれた。そんな絶望の淵に立たされた広島市民にとって、生きる喜びとなったのが、「広島カープ」なのである。

カープの現在の本拠地は、広島市南区の「MAZDA Zoom-Zoom スタジアム広島」だが、二〇〇九（平成二十一）年三月までは広島市中区基町の「広島市民球場」だった。

一九八七（昭和六十二）年に二階内野席が増設されるまで、球場の観客席から原爆ドームが見えた。その原爆ドーム付近の相生橋から球場近くの二キロ足らずの川沿いには、一九七〇年代前半まで、「原爆スラム」と呼ばれる地域があった。廃材や焼け残ったトタン板などありあわせの材料で作られたバラック小屋が、ひしめきあうように建ち並んでいた。当時、大阪市立大学助教授の大藪寿一は原爆スラムについて、調査報告書で次のように記録している。

「入口一メートル、奥行二メートルほどの箱のような仮小屋の前に、一日中うずくまっている原爆後遺症に病む老婆、ケロイドの顔をさける主婦、うす暗く、馬小屋同然の三畳間で床についたきりの被爆老人など、（中略）ここには原爆の傷あとのうずきと、貧困のあえぎが重なり合っている」

日本内外で高い評価を得て映画化もされた漫画家、こうの史代の代表作『夕凪の街 桜の国』（二〇〇四年、双葉社）で、第一部の主人公が暮らしていたのが原爆スラムである。被爆して生き延びた主人公は、貧困のなかで原爆症を発症して亡くなるのである。

このように広島では、復興に取り残され、生きる気力さえ失った人びとも多かった。表面的には元気に見える人たちも、家族や友人を失った心の傷に苦しんでいた。恒次や河村、山本も既述のように、肉親を失っている。

広島の人たちを、何とか励ましたい。そう考えた元内務官僚で広島選出の代議士、谷川昇は、野球に目をつけた。広島は、野球人気の高い土地柄である。甲子園の春と夏の野球大会を見てみると、戦前だけでも「広島商業」と「広陵中学」、それに「呉港中学」の広島勢が、大正十三年と大正十五年、昭和四年、五年、六年、九年に全国優勝を果たしている。

そこで谷川らが発起人となり、広島県や広島市、呉市、福山市など地元の自治体に加え、中国新聞社や広島電鉄など地元企業からも出資を得て、株式会社「広島野球倶楽部」を一九四九(昭和二十四)年九月に設立し、プロ野球を運営する、当時の「日本野球連盟」に加盟した。球団名は「広島カープ」。因みに、鯉を意味する「カープ」の由来は、広島城が鯉城と呼ばれるほど、広島が鯉の産地だったことによる。

カープは特定の親会社を持たず、後援会組織が母体となって運営する市民球団として、広島市民のシンボルとなった。野球は娯楽であるが、同時に広島市民にとって生きる喜びであり、希望の星となった。市民はカープに熱狂した。

カープをつぶさない！

第3章で紹介したように、発起人の谷川はマツダの役員とも昵懇の間柄だが、カープが創設されたとき、恒次はマツダを退社していた。このため恒次は、創設の主要メンバーには加わらなかったが、工業学校時代に野球部員だった恒次はもともと、野球が大好きなのだ。しかし左脚切断で野球ができなくなった。その断ち切られた野球への思いが、カープに注がれた。

恒次が社長に復帰した一九五〇（昭和二十五）年には、カープの相談役に就任する。セ・リーグ会長の鈴木龍二は同年、広島にマツダを訪ね、カープ支援を要請したときの恒次の言葉を、次のように記録している。

「広島市民の勤労意欲をもりたてる憩いの場所としてのカープの発展のために努力することを約束しよう、だが、野球によって自分の名を売るようなことは、自分の平素からの行動と信念から許されない、自分はあくまで正面の人にはならない、なぜならカープは広島市民全体のものにしたいからだ」

鈴木は「松田さんの言葉に心つかれるものがあった[4]」と記し、恒次の思いに胸を打たれたと述懐する。

カープ発足二年目から球団運営に関わってきた広島東洋カープの常務、西野襄は当初、球団の体をなしていないカープに危機感を覚えた。西野は、カープの面倒を最後までみられるのは恒次しかいないと考え、マツダを訪ねた。西野は、「すべてを広島で育てていく」という思いを恒次に伝えた。

「君がいうようにやってくれるなら、つぶさないということだけは、おれが約束しよう」

恒次はそう、請け合った。

西野は、恒次のカープに対する強い思いを感じ取った。

「好きな野球にあれほど肩入れされながら、決して趣味に溺れたり、惚けたりすることはなかった。このうえなく愛好するものに対して、絶対にはみだすことなく常にかわらぬ距離をおいて楽しむことは、言うは易く行なうに難いものである。それを確かにやれるには、よほど自己を厳しく律しなければならず、そこに松田社長の偉さがあった[5]」

カープは市民球団として発足したが、人口の少ない地方都市の哀しさで、常に資金難がつきまとった。親会社を持たないカープはついに一九五五(昭和三十)年、解散に追い込まれた。そのとき先頭になって再建への道筋をつけたのが、恒次である。

「つぶさない」と言い切ったからには、約束を守るのが恒次だ。広島の財界を取りまとめ、翌一九五六（昭和三十一）年、株式会社「広島カープ」が発足した。恒次は取締役に就いた。

カープが転戦する東京、大阪、名古屋の常宿には、歳暮や中元を欠かさず、シーズン最後の宿泊の帰り際には、宿の人たち全員に心づけを包んで感謝の意を表すという心遣いも、恒次ならではのことだった。

選手たちも、旅先では洗濯をすべて、自分でする。旅館に頼んだりはしない。食事も全員が一度に集まり、短時間ですませるようにしている。食事に際しては必ず、「いただきます」、「ごちそうさま」と挨拶する。当たり前のことのようだが、他チームではそうはいかない。すべて恒次が日頃から、監督やコーチ、そして選手たちに、「社会人として通用する常識、エチケット」を心得るよう、口をすっぱくして言ってきた賜物である。

一九五七（昭和三十二）年、広島市民球場が完成した。中国地方でははじめて、ナイター設備が設置された球場である。球場の建設にあたっても、恒次らしいエピソードが残されている。

広島の財界が資金を出し合って、西条にゴルフ場を建設する計画が持ち上がり、そのあおりで市民球場の建設計画が危ぶまれたことがあった。これに対して恒次は、次のように主張した。

「ゴルフをやるような人は金持ちだから、どこへでもゴルフにいける。しかし、野球の方は庶民の娯楽の場だから、汽車に乗って、わざわざ甲子園までみにいくわけにはいかない。市民球場をつくらないのなら、自分はゴルフ場建設には協力しない」[6]

こうして市民球場は実現に向かった。照明設備工事を請け負った「小糸製作所」の小糸源六郎は、建設中の球場を共に視察した際の、恒次の言動が忘れられない。

「松田さんは、しばし憤然と私にこういわれました。『観客の気持が全然取り入れられてない』。そういわれてみれば、確かにスコアボードの角度、バックネットの柱、位置など観客を無視しているように見受けられました。

松田さんがいかに観客、大衆の気持になってものを考え、事に処するか、いまさらのように思い知らされました。ただちに設計変更、工事のやり直しがおこなわれたのはいうまでもありません。松田さんは、（中略）むしろ私らより造詣は深く、その用意周到さに驚かされたことを思いだします」

球場建設にあたって、恒次はアメリカから野球場に関する資料を取り寄せて綿密に調査したうえで、後楽園や甲子園などにも足を運び、自らの目で、観客の立場で見て確かめた。さらに自身の選手経験も踏まえたうえで、注文をつけたのである。

一九六二（昭和三十七）年、恒次は、乞われて球団社長に就任する。

先代社長の重次郎の教えは、「本業に徹すべし」というものだった。しかし恒次は、

「これはじいさんも許してくれるだろう」と思った。

「とにかくカープは残さなければ……との一念から私は受諾した。同時に引き受ける以上、責任をもってやり抜こうと決意した。私は広島県民の球団であるカープに限りない誇りをもっているし、これだけ郷土ファンの心の底に深く根をはっている球団を、枯らしてしまうことはなんとしてもできない――私はこう考えているのである。亡き父も、この私の一人二役だけはきっと許してくれていることと思う」[7]

被爆者であり、肉親を原爆で失った恒次には、カープに熱狂する広島市民の気持ちがよくわかった。広島カープは、市民から、愛されていたのである。

球団社長として、真っ先に手をつけたのが、選手の合宿所の建設だった。以前の合宿所は、家賃が払えずに追い出されていたのである。

「金は出しても口は出さんというのが松田恒次さん。あの人は立派じゃったな。あれから給料の遅配はなかった」

広島カープOB会名誉会長、長谷部稔（八十三歳）の弁である。[8]

プロ野球「近鉄パールス」の初代監督などを務めた藤田省三は、恒次の気さくな人柄を偲ぶ。

「なにげない雑談のなかで、処世について松田さんから教えられることが多かった。いっこうに偉ぶったところがなく、いつも暖かく心くばりされる、誠に庶民的な人柄で、一言でいえば、松田さんは『偉大なる常識人』であった[9]」

選手のスカウトに際しても、選手の両親に恒次は、「野球だけが人生のような人間は決して作らない。社会人として優れた人間形成を第一に考える」と挨拶するのが常であった。

「野球をとったら何も残らないような選手にだけはしないでくれよな……[10]」

広島東洋カープで監督を務めた根本陸夫の心に残る恒次の言葉である。

根本にはさらに、長い目で選手を育成するよう依頼した。

「百三十試合、全部負けてもいいから、とにかく人を育て、将来優勝できるチームを作ってほしい[11]」

球団初代オーナーに就任

一九六八(昭和四十三)年には、松田家とマツダが共同で出資する「広島東洋カープ」が設立され、恒次は初代の球団オーナー、耕平がオーナー代理に就いた。

実は前年、恒次はカープ最下位の責任をとり、球団社長の辞意を固めたのだ。しかし恒次に辞められたら、球団が持たない。カープの全役員が恒次を強く慰留した。恒次はやむなく翻意したが、親会社を持たない県民球団という体制では、陣容の強化にも限界がある。そう考えた恒次はマツダによる支援体制を明確にし、プロ意識を徹底

広島カープ初優勝でパレード車の製造風景。1975(昭和50)年10月。

した、新しいカープを作ることにしたのだった。

　マツダが出資する以上、株主に対する説明責任がある。税法上も、親会社の宣伝媒体であることを印象づける必要がある。このためチーム名に「東洋」の二文字が入った。しかし恒次にとって、カープは市民のものだった。

「しばらく面倒を見るが、決して球団を私（わたくし）しない」

「いずれは東洋の二文字は削って、真の野球会社として成功させる」

　恒次の意向を受けた根本が、広島の主力メンバーとなる衣笠祥雄や外木場義郎ら若手を積極的に登用した。さらにドラフトで獲得した山本浩二らの活躍で一九七五（昭和五十）年、古葉竹識監督の下、球団結成二六年目にして悲願の初優勝を遂げたのである。

広島財界の重鎮で「広島名誉市民」の表彰も受けた田中好一は、広島に対する恒次の貢献を最大限に評価する。

「松田さんは心底から広島を愛し、いっさいの私利私欲をはなれて郷土のために尽くされた。（中略）松田さんの口癖は、『金はいかして使え、広島のためになることなら、ええやないか』ということだった[12]」

恒次のモットー、「無駄を省いて贅沢を」の精神である。

広島県知事を務めた永野嚴雄も、広島に対する恒次の貢献に目を見張る一人だ。

「本業であれほどの大事をなされた一方、松田さんは、地域社会のパブリックなサービスの向上に非常な熱意を注がれた。市民の憩いの場としての公会堂や市民球場の建設、国際都市として賓客を受け入れるにふさわしいホテルやゴルフ場の整備、バスセンターやUHFテレビ局の設立、さらには、広島大学の大学院設置に至るまで、松田さんは、公平無私な態度で大局的な判断をされ、適切に調整してくださった」

恒次は、市民のための公共施設拡充に援助を惜しまなかった。一方、完成した公会堂を「マツダ会館」と命名してはどうかという提案は、即座に断った。

「あくまでも広島市民、県民のための公会堂で、お金は出すが、東洋工業のものではない。それでは、われわれの気持ちが通じない」

マツダは地元の発展に協力するなかで、企業規模を拡大させ、社員も増えていった。マツダだけがうまくいけばよいのではない。地域で共に生き、地域と共に発展する。それが恒次の願いだった。

病院近代化の先駆け

恒次は、社内の医療体制の充実にも力を注いだ。

マツダは一九三八（昭和十三）年に医務室を設置し、一九四一（昭和十六）年には附属医院を開設した。

原爆で広島市内の医療機関が壊滅的な打撃を受けたとき、多くの市民を受け入れて治療にあたったのがマツダの附属医院だった。被爆の恐ろしさは、放射線の影響によって体調の不良や、病気の発症が長く続くことである。こうした被爆地ならではの治療も求められた。

一九五〇（昭和二十五）年十一月には名称を附属病院に改め、これに伴って施設を拡充した。

一九五四（昭和二十九）年四月には、旧寄宿舎の一棟を改造し、結核患者専用の第二病棟とした。

地域やマツダの発展に伴って、さらに充実した医療体制が求められるようになる。

地域社会への利益の還元という観点からも、附属病院の拡充が急がれた。

恒次は附属病院を新築することとし、一九六〇（昭和三十五）年四月に着工した。翌一九六一（昭和三十六）年七月、地上五階、一部七階建て、延べ床面積一万二〇〇〇平方メートルという西日本随一の規模を誇る新しい附属病院が、総工費七億五〇〇〇万円をかけて完成した。当初は九つの診療科を持ち、病床数は一五〇であった。

一九八五（昭和六十）年には新館、二〇一二（平成二十四）年には新病棟が完成した。現在の名称は「マツダ病院」で、診療科が一九、病床は二七〇に増え、広島市東部の基幹病院として、マツダ社員はもとより、市民の信頼に応えている。

新しい附属病院の建設に際し、恒次が考えた理念は、「健康管理の強化」と、「予防医学の推進」だった。社員や市民が健康に生活できるよう指導する。もし病気にかかっても、重篤になる前の早い段階で病気をキャッチし、治療できるよう、様々な医療検査機器も費用を惜しむことなく、多数導入した。

いまでは大規模病院で当たり前になっているＣＴ（コンピューター断層撮影装置）など、まだなかった時代である。複数枚のレントゲン写真を撮る場合、当然のことながら、一枚ずつ撮らなければならない。そこで恒次は、ドイツのシーメンス社製「断層レントゲン撮影装置」を導入した。これは、一度の撮影で患部の断層写真を八枚同時に写せるという、当時としては画期的な装置だった。

新しい附属病院が完成。各所にスロープを取り入れるなど、バリアフリー時代を先取りしていた。1961(昭和36)年7月。

病巣を確認するとき、場所を変えてレントゲン写真を八枚撮ったとしても、血液は流れ、呼吸は繰り返される。胃や腸も少しずつ動いている。わずかな変化しかないとしても、病巣が小さければ、見逃してしまう恐れがある。しかし八枚を同時に撮れるとなると、小さな病巣も見逃さず、早期発見できる可能性が高くなるのだ。被曝線量にしても、八回レントゲンを浴びるのに比べれば、大幅に少なくてすむ。

この装置は、大阪で開かれていた医療専門の国際見本市で、恒次が偶然見つけたものだった。恒次はなにしろ、ワンマン社長である。恒次が必要と判断したら、大抵のものは導入できる。ここにも、「無駄を省いて贅沢を」という恒次の理念が活かされている。

建築の面では、玄関をはじめ、各所にスロープを取り入れた。バリアフリーの精神である。いまになってみれば当たり前のことだが、当時は病院でも、そうした発想がなかった。義足だった恒次は、患者や障害者の立場で、施設をチェックできたのだ。

病院のベッドについても、恒次流が貫かれた。ほかの病院とどう違うのかというと、ベッドの高さが低いのである。一般に、病院のベッドは、医師や看護師が立って、仕事をしやすい高さになっている。医療者の側からすれば良いのだが、身体が不自由だったり、高齢だったりする患者の側にしてみれば、高すぎて上り下りが難しい場合もある。さらには、寝ていて転落すると、大けがをする危険性もある。

一般の病院では、転落防止のためにどうするかというと、ベッドに柵をつけたり、場合によっては拘束帯、つまりベルト状の帯で患者を縛りつけたりする。前者は患者がベッドに上り下りしにくい。後者にいたっては、患者の自由を奪うことになり、人権問題である。恒次はこれを、ベッドの高さを低くすることで解決したのである。低いベッドなら患者は上り下りしやすく、転げ落ちても大けがをする心配はない。

確かに治療する側にとってみれば、腰をかがめての作業となり、負担は大きくなる。しかし病院は誰のためのものかといえば、医療者のためにあるのではなく、患者のためにに存在しているのだ。

「パターナリズム」という言葉がある。家父長主義などと訳される。立場の強い者が、立場の弱い者に対し、相手の利益になるからという理由をつけて、その行動に介入したり、干渉したりすることをいう。「私はお前のためを思って、心を鬼にしてやったのだ」という、時代錯誤の父親像である。医療社会学者のエリオット・フリードソンは、一九七〇年代初頭に、このパターナリズムが医療現場にも存在することを告発し、医療現場で対策が議論されるようになった。しかし恒次は、そんな指摘を待つことなく、対策をとったのである。

これが院長だったら、医師や看護師の反対にあって、できなかったかもしれない。ワンマン社長で、患者の立場に立つ恒次だからこそ、できたのである。

トイレにも、恒次のアイデアで、小さなボタンが取りつけられた。新病院が着工された年の秋、恒次はロータリーエンジンの特許契約を結ぶため、ドイツを訪れた。滞在したホテルの風呂場に小さなボタンがついている。何だろうと思って押してみたら、係員が飛んできた。もしもの事態に備えてのことだったのだ。恒次は、これを病院のトイレに応用したのだ。冷え込んだトイレで発作をおこしても、ナースコールのボタンを押せば、すぐに看護師が飛んで来るという仕組みである。

薬局の調剤室には、ベルト式のコンベアが設置された。コンベアの前には四、五人の薬剤師が間隔を置いて立ち、処方箋に従って調剤する。これにより、薬剤師の作業能率が上がるだけでなく、ホコリもたたずに衛生的である。患者には薬が早く渡されるので、待ち時間が少なくてすむ。「ムダを省く」のに、大いに役立った。さらに、万が一の間違いを防ぐため、患者によって袋の色を変えてある。間違いは誰にでも起こり得る。いかにそれを予防するか。その大切さを恒次は知っていたのだ。

冷房を取り入れた空調施設にも、恒次の意思が反映されている。その頃はまだ、病院の冷房が珍しかった時代だったのだ。院長や病院のスタッフが首をかしげていると、恒次はこう、言い切った。

「我々健康なものでも冷房を望む、いわんや相手は呻吟している病人ではないか」

そのうえで恒次は、冷暖房の方式についても具体的に指示した。当時は冷暖房を入れる場合、一般のビルでは集中冷暖房で行うのが普通だった。しかし恒次は、冷暖房を、部屋ごとに独立して循環させる方式を選んだのだ。確かに集中冷暖房と比べれば、コストは高くなる。しかし、なんといっても病院である。ほかの処置室や病室の黴菌(ばいきん)が、流れ込んできてはかなわない。加えて、部屋ごとに温度調整が可能なため、それぞれの部屋で心地よい温度に設定することができる。

「当時これは、まさに画期的なことであり、ある意味において、当病院は、わが国の病院近代化の先駆けとなった」

そう高く評価するのは、当時の附属病院長、森田専一である。

病院を開設して五年目になると、従業員はもちろんのこと、一般市民の通院患者や入院患者が増えてきた。これに伴って、健康管理のための個人情報、診療費の計算、薬品在庫管理などが煩雑化してきた。

こうした状況を踏まえて恒次は、病院管理にコンピューターを導入したのである。今日ではコンピューターを利用していない病院は、個人病院でもまず見ることはないが、一九六〇年代中頃で、業務運営全般にわたってコンピューターを導入した病院は、全国的に見ても、ほとんど例がない。コンピューターを率先してマツダに導入した、恒次ならではの決断である。

社員を幸せにするということ

こうしたマツダ附属病院の優れた設備に対し、ほかの病院は大きく目をみはったものだった。病院が完成したとき、「広島赤十字・原爆病院」の院長が、恒次に尋ねた。

「松田さん、とんでもない病院を建てるじゃないですか。いったい、どういうようにして、あれを運営していくつもりなんですか[13]」

院長の疑問も、もっともだった。最新鋭の機器を導入したことなどから、附属病院の運営には、償却費用も含め、月間三〇〇〇万円かかる。しかし病院で得られる収入は平均して一八〇〇万円ほどであった。

「金銭面だけを見れば、たしかに月々一千二百万円の〝持出し〟ということになる。しかし、私の予防医学の推進という面での成果が、すでに、金にかえがたいものとしてあらわれてきているのである」

それは何かというと、社員の出勤率である。新病院が運用を開始すると、マツダ社員の平均出勤率は九六・四％に上がった。これを同業他社のデータと比較してみると、約二ポイントも高い。

当時のマツダの社員は、一万八〇〇〇人。二％ということは、毎日三六〇人が、他社の水準より多く働いている計算になる。会社が持ち出す一二〇〇万円を三六〇人で割ると、一人当たり月額約三万三〇〇〇円。日額に直すと、会社の持ち出しは一人当たり約一一〇〇円に過ぎない。そう考えてみると、この三六〇人の一か月の働きによる生産増加は、一二〇〇万円の持ち出し分をはるかに補って余りある。

それだけではない。もっと重要なことがある。欠勤をしない、病気をしないということは、金銭では測ることのできない、社員一人ひとりの幸せにつながっている。それは家族の幸せでもあり、豊かで明るい地域社会作りにも反映されてくる。

これが恒次の主張である。

恒次と親交のあった産経新聞社長の鹿内信隆は、次のように述べている。

「ご自分が体が不自由だったせいか、従業員の健康管理にはじゅうぶんすぎるほど気をつかわれ、日本でも稀な立派な附属病院をつくられた。広島の一隅にある古ぼけた本社に比べ、超近代的な病院――ここに松田さんの経営思想が流れているような気がする。（中略）

こうした松田さん一流の『むだを省いてぜいたくをする』思想が、今日の東洋工業を築いたといってもよいだろう[14]」

恒次は一九六六（昭和四十一）年一月から翌年七月にかけて、関節リウマチのため、附属病院に入院した。当時の院長、森田の回想である。

「病に苦しんでいる人々に対する故社長の思いやりは、余人に真似のできぬくらい深く、それは同病者に対してとくにそうであった。

故社長は、リュウマチで苦しんでいる人たちに対して、ご自分で試みられて効きめのあった治療法をそのたびに勧められ、医師を促して施療させられた。（中略）思うに故松田社長は、偉大な経営者であるとともに、病院、ならびに病気で苦しんでいる人たちに対するまたとない理解者であった[15]」

社員や患者を幸せにすること、これが恒次にとって、恒次流の意味における、もっとも「贅沢」なことだったのかもしれない。恒次はその贅沢のために、全力を尽くしたのである。

第9章 「隅を照らす者」

公私の別を徹底させる

重次郎と恒次の二代にわたって松田親子を支えてきた元専務の河村は、後継者問題を巡って恒次と意見をたがえたが、ロータリーエンジンの実用化を成功させた恒次の経営手腕には、称賛を惜しまなかった。

「経営面においては、しばしば大きな問題を投げかけておいて、部下の意見によく耳を傾け、しかる後に非常に明快な決断をくだす、そしてそれを断固としておこない、必ず成功させるといったやり方で、そこには曖昧さの入る余地は微塵もなかった。公私の峻別、時間に対する厳しさ、徹底した合理性の追求など、自己と企業とを律する信条を、生涯忠実に守りつづけられた人であった[1]」

その恒次が会社を経営するうえで、最も大切にした信条は、「公私の別をはっきりすること」である。

「私は〝公私をはっきりする〟ということに対しては、病的なまでの潔癖さをもっており、これを全社に徹底させてきた。公私の区別という単純なことができないようでは、合理化など唱えても、空念仏である。新しい事務機を買い入れ、車を買い、機械を新しくするということが合理化だと思ったら大間違いである」[2]

私用で出かける場合には、社用車を使うことなど、絶対になかった。家族を社用車に乗せたことも、一回もなかった。

父、重次郎は、時間厳守を口がすっぱくなるほど恒次に仕込んだ。根っからの技術者である重次郎は、時間を守れないような人間に、緻密な経営などできないと考えるタイプの人間だった。恒次は、そうした父親の合理性を受け継ぎ、それに磨きをかけたのである。

重次郎はまた、自宅に帰ってから、仕事の話は一切しなかった。会社の重役や取引先が、自宅に出入りすることすら嫌った。社長宅に出入りしていることが、社内での昇進、あるいは商談の成否に関係あるのではないかと思われるのが、嫌だったのだ。

恒次も、そうした父の感覚を受け継いだ。

アイデアマンの恒次は、公私の別をはっきりさせる道具にも熱心だった。例えば、電話の利用についてである。携帯電話の普及で、最近では空港や駅などを除いて、街角で公衆電話を見かけることもなくなった。かつて、タバコ屋の店先でよく見かけた赤電話は、廃止された。正式には「委託公衆電話」というもので、公共施設やビルのロビーなど、一般の人が多く利用する場所に設置されたものだが、実はマツダの社内、工場内に多数設置されていたのだ。ほかの会社では見られない光景である。

普通、社内には多くの電話があり、社内専用の内線と、外部につながる外線を切り替えて、利用できるようになっている。マツダでも当然そうである。それでも赤電話を設置したのは、社用で電話をかける場合と、私用の場合とを厳密に区別する習慣を、社員につけさせるためである。

社用電話機の横に、私用で使う場合の料金箱を置けばよいという意見もあったが、恒次は「それは気休めに過ぎない」と一蹴した。限られた電話回線を、短い時間であったとしても私用でふさぐのは、場合によっては大きな商談を逃すことにならないとも限らない。だから恒次は、社内に赤電話を置いたのである。私用の電話代を会社が負担することに目をむいたのではなく、公私の別というけじめをしっかりつける癖を、社員に持ってもらうのが目的なのだ。

社員の福利厚生についても、恒次は公私の別を重視した。

日本の一定規模以上の会社では、社員に対する福利厚生の一環として、「社宅」制度のある場合が多い。特に若い社員は給料が安く、住宅の購入が難しいことや、大企業の場合は転勤が多いという事情がある。マツダも当初は社宅を保有していたが、恒次の決断で社宅制度を廃止し、希望者には低利で資金を融資して買い取らせることにした。確かに日本の税制もあって、会社が保有すれば資産の償却が認められるというメリットがあり、個人保有ではそれが認められない。しかしそれでは、公私を混同することになるというのが、恒次の考えだった。

「すべては合理性を貫くための手段である。

公私の別を徹底させるとともに、私は社員の私的生活というものの充実をいちばん願っている。私生活に対しては、いっさい、何の口もはさまない。彼らに思う存分、実のある生活を送ってもらうことのみを願っている。だから、私は、いったん家に帰ったら、いっさい仕事を忘れろといっている。会社の仕事を家にもちかえるなどは愚の骨頂である。

それは、みずからの仕事の能力を否定していることにもなるのである」[3]

ロータリー四十七士の場合、寝食を忘れて開発に没頭したわけだが、時にはこうした事態も起こり得る。そんな時、恒次は部下の健康を気づかうことも忘れなかった。

そもそもＩＬＯ（国際労働機関）は、一九六一（昭和三十六）年に「労働者住宅に関する勧告」を出し、これは現在も有効である。それによると、各国による住宅政策の充実を前提としたうえで、「使用者がその労働者に直接住宅を提供すること」は、「やむを得ない事情のある場合を除き、一般的に望ましくないことを認識すべきである」と指摘している。これこそ、恒次の考える「公私の別」の精神である。恒次の合理性は日本では少数派かもしれないが、グローバルスタンダードなのである。

「照一隅者是国士」

日本企業では、最近でも電通やNHKといった有名企業で女性の社員、職員が過労死し、社会的な問題となっている。「ブラック」という言葉を否定的な意味に使うことに、異論も出されている。その表現の是非はともかく、「ブラック企業」という言葉が横行する社会は、やはり異常である。

使い古された言葉だが、マルクスの言う「搾取」が、死語になっていない。社員は経営資本側から、時間はもちろん、肉体、そして生命までも「搾取」されるという現実がある。

これに対して恒次は、上司と部下は、指揮命令関係はあるものの、同じ「社員」であり、対等な関係だと強調する。

「私は東洋工業の社長になってから、とくに社長と幹部、あるいは幹部と社員との、気持のうえでのへだたりをなくすべく努力してきた。

もちろん、そこには、常識的な礼儀というものは存在するであろう。だが、それ以外に、下の者が上役に対する必要以上の遠慮や、ギコチないへだたりをなくし、お互いにポンと肩をたたきあえるような人間関係を、育てていきたいものだと思っている[4]」

ほかの会社で、同じようなことを言われても、「それでは」と、実際に社員がそうすると激怒する上司は多い。しかし、恒次は本気なのである。社内に対してはもちろん、社外の人に対しても同様である。

竹中工務店顧問の守谷茂は、外から見た恒次と、マツダ社内の空気を、次のように述べている。

「思ったことをずけずけいわれる口の悪さは、自他ともに許すところだったであろうが、言葉のニュアンスの豊富さと話術の巧みさに包まれて、身にこたえはしても、腹がたつことはついぞなかったものであった。

松田さんの人徳であろうが、若い人たちの意見もうまく引きだされたし、若い人たちもまたじゅうぶんに意見を開陳していたようであった。そういう立派な社長をいただいて、東洋工業の皆さんは幸せだとしばしば感じたものである[5]」

恒次は記憶力に優れ、人の名前をよく憶えていた。社員に対してもそうである。ワンマン社長が自分の名前を憶えてくれているとなると、社員は感激する。社員の意見をよく聞いてくれるとなると、なおさらである。恒次のワンマンが通ったのも、社員とのコミュニケーションを十分にとっていたからだろう。

フジタ工業会長の藤田定市はそれを、倫理性と表現する。

「成功の根底に流れているものは、この節の言葉でいうなれば、事業の倫理性ということを実践されていたことと思います。人生のことは、ひとり思想上のことばかりでなく、事業の面においても人との関係がきわめて深く重要なのでありますから、松田さんは、自覚と否とにかかわらず、この人間関係ということを最も尊重され、かつ調和をとられた方であったと思います」[6]

日本フェロー相談役の堀田従道は、恒次の率直さを懐かしむ。

「恒さんは親譲りで頭がよく、研究心が強く積極的である反面、ぶっきらぼうでありながら、親しみやすく暖かい面をもっており、ズケズケとものをいうけれども、それがむしろ好感がもてる、親しみがもてる人でした」[7]

恒次が揮毫を求められると、きまってしたためた座右の銘がある。

「照一隅者是国士」

中国の史書『春秋』の一節である。それぞれの持ち場で最善を尽くす者が国士である。国を支える大切な宝だ、という意味だ。

恒次は、すべての人に分け隔てなく接した。相手が総理大臣であろうが、メガバンクの頭取であろうが、地元の洋品店の店主であろうが、理髪店の店主であろうが、バーのマダムであろうが、自社の社員であろうが、基本は同じである。自分の仕事に誇りを持ち、最善を尽くす人を恒次は尊重した。それがわかるがゆえに、周囲も恒次の期待に応えようとした。

確かに恒次は、見事な外交手腕の持主である。池田首相をはじめ多くの政治家と親交を持ち、銀行からも信頼が厚い。社員を「恒次のためならば」と奮起させる操縦術を持つ。しかしそれは、人心を操る外交術によるものではない。恒次という人間が、人びとをその気にさせるのである。恒次も「隅を照らす者」の一人なのである。その国士たちに、優劣はない。

上司と部下の関係を、主従関係のように考える人も、いまだにいる。そうした人にとって会社は、前近代的な、ひとつの「ムラ」である。ムラ社会を平穏に維持するために、たとえ違法行為であっても、上司の命令とあれば従ってしまう。そんな「ダブルスタンダード」の生まれる「組織の論理」が、そこにある。

これに対して恒次は、上司と部下であっても、人間としては対等だと考える。そのうえで社員に対し、「個」の確立を求める。恒次は、社員としての「個」、社外における「個」を大切にしなければならないと説く。個人が自発性を発揮し、輝いてこそ、組織は活性化すると考えるからだ。

ロータリーエンジンの開発に際しても、上司からの指揮命令で部下に押しつけるのではなく、常に「対話」を基本とした説得で、部下を動かしてゆく。そうして一人ひとりが、自分で納得した道を歩む。それは自分で自分の人生に責任を負うということである。そこには個人の意向を無視した縦社会の論理ではなく、同じ目的を共有する個人が協力しあう、恒次流の「個人の論理」が貫かれている。別の言葉で言えば、それが恒次にとっての「合理性」なのだ。

その背景には、恒次の個人的な挫折体験がある。

おさらいになるが、これから社会に出ようという青年時代、左脚を切断した。肉体的にも精神的にも、人間の弱さを知り、「個」としての挫折を経験した。そのうえで、恒次を支えてくれた仲間の大切さを実感した。

会社を率いる立場に就いたとき、一発の原子爆弾により、仲間である多くの社員を失った。最愛の弟を失った。都市が壊滅した。「社会」の挫折を体験した。それにもかかわらず、生き残った一人ひとりが希望を失わず、家族や地域、会社のために努力する姿を、目の当たりにした。

マツダを追放されたとき、マツダ専務の肩書をなくしたことで、多くの人たちがつき合いを変えた一方、以前と同様につき合ってくれる人たちもおおぜいいた。肩書に関係なく、一人の人間としてつき合ってくれる、大切な仲間がいた。

そんな恒次だけに、人間や組織、社会の抱える弱点、そして将来に向けた展望が、明確に見えたのである。

「社員一人一人の考えていることを、気楽に聞いてやり、なるほどと納得してやることが、〝和〟を保つという点でも大切なことであると思う。

とかく企業が大きくなり、職制が完成されてくると、そこにお役人的なセクショナリズムが台頭してくるのであるが、こうなったら、企業はすでに老化の域にはいったといってもよい。

つねに企業が若々しくあるためには、下から上までの気持がフランクに、そしてすべての考えや情報が、スムーズに流れるようなパイプを通しておくことが必要である。このパイプにコレステロールのたまらないよう、つねに心がけるのも　社長たるものの大きな仕事であると思う」[8]

〝みんな同じに働こう〟

〝みんなで分かとう〟

これも恒次が常々、社員に呼び掛けていたモットーである。社会主義者のような標語を、大企業の社長が唱えるのだ。そこに、恒次流の個人の論理が秘められている。

ただ残念なのは、公私の別を徹底したはずの恒次が、後継者問題で公私混同したと思えることである。恒次にしてみれば、「その批判は当たらない」と反論するかもしれない。公私混同はルール違反だが、耕平の副社長就任はルールにのっとって行われた。なにより恒次自身が、世襲社長なのだ。

しかし振り返ってみれば、恒次の父、重次郎が自らの後継者を選ぶに際し、最初は技術トップの村尾を選んだ。しかし時代が混迷すると、柔軟に対応できる恒次を後継者に指名した。重次郎は単に、「我が子可愛さ」で後継者を選んだのではなかった。マツダを存続させるため、その時点で最良と思われる人物を選んだのだ。

わかりやすいのがホンダである。本田宗一郎は世襲を良しとせず、役員の子は入社させないという方針を打ち出した。ホンダの初期から共に苦労してきた実弟の弁二郎さえ、この方針に従って退社させている。

もし恒次が、副社長だった村尾や、専務の河村を、耕平にバトンを渡すまでのワンポイントであっても、次期社長に指名していたら、マツダは違う道を歩んでいたのではないかと、惜しまれる。

満身創痍の恒次

恒次は二十二歳で左脚を切断して以来、右脚に強い負担をかけてきた。いつしか右脚に痛みが出るようになった。一九六〇（昭和三十五）年頃から治療を受けてきたが、状態は一進一退であった。ついに一九六六（昭和四十一）年一月には右脚の関節リウマチで、マツダ附属病院に長期入院した。これで両脚が、不自由になってしまった。

そんななかでも、恒次は見舞客に冗談をよく飛ばした。

「今からバーへでもいこかーいう時間にもう消灯しよるねん、殺生やで[9]」

病院の特別室を社長室代わりに経営指揮を執ってきたが、一年半後には、自宅療養に切り替えた。そこで、バー好きの恒次が自宅に帰って手をつけたのは、応接間の改造だった。ホームバーを設けたのだ。これがいつしか、「マツダバー」と呼ばれるようになったのである。

つまみに出すレーズンバターなどのオードブルも、恒次が手作りした。大きな栗をスライスして唐揚げにしたり、お茶漬けに添える干物も、なま物から仕上げたりしていた。

天ぷらも、自分で揚げていた。その際、油の温度をみるのに、一般の家庭でやるようにコロモを一、二滴落としたりはしない。それは合理的ではないと、恒次は言うのだ。コロモがこげたりすると、油がにごって使えなくなる。だから、恒次は必ず、温度計を使う。こうすれば、おいしい天ぷらが、無駄なくできる。無駄が嫌いで、凝り性で、しかもお客を大切にすることでは徹底していたのである。

左脚が義足で、右脚がリウマチ。満身創痍だったが、恒次の髪はずっと黒いままだった。重次郎が白髪で、頭の上が禿げていたのとは対照的だった。恒次は週に一度、必ず散髪に行き、シャンプーを十分に洗い流してもらうと、養毛剤などを几帳面につけてもらい、髪の手入れを怠らなかった。髪に良いと聞いて、昆布を好んで食べていた。

「息子の耕平と、兄弟に見られた」

そう言って喜んだりしたこともあった。体調は思わしくないが、まだまだ社長の座を譲る状況にはなかった。

両手にもリウマチ様の痛みと腫れが出てきた。毎朝二時間かけて、医師と助手の二人がかりで機械による治療とマッサージが施される。治療が済むと、運転手に抱きかかえられて、迎えの車に乗り込む。車はいつも、近く発売予定の、ロータリーエンジン搭載車である。

「新車は試験車でいいから、ぼくに乗せい、いうてあるんです」

こうして週に三日程度は、会社に出向く。出社時間は、一般社員より五分だけ遅らせる。

「社長が手とり足とりでかかえ降ろされる。大勢の社員に見られるの、カッコ悪いやないか[10]」

一九七〇年（昭和四十五）年のことである。恒次は自宅を訪ねて来た、なじみの店の女将につぶやいた。

「わしなァ、耕平がもうちょっとどないぞなるまで長生きしていたいのや[11]」

大阪弁でポツン、ポツンと切るようにもらした言葉に、恒次の本音がのぞいた。恒次の眼から見ても、耕平はまだ、社長に就くには早すぎるのだ。

ちなみに恒次は、東京からの来客には標準語で応じたが、大阪の人にはもちろん大阪弁。広島の人には広島弁と大阪弁をちゃんぽんにしながら、ざっくらばらんな語り口だった。

東洋経済新報社関西支社長の檜山邦祐は、恒次の大阪弁を懐かしむ。

「恒次氏の大阪弁たるや、お義理にもエーシ（よい氏＝上流家庭）の用語ぶりではなかった。ありていにいえば、職人仲間の言葉づかい、または下町ふうのしゃべり方であったた。いささかひが目にいえば、我々がエーシに縁なき衆生とみたうえでの言葉づかいであったかも知れない。『あほなことというなや』といわれても、『へへッ』と笑いかえせるほどの対話がじゅうぶんにできたのである[12]」

一方、広島出身の女優、月丘夢路は、大阪弁に広島弁がまじっていたと述懐する。

「広島弁と大阪弁をチャンポンにしたあの独特の話し方で、『広島でとれた女優じゃけん、月丘をひいきにしてやってや』といってくださり、どんなにかありがたく嬉しかったのに、まだちゃんとお礼をいってないのです[13]」

「もう一度この足で、一人で歩いてみたい」

一九七〇（昭和四十五）年六月頃、附属病院の医師は恒次の胸部に異常を認めた。肺ガンだった。すでに末期であった。事実は本人には伏せられ、副社長で長男の耕平にのみ、知らされた。

ある日、診察した医師に、「今何が一番なさりたいですか」と尋ねられた恒次は、こう答えた。

「今さらあれをしたい、これをしたいということは別にありませんね。ただね、一回だけでよろしいわ。もう一度この足で、一人で歩いてみたい」[14]

マツダを大企業に育て上げ、ロータリーエンジンの実用化を達成したワンマン社長にして、あまりにもささやかな、しかし叶うはずのない願いであった。

夏頃になると、息が苦しくなり、喘息のようにヒューヒュー喉を鳴らすようになった。胸のあたりが痛むようになってきた。だが恒次は、痛みがあっても、人前でそれを顔に出すようなことはしなかった。我慢強い男だった。

同年十月十五日木曜日、定例の経営会議に臨み、役員昼食会に出席した。これが最後の出社となった。

十一月十一日、アメリカのGMが、ロータリーエンジンの開発を開始すると発表した。それを聞いた恒次は、とても喜んだ。この年、マツダは対米輸出を開始した。そのなかには、ファミリアロータリークーペも含まれていた。世界最大の自動車メーカーが、かつては〝片田舎のバタンコ屋〟と揶揄されたマツダに、追随しようとしている。「恒」に「次」を見る恒次の先見の明が、証明されたのだ。ロータリーエンジン

恒次、74歳で死去。本社の体育館での社葬。1970(昭和45)年11月25日。

の将来に対する期待が、さらに膨らんだ。我が子の未来も、きっと明るいに違いない。

その四日後のこと。二日間の昏睡ののち、十一月十五日午前八時十五分、広島市上幟町の自宅で、恒次は帰らぬ人となった。七十四歳だった。直接の死因は、肺ガンにより併発した肺感染症。缶入りの両切りピースを手放さない、愛煙家の死であった。父の重次郎と同様、浄土真宗の安芸門徒である恒次の法名は、「恒聖院釋善晃」とされた。

恒次は「自動車工業の発展に尽くした功績」により、すでに一九六一（昭和三十六）年に藍綬褒章、一九六八（昭和四十三）年に勲二等瑞宝章を受章していたが、この日さらに、正四位に叙せられ、勲二等旭日重光章が追賜された。

通夜は一五、一六日の二日間、自宅で、それぞれ親族とそれ以外の関係者の二夜にわけて営まれ、一七日に密葬が行われた。

柩は、重次郎の葬儀に倣い、自社のルーチェバンを改造した霊柩車に乗せられ、長男の耕平が同乗した。恒次の生きた証であるロータリーエンジン搭載車が、葬列に従った。

社葬は十一月二十五日、東洋工業体育館において、「東洋工業株式会社」と「株式会社広島東洋カープ」の合同葬として、仏式で執り行われた。

葬儀委員長は、恒次の右腕だった専務の竹林清三が務めた。会葬者は一般関係者が約三五〇〇名、マツダ関係者とカープの選手など約一五〇〇人の、あわせて約五〇〇〇人に上った。

恒次の遺産額は一二億六〇〇〇万円で、国税庁のまとめによれば、その年の遺産額の全国トップであった。

恒次はマツダの社長以外、広島大学の後援会長は喜んで引き受けたが、それ以外に「長」とつく立場はなるべく辞退した。恒次が就いた主な公職は、一九四六（昭和二十一）年の「日本小型自動車組合理事長」、一九五〇（昭和二十五）年の「日本小型自動車工業会理事」、一九六一（昭和三十六）年の「広島大学工学部後援会会長」、さらに一九五二（昭和二十七）年の「産業構造調査会乗用車政策特別小委員会専門委員」および「経済団体連合会理事」、一九五三（昭和二十八）年の「日本放送協会経営委員会委員」、一九六六（昭和四十一）年の「経済団体連合会常任理事」、一九六七（昭和四十二）年の「日本自動車工業会理事」などである。

当時、マツダで代表権を持つのは、社長一人である。代表取締役の空白は許されない。間髪を容れず、後継社長には、恒次の望み通り、耕平が就いた。まだ四十八歳という若さであった。

終章　不屈のマツダ魂

環境対策で高評価を得る

コスモスポーツに続いて、一九六八（昭和四十三）年七月には「ファミリア」ロータリークーペ、一九六九（昭和四十四）年十月には「ルーチェ」ロータリークーペ、一九七〇（昭和四十五）年五月にはファミリアとルーチェの間を埋める「カペラ」ロータリークーペ、一九七一（昭和四十六）年九月には「サバンナ」。次々にロータリーエンジン搭載車が、スポーツタイプや高級クーペタイプからセダンまで、フルラインナップで発売された。

ちなみにサバンナは、ロータリーエンジン搭載モデルのみ販売された。サバンナは、一九七二（昭和四十七）年の「日本グランプリ」で、無敗神話を誇っていた日産スカイラインGT‐Rを破ったことで、一躍注目を集めたモデルでもある。

恒次の死後、後継者の耕平は「ロータリゼーション」路線を突っ走った。「クルマの主流を変えるロータリーのマツダ」

一九七一（昭和四十六）年につけられた企業スローガン、いわゆるキャッチコピーである。

副社長時代からロータリーエンジン開発の責任者であった耕平が、スポーツ車だけでなく、あらゆる車種でロータリーエンジン搭載を全面的に推し進めたのである。恒次はあくまでロータリーエンジンとレシプロエンジンのバランスをとりながら、マツダの技術的シンボルとしてロータリーエンジンを位置づけていた。ロータリーエンジン開発部長として先頭に立ってきた山本も、恒次の意を理解し、スポーツタイプの車こそ、ロータリーエンジンに相応しいと考えていた。しかし耕平はそのバランスを崩し、ロータリーエンジンに社運を賭けていったのである。

確かにロータリーエンジンは、時代の花形であった。日本の自動車専門誌『モーターファン』主催の「カーオブザイヤー」に一九七一年度はカペラが選ばれた。

排気ガス規制でも、マツダのロータリーエンジンは高い評価を得た。排気ガスに含まれるCO（一酸化炭素）、HC（炭化水素）、それにNOx（窒素酸化物）を規制するアメリカのマスキー法で、一九七五年実施予定の連邦基準に、ホンダのCVCCエンジンとともに、マツダのロータリーエンジンが、アメリカのビッグスリーに先駆けて合格したのだ。

アメリカの著名な自動車専門誌『ロードテスト』でも「RX－2」、日本名カペラが、一九七二年の「最優秀輸入車」に選ばれた。審査ではボルボ、ジャガーなど有力候補車に比べ、音が静かで耐久性があり、加えて排気ガス対策に優れている点が評価された。

ロータリーエンジンは、レシプロエンジンに比べて燃焼室の温度が低く、NOxの排出量がもともと少なかった。そこでマツダは、エンジンから排出された排気ガスをそのまま排出するのではなく、その後に空気をポンプで送りこんで、積極的にCOとHCを燃やす熱反応器、「サーマルリアクター」を開発した。これに加え、マツダとしては初めての電子制御システムをエンジンに導入した結果、排気ガス規制に対応することができたのだった。

実はこのサーマルリアクター、恒次の存命中から開発が始まったものだった。一九六八(昭和四十三)年五月に田所朝雄が部長の山本からリーダーとして指名され、一九七〇年春までに規制をクリアするよう指示されたものだった。

その期限ぎりぎりに完成させ、アメリカの排気ガステストにも見事に合格したのだが、なにしろ大きくて、しかも高温となる。これをエンジンルームに取りつけるためには、ステアリングのギアボックスを据えつける場所を変更し、各種オイルの耐熱性対策も再検討しなければならない。関係する部門と、もめにもめた。

「田所はおかしい! 何を考えているのか?」

そんな批判が相次ぎ、恒次の耳にも聞こえてきたのである。ある日、出社していた恒次は、田所を社長室に呼んだ。田所は、恒次から叱咤されることを覚悟で、サーマルリアクターを手に、社長室に赴いた。すると恒次が一言。

「思ったより小さく、格好も良いではないか」

さらに続けた。

「社運がかかっている、頑張ってくれ！」[1]

晩年に至っても、恒次らしさは健在だった。

アメリカでは一九七二（昭和四十七）年、日本では一九七四（昭和四十九）年に、ノッキング対策として使われていた、ガソリンへの鉛の添加が、全面的に禁止された。しかしロータリーエンジンは、構造的にノッキングが起こりにくいという特徴が、有利に働いた。

こうしてロータリーエンジンは、多くの課題を次々に乗り越え、新時代を切り拓くかに見えた。

これからはロータリーの時代

耕平の思惑だけでなく、マツダを取り巻く社会状況も、恒次が社長だった時代とは違ってきていた。ロータリー陣営に、世界最大の自動車メーカーであるアメリカのG

Mが参入する。中国からも、マツダに引き合いがきた。

日本でもトヨタ、日産という主要メーカーが参入した。

ロータリー人気に目をつけたNSUは、マツダがエンジン単体をトヨタやフォードなどの他社に販売するのは契約違反であると訴え、特許紛争となって民間の仲裁機関に仲裁が持ち込まれる事態となった。この問題は一九七二（昭和四十七）年四月、マツダの販売権が認められる形で和解が成立した。要は、ロータリー技術の取り合いとなってきたのだ。

確かにマツダは、ロータリー技術で先行した。しかし巨大メーカーは、資本力と人材にものをいわせて、ロータリーエンジンの分野でもすぐにマツダのレベルに追いつき、放っておけばマツダを追い越すだろう。先行者利益を維持するためには、マツダも投資して、彼らの先を行くしかない。耕平はそう考えた。

「恒次さんはロータリーをテレビドラマの水戸黄門のあおいの紋のように、会社のシンボルとして使うつもりだった。だが、耕平さんは『あの車にもこの車にもロータリーエンジンを載せろ』と、ロータリー車中心の生産・販売体制に方針を変えてしまった」

取締役になった山本は、ロータリー車を増やすことに反対し、役員会で異を唱えた。

「ロータリーエンジンへの設備投資が多すぎる」

しかし耕平は、強気だった。

「何を言っているのだ。これからは、ロータリーの時代だ」[2]

新米の取締役の言うことなど、相手にされなかった。

耕平と山本はいずれも、一九二二（大正十二）年生まれの同い年である。性格的にも共に、向こう気が強い。山本はロータリーエンジン開発で最大の功労者であるが、それが耕平には、目の上のたんこぶと映ったのだろうか。山本は「先進技術担当」の役員に就いたが、言い換えれば、どのような車や設備を投入するかという商品企画からは、遠ざけられたのだ。

通産省も、せっかく確立したロータリーエンジンの技術を守ろうと考えた。これを受けて、開発銀行など政府系の金融機関もマツダに対する融資に動いた。すると民間の銀行も、こぞって追随する。こうしてマツダは、増産のための設備投資だけで四五〇億円を投じ、ロータリーエンジンにのめり込んでいった。

これを恒次と比較してみたい。恒次の時代に、マツダは三輪車メーカーから四輪車メーカーに移行した。しかし一挙に変えたのではない。三輪トラックも、他社が撤退するなかで、最後まで残した。四輪も、トラックから始まって乗用車へ。規格も軽から小型へと、漸進的に移行した。乗用車にしても、R360クーぺから始まり、キャロル、ファミリアと、一歩ずつ慎重に進めていった。その間に、商品研究、技術開発、需要リサーチをこと細かく実施したうえで、次の手を打った。スタイルを洗練させ、乗用車の雰囲気を持ったトラックも発売した。小型車の性能を軽乗用車に詰め込んだりもした。エンジンも空冷から水冷へ、2気筒から4気筒へ、2サイクルから4サイクルへ。技術革新も、徐々に製品に盛り込んでいった。

「私は危険をおかす勇気は持っている。しかし、無謀な危険をあえてする蛮勇は持ち合せていない。危険を危険でなくするには、事前に十分な調査と計画を行なうことが必要だと思っている。また、行動を起こしてからでも計画や調査やそれにもとづく判断に間違があったとすればいつでも計画を変更する冷静さと柔軟性も常に持っている」[3]

耕平の判断を、蛮勇とまでは言わない。決算も好調で、「イケイケどんどん」も無理はなかったかもしれない。しかし会社を存続させること、社員を守ることに心を砕いた恒次だったら、違った判断があったのではないかと、思うのである。

恒次時代に検討されたフォードとの提携交渉は、耕平社長の下で再開されたが、一九七一（昭和四十六）年八月に、いわゆる「ニクソンショック」が起きる。アメリカは金とドルとの交換を一時停止し、一〇％の輸入課徴金を導入するなど、保護主義的政策を強め、マツダとフォードとの提携交渉は打ち切られた。

オイルショックと燃費問題

世界情勢が激動するなか、マツダにとって大打撃となる、予想外の事態が発生した。第一次オイルショックだ。

一九七三（昭和四十八）年十月に勃発した第四次中東戦争にからみ、アラブ産油国が原油価格を大幅に値上げしたのである。日本では、トイレットペーパーまでが不足する大騒動になった。

ガソリン価格は、それまでの六〇円台から一二〇円台へと、一挙に二倍に高騰した。自動車業界のなかで、直撃を受けたのがマツダだった。

ロータリーエンジンは、もともとレシプロエンジンより燃費が悪かった。サーマルリアクターによるクリーンエンジン化のため、混合気を多少濃くしたことも、燃費の悪化につながった。

アメリカのＥＰＡ（環境保護庁）は、マツダのロータリーエンジン搭載車について、一リットル当たりの燃費を市街地で五・六キロ、高速道路では八・九キロと測定し、この燃費は「通常型のエンジンと比べて五〇％悪い」と発表した。

ロータリーエンジンの導入を決めていた、ＧＭをはじめとする各社は、手のひらを返すように、次々と撤退を表明した。

オイルショックが起きると、燃費が良くてクリーン、高性能で、しかも安価な日本車は、アメリカで人気となった。その日本車人気に乗り遅れたのが、マツダだった。

アメリカのマツダは、ロータリーエンジン搭載車の在庫で溢れかえった。国内でもマツダ車の売り上げは、前年比で三割近く減少した。官公庁向けに用意されていた低公害車が在庫の山となり、テレビや新聞では、工場の周辺にあふれる大量の黒塗り「ルーチェ」が報道された。在庫は、一五万台近くに膨れ上がった。

こうした状況で、社長の耕平は一九七四（昭和四十九）年一月に記者会見を行い、「フェニックス計画」を打ち上げた。ロータリーエンジンの燃費を翌年秋までに、一挙に四〇％も改善するというのである。耕平に、技術的な根拠など、ありもしなかった。そこまで耕平は、追い詰められていたのだ。

「技術で叩かれたものは、技術で返す」

これがマツダ技術陣の、当時の合言葉だった。無謀とも思える社長の公約に対し、マツダの技術陣は、サーマルリアクターから出る熱を利用して排気ガスの温度を上げることで、薄い混合ガスでもCOとHCを燃やす熱反応を可能にし、計画通りに燃費を向上させたのである。

そのアイデアを出し、開発の中心的役割を担ったのが、前出の田所である。田所はサーマルリアクターを開発し、環境対策を成功させたのだが、それが燃費の悪化も招いたことで、忸怩たる思いを抱いていた。そのうっぷんを、ここで晴らしたのである。

しかし、マツダの経営は改善しなかった。一九七五（昭和五十）年十月決算で、経常赤字は一七三億円に上った。住友銀行は、自行の常務をマツダの副社長に送り込んだ。翌一九七六（昭和五十一）年十月期には、借入金残額が三三〇〇億円にも達する事態となった。

銀行は介入を強め、社内では大規模なリストラの嵐が吹き荒れた。開発部門は縮小され、多くの技術スタッフを含む本社の社員が、全国の支店に、営業職員として出されていった。

耕平の置き土産、RX－7

一九七七（昭和五十二）年末、ついに耕平は社長の座を追われることになった。時に耕平、五十五歳。恒次が社長に就いたのが一歳年長の五十六歳だったから、やはり社長としては若すぎたのだ。住友銀行の管理下に入ったマツダの後継社長には、製造部門出身の山崎芳樹が就任した。耕平は、重次郎亡きあと空席だった会長のポストに就いたものの代表権はなく、実質的な権限はゼロで、松田家によるマツダ時代は終わりを告げたのだった。

ロータリー路線を突っ走った当時の経営陣について、住友銀行の「天皇」とも呼ばれ、マツダの再建を手掛けた磯田一郎は、次のように指摘する。

「周囲に苦言を呈する人がいない。だから平衡感覚がない。ロータリーに賭けたと思うが、会社の存亡は賭けるものじゃない」[4]

耕平に諫言できる役員のいないことを憂慮した河村の指摘が、思い起こされる。

河村郷四は、商工会議所の会頭を退任したのち、マツダ専務の役職を解かれ、非常勤取締役を経て、恒次没後ちょうど一か月がたった一九七〇（昭和四十五）年十二月十五日に退社した。

村尾時之助は、恒次存命中の一九六九（昭和四十四）年、副社長に就任したが、第一次オイルショックが起きた直後の一九七三（昭和四十八）年十二月に七十歳で副社長を退いた。

こうして耕平の周りから、社長に直言できる重鎮が姿を消したのだった。

ちなみに河村は広島テレビの社長や会長、広島県経営者協会会長、広島市教育委員会委員長などを歴任し、一九八五（昭和六十）年に八十二歳で亡くなるまで、広島経済界の重鎮として活躍した。

村尾は耳が遠くなったこともあって公的な仕事に就くことなく、悠々自適の老後だったが、踏切事故のため一九八四（昭和五十九）年に八十歳で亡くなった。

磯田の指摘は、耕平と、当時の重役陣にとって耳の痛い話である。確かにオイルショックは、耕平たちばかりでなく、当時の経営者の誰もが予測し得なかった出来事だ

松田耕平

った。しかし経営者は結果責任を問われる以上、批判は甘受しなければならない。

　松田家最後の社長である耕平の置き土産が、一九七八（昭和五十三）年三月に発売された「サバンナRX－7」である。コンパクトなロータリーエンジンの特徴を生かし、リトラクタブルヘッドライトも採用して、低く流れるようなボディラインを実現したRX－7は好評を博し、この年のカーオブザイヤーに選ばれた。

　RX－7は、アメリカのユタ州で行われた「ボンネビルナショナルスピードトライアル」に参加した。量販車のボディの形を改造せずに行うこのレースで、二九四・二キロを記録し、世界スピード記録を樹立したことも評判になった。

　オイルショック以降、ロータリーエン

ジンを嫌ったアメリカでも、RX－7は好評を博した。初代のRX－7は、モデルチェンジまでの八年間で、五〇万台近くを生産するというベストセラーとなった。

最盛期には二〇〇人の規模を誇った「ロータリーエンジン研究部」は一九七八（昭和五十三）年七月、その幕を閉じた。

住友銀行主導によるマツダ管理は、バブル景気に乗って国内販売五系列体制を敷くまでに手を広げたが、バブル崩壊とともに失敗に帰した。

一九九六（平成八）年にはフォード傘下に入り、日本の自動車メーカーとしてはじめて、外国人社長を迎えた。しかしフォードも二〇〇八年にアメリカの本体が経営危機に陥った。資金調達のためにマツダ株を徐々に売却せざるを得なくなり、二〇一五（平成二十七）年、マツダとの資本提携を完全に解消した。

ル・マン総合優勝

マツダのロータリーエンジンは海外のレースでも、華々しい成果を挙げている。一九六八（昭和四十三）年八月に西ドイツで開かれた「マラソン・デ・ラ・ルート八四時間レース」では、出走車五九台、完走車二六台という過酷なレースで、ポルシェ、ランチア、BMWなどの強敵を相手に、初参戦のコスモスポーツが総合四位に入賞した。

「ル・マンを制すものは、世界を制す」

1991年、ル・マン24時間耐久レースで優勝したマツダ787B。

世界で最も有名な耐久レースのル・マン二四時間を制することができれば、エンジンの信頼性、耐久性を世界に向けて発信することができる。それまでトヨタは最高で六位、日産は最高で五位である。

一九九一（平成三）年、マツダ系列のモータースポーツ会社「マツダスピード」のマツダ787Bが日本車として初めて、そして唯一のル・マン総合優勝を果たした。一九七〇（昭和四十五）年の初参戦以来、エンジンの熟成が重ねられ、七〇〇馬力、最高時速三〇〇キロ以上という最強のロータリーエンジンを実現した成果であった。出場した三八台中、ゴールしたのは半数以下の一七台。マツダ車三台はいずれも完走した。メルセデスやジャガーといった強豪を抑えての、その意義を、ロータリーエンジン開発責任者の山本はこう語る。

「革新技術には大衆にアピールする長所のデモンストレーションが必要なのです。黙っていたってだめなのです。製品のいいのを出す必要もあるし、それから大衆にアピールする方法も必要です。特にル・マンのレースはアピールにもってこいでした。二四時間高速の連続でしょう。そうすると、軽量でコンパクトで、高速振動の良さが、活きてくるわけです。ここで、レシプロエンジンに勝つということは、ロータリーエンジンのアイデンティティ、理論の実証になるわけです」[5]

「栄光のル・マン」であった。

耕平は、ロータリーエンジンにのめり込んで在庫の山を築き、銀行に詰め腹を切らされた。その主君のうらみを、ロータリー四十七士は、ロータリーエンジン搭載車のル・マン優勝という、かつてない快挙で、見事に晴らしたのであった。

二〇〇三(平成十五)年四月、ロータリーエンジンを搭載した「RX－8」が発売された。そのときマツダは、フォードの傘下に入っていた。フォードの要請で4ドアのロータリースポーツとして生まれたRX－8は、イギリスの「インターナショナル・エンジン・オブ・ザ・イヤー2003」を受賞するなど、高い評価を得た。

RX－8は、二〇一二(平成二十四)年に製造を終了した。マツダのロータリーエンジン搭載車は、コスモスポーツから数えて一一車種、一九九万七三六五台が生産され、表舞台からその姿を消したのである。

不屈のスピリット

こうしてロータリーエンジンにまつわる歴史を概観してみると、様々な意味でマツダにしか開発できなかったエンジンだと感じられる。

なんといっても、松田恒次というオーナー社長の決断である。恒次がロータリーエンジンを必要と判断し、政界や財界のコネを駆使し、開発までの年月と人員、費用を手当てしなければ、マツダのロータリーエンジンは存在しなかった。開発にあたっても、恒次が他社に先駆けてコンピューターを導入していたことが大きな戦力となった。もし、恒次の決断が遅れ、ロータリー研究の着手が数年でもずれ込んでいれば、オイルショックに計画を阻まれていただろう。

現在のマツダはフォードの手を離れ、自動車業界で独自の地位を築きつつある。その象徴が、二〇一一（平成二十三）年発売の「デミオ」で初登場した「スカイアクティブエンジン」だ。燃料と空気による混合気の圧縮比を、従来に比べて大幅に引き上げることで、ハイブリッドエンジン並みの燃費を、レシプロエンジンで実現したのだ。

そこにはロータリーエンジン開発で培った、不屈の技術者魂が生きている。ロータリーエンジンは、その理論は知られていたが、実用化に漕ぎつけたのはマツダが最初である。同じように、レシプロエンジンで高圧縮が有利なことは他社も十分承知していたのだが、それをスカイアクティブという形で実用化したのは、マツダだけなのである。

特許権は通常二〇年で権利期間が満了する。ロータリーエンジンの初期の特許も、期限切れとなっている。しかし、マツダでは、いまもロータリーエンジンの研究開発を続けている。「静粛性」、「低振動」、「コンパクト」、「多燃料対応力」といったロータリーエンジンの特性が見直されているのだ。

二〇一六（平成二十八）年には、次世代ロータリーエンジンである「SKYACTIVE-R」エンジンの特許が申請されたと報道された。このほかにも、その都度、新たな特許権を出願、取得していることもあり、マツダ広報は「特許権の観点から、他社さんがロータリーエンジンを容易につくることができる状態にはないようです（他社さんが、それを意図するかどうかは別として）」と話している。

ロータリーエンジンは水素燃料とも相性がいいことから、水素ロータリーエンジンが研究され、実験段階にある。ロータリーエンジンを発電用として搭載する「レンジエクステンダー」タイプの電気自動車は、早ければ二〇二二（令和四）年にも発売される予定だ。ロータリーエンジンは、中回転域ではレシプロエンジンよりもむしろ燃費が良いため、一定の回転数を保ちながら発電すればよいレンジエクステンダーには、まさにうってつけなのだ。

松田恒次のロータリースピリットは、いまもマツダで脈々と息づいているのである。

"痛み"のわかる人

「つねに負担を背負い、その克服に全力を傾注していく[6]」

それが恒次の理念であり、恒次の人生だ。恒次は確かに、それを実践した。

「経営者は、荷を軽くしてはいけないということ。つねに荷を負っていて、それが将来の足がかりになるような計画性、みんなの幸福がそこから生まれてくるようなもの、そういうものをつねに背負い、解決していく心構えが大切である。一口にしていえば、"計画性のある負担をつねに背負っているのが経営者だ"ともいえるのではないかと考えている[7]」

元満州国国務院総務長官で、戦後はダイヤモンド社会長などを務めた星野直樹はそこに、常に前進を続ける恒次、成功の秘訣を見る。

「松田さんは、いつでも現在やっている仕事に全力を傾注し、全身全霊をこれに注いでゆく。これが松田さんの事業が成功した根本と思います。が、松田さんは他方、今やっている仕事は常に次、あるいはその次の仕事の研究台と考えられ、いつも次の段階のことを考えられている。松田さんの仕事の前進してやまないゆえんは、ここにあると思います。従っていつも、今日の松田さんはきのうの松田さんではなく、あしたの松田さんは今日の松田さんではありません[8]」

「荷」を背負う恒次は、「痛み」のわかる人であった。それが会社の経営をはじめ、病院や球団の運営に活かされた。クルマづくりにも反映された。技術者は、左脚が不自由だった恒次にも乗り降りがしやすいよう、設計にあたって配慮したという。マツダの車には、そんなやさしさが込められている。

松田恒次とコスモ（後のコスモスポーツ）試作車。東洋大橋開通直後と思われる。1965(昭和40)年10月頃。

おわりに

本書は広島の自動車メーカー、マツダの三代目社長、松田恒次の評伝である。

恒次は、人とは違った景色を見続けた人だった。少年時代に、兄だと思っていた人が、実は父親と知らされたとき、大人の複雑な世界を垣間見た。金持ちのボンボンとして楽しく暮らしていたとき、病気で左脚を切断し、長期の入院を余儀なくされた。身体が不自由になると、当たり前のことが当たり前ではなくなる。少数者の視線を身につけた。そして原爆の惨禍。最愛の弟を失った。科学技術は使い方を誤れば、人間を不幸のどん底に陥れる。しかし恒次には、別の世界も見えた。科学技術を兵器ではなく、平和のために使って、広島を復興させるのだ。

恒次は専務時代、義弟との後継者争いに敗れ、会社を去ることになる。そのとき恒次は、様々な世界を見た。信じていた部下の裏切り。マツダという後ろ盾を失った恒次に対する、世間の冷たさ。それは人間を冷静に見る目を養うことにもつながった。

やがて恒次はマツダに復帰し、社長に上り詰める。社長ではあるが、専門知識では技術者の部下にかなわない。そんな恒次が、誰からも無謀と言われたロータリーエンジン開発を、彼らにどう納得させ、全力で取り組むようにさせたのか。答えのカギは、人間に対する信頼感である。

恒次は、「経営とは永続するために結果を生むことだ」[1]と語っている。それこそ、カリスマであった父、重次郎から徹底的に仕込まれた、経営者としての帝王学である。そもそも重次郎自身が、何度も経営危機に直面し、そのたびごとに、不死鳥のごとく蘇ってきたのだ。

恒次は自身の過酷な経験を、マツダを生かすための肥やしとした。それがマツダの合理的な組織運営、人にやさしいクルマづくり、他社に類を見ないオリジナルな製品、患者本位のマツダ病院、傷ついた広島市民を励ます広島東洋カープへと、具体的に形を成していった。そこには、恒次ならではの洞察力がある。少年のように感じたままを大切にする感性がある。

そんな恒次を支えた、多くの人びとがいた。国内でも「田舎会社」、「バタンコ屋」と揶揄されていた、世界的にはまったく無名の会社が、ロータリーエンジンの実用化に成功したのは、ロータリー四十七士に象徴される面々の、寝る間を惜しんだ飽くなき挑戦があったからこそである。しかし、それだけではない。その背後には、人間の様々な歴史が下敷きになっている。

「日窒コンツェルン」総帥、野口遵の支援がなければ、いまのマツダは存在しなかった。社長以外の役員はすべて「日窒」幹部で占められ、「日窒」の保有する株式が、松田一族を上回る時期もあったほどである。その資金を稼ぎ出した中核企業の「日本窒素肥料」が、水俣病を引き起こした。

大型計算機の力で原爆は実用化され、広島は廃墟となった。そのコンピューターを、マツダは他社に先駆けて導入し、ロータリーエンジンを世に送り出すことに成功した。マツダのひとつの頂点とも言えるロータリーエンジンには、人びとの喜びだけでなく、背後には、数限りない哀しみや怒りも秘められている。人間の歴史とは、そうしたものである。

恒次の父、重次郎は〝大正の今太閤〟とまで呼ばれた、立志伝中の人物である。『週刊文春』の〝トップ屋〟として活躍し、のちに流行作家となった梶山季之が、重次郎の伝記を著している。小説家で明治大学教授、畑耕一の筆による重次郎の自伝もある。

これに対して恒次である。社長時代、実用化に成功したロータリーエンジンに関しては、〝ミスターロータリー〟の山本健一を中心に、数多くのサクセスストーリーが書かれている。一世を風靡したＮＨＫの看板番組『プロジェクトＸ〜挑戦者たち』では、「ロータリー四十七士の闘い～夢のエンジン 廃墟からの誕生」と「ルマンを制覇せよ～ロータリーエンジン 奇跡の逆転劇」として、二週連続で紹介された。しかし恒次は、顔写真と共にひとこと、紹介されただけだった。

意外にも、名物社長である松田恒次を正面から主人公として扱った一冊の評伝は、これまで存在しなかった。それはやはり、恒次死後のオイルショックによるロータリーエンジンの失速、その結果としてマツダの経営危機が起こり、松田家によるマツダ支配が終焉したことが大きいだろう。松田一族はプロ野球、広島東洋カープのオーナーに就いているが、マツダ本体の経営は、松田家の手から完全に離れた。その後、マツダは住友銀行の管理下に入り、さらにアメリカのフォード傘下となったが、フォードの失速で再び自立した経営を取り戻した。

最近のマツダは、二〇一七年の一年間で、海外も含めたトータルの生産台数が一六〇万七六〇二台で、過去最高を記録した。一方、ダイハツ、日野を含むトヨタグループは、一〇四六万六四五一台。かつては自動車の生産台数でトヨタを上回り、日本一を達成したことなど、はるか夢のかなたである。

企業規模だけみればマツダは、日本のフォードにはなれなかった。しかし、マツダならではの個性を作り上げることには成功した。

幾多の試練を乗り越えてきたマツダは、二〇二〇年に創業一〇〇周年を迎えた。

マツダのロータリーエンジンは、二〇一二年に生産を終了した。しかし、いまだに話題を提供し続けている。モーターショーでは、新型ロータリーエンジン搭載車のコンセプトモデルが発表されている。松田恒次や山本健一らの熱い思いが込められたロータリーエンジンは、必ず蘇る。私はそう、信じている。

執筆にあたり、マツダ国内広報部とマツダ社史編纂室チームのみなさまには、資料提供等で多大のご協力をいただいた。三代目RX－7担当主査として開発から生産まで全般にわたる統括責任者を務められた小早川隆治氏には、山本健一部長率いるロータリーエンジン研究部の空気を教えていただいた。モータージャーナリストの山口宗久氏からは、〝内燃機関の父〟島津楢蔵について、また広島市のヌマジ交通ミュージアムからは、シシドオートバイ製作所について、貴重な資料と情報を提供していただいた。そのほか、いちいちお名前を挙げることは差し控えるが、マツダ元社員の方々をはじめ、中国新聞元記者、広島で被爆された一般市民の方々など、多数のみなさんに貴重な情報を提供していただいた。

恒次没後、半世紀近くが経過したということもあり、巻末に挙げた多くの参考文献を参照し、引用させていただいた。歴史的記述については、基本的にマツダの社史『東洋工業五十年史〈沿革編　1920－1970〉』に依った。山本健一氏の引用に関して、註を付したもの以外は、参考文献に挙げた私家版の回想録に依った。引用文において、旧字体は固有名詞を除き、新字体に置き換えた。さらに、明らかに誤植、あるいは読者の理解を妨げると思われた四か所について、趣旨に反しない最小限の範囲に限り、著者の判断で訂正、削除した。

本書は、月刊自動車雑誌『ニューモデルマガジンX』（ムックハウス刊）で、七回にわたり連載した「日本の自動車王をめざした男―ロータリーエンジンに賭けた松田恒次の覚悟』を、大幅に加筆したものである。独自の視点で自動車業界の取材を続ける神領貢編集長には、取材執筆において多くのご支援をいただいた。

版元の草思社は、徳大寺有恒『間違いだらけのクルマ選び』シリーズで、本当に良いクルマとは何なのかを世に問うてきた出版社である。編集を担当していただいた藤田博編集部長には、的確なアドバイスをいただいた。各氏のご協力に深く感謝申し上げたい。

二〇一八年五月

著　者

文庫版あとがき

二〇二一年二月三日、当時の東京オリンピック・パラリンピック組織委員会会長による女性蔑視発言が報じられた。会長は発言を撤回したが辞任は否定し、ＪＯＣ会長と首相は続投を容認した。これについて、オリンピックに三大会連続出場したアスリートの為末大（ためすえだい）が八日に自身の公式ホームページで、自分の意見を次のように表明した。

「私はスポーツ界全体に（もしかすると社会全体にも）通底する同じ課題を感じています。それはどんな社会が理想かを皆でオープンに率直に議論し、そこで描かれた理想から原理原則を導き出し、その軸に従って決定を行なっていく文化の欠如です。性別に拘らず誰もが認められる社会にするべきですねと言えば多くの人が賛同します。ところがこれを実行に持っていこうとすると、ビジョンや原理原則はあくまで理想であって、（中略）多くの利害調整や重鎮への忖度が行われ、裏のすり合わせで着地点が決まる。いざ議論をする場所では誰も本気で議論せず、意見を言う人はむしろ煙たがられるような文化が、日本の発展を改革を阻んできたではないでしょうか」

さらに為末は当初は、明確に意見を表明していなかったことについて、「沈黙は賛同であると言われ、はっきりとした意見を出していないことを強く反省をしました」とも述べた。この発言は各メディアで大きく紹介され、事態は会長辞任へと急展開した。

それから約一ヵ月後には開閉会式の演出責任者が、出演予定だった女性タレントの容姿を侮辱したメッセージを演出チームに送っていた問題が明らかになり、辞任した。

その前年の二〇二〇年にはアメリカで、白人警察官による残虐行為で無抵抗なアフリカ系アメリカ人が死亡した事件をきっかけに、〝Black Lives Matter〟運動が全米に広がり、さらに世界を揺り動かした。

勇気ある発言と行動が、私たちの社会を変えてゆく。

東京オリンピック・パラリンピックの公式ホームページは「大会ビジョン」として、「人種、肌の色、性別、性的指向、言語、宗教、政治、障がいの有無など、あらゆる面での違いを肯定し、自然に受け入れ、互いに認め合うことで社会は進歩」と、高らかに宣言している。これを一言で表すと「ダイバーシティ」だ。日本語では多様性だが、英語のほうが、含蓄が深い。一人ひとりが違うということをお互いに認め、尊重するという意味だ。為末の指摘は、ダイバーシティの未成熟な日本の現状を言い当てている。

こういう時代だからこそ、松田恒次の評伝を世に送り出した意義は大きいと自負するものがある。恒次の功績は単にロータリーエンジンの開発を成功させたリーダーというだけではない。恒次の真骨頂は、経営者としてダイバーシティを実践した点だ。『日経連ダイバーシティ・ワーク・ルール研究会報告書』では、「ダイバーシティとは『多様な人材を活かす戦略』である。従来の企業内や社会におけるスタンダードにとらわれず、多様な属性（性別、年齢、国籍など）や価値・発想をとり入れることで、ビジネス環境の変化に迅速かつ柔軟に対応し、企業の成長と個人のしあわせにつなげようとする」と定義している。

病により左脚を切断した恒次は、自分にはできないことや、限界を知っている。だからといって世をはかなむのではなく、自分にはない力量を持つ人材を適材適所に登用し、それぞれの持てる能力や才能をフルに発揮させることに力を注いだ。原爆被爆者でもある恒次は、科学技術の恐ろしさを知っている。だからこそ、科学技術をコントロールすることの難しさと重要性を理解していた。多様な属性や価値、発想を取り入れていく「戦略としてのダイバーシティ」を恒次は持っていたのだ。

為末は日本社会にとって必要なことは「オープンに率直に議論し、そこで描かれた理想から原理原則を導き出し、その軸に従って決定を行なっていく文化」だという。恒次は社内で、すでにそれを実践していた。社内の反対を押し切ってロータリーエンジンの開発を決断した〝ワンマン〟経営者でありながら、平社員の名前と顔をおぼえ、社の内外を問わず、率直に人びとの意見を聞いた。だからこそ社内の誰よりも早く、政界や先端技術の最新情報から社員の趣味まで、幅広く情報をキャッチできたのだ。

時代はいま、大きな転換点を迎えつつある。世界で最初に登場したＭａａＳアプリ、フィンランドの「マース・グローバル」が衝撃的だったのは、スマホのアプリを利用すれば、マイカー利用が必ずしも一番便利ではなく、様々な交通機関を組み合わせて利用した方が早く、安く、しかも安全に目的地に到達することができる場合もあることを、世の人びとに知らしめたことだ。これは交通のダイバーシティだ。

折しも、コロナ禍で直接的な人と人との交流は抑制され、インターネットを利用したビデオ会議システムの利用などにより、ビジネスや教育など社会のあり様が大きく変わりつつある。これはオンラインによるダイバーシティである。

そんないまだからこそ、硬直化した「組織の論理」のしがらみにとらわれることなく、ダイバーシティを尊重する「個人の論理」を貫いた松田恒次の生き方に、私は強く惹かれるのである。

二〇二一年四月

著　者

◉参考文献・資料

東洋工業株式会社秘書課胡子勲編集『東洋工業株式会社三十年史』(一九五〇年、東洋工業株式会社)
東洋工業株式会社五十年史編纂委員会編『東洋工業五十年史〈沿革編 1920-1970〉』(一九七二年、東洋工業株式会社)
畑耕一『東洋工業と松田重次郎』(一九五八年、東洋工業)
広島市青崎学区郷土史研究会編『松田重次郎翁』(一九八九年、広島市青崎学区郷土史研究会)
梶山季之『松田重次郎』(一九六六年、時事通信社)
松田恒次『合理性・人間味』(一九六五年、ダイヤモンド社)
松田恒次「松田恒次 東洋工業社長」『私の履歴書 第26集』(一九六六年、日本経済新聞社)
松田恒次追想録編集委員会編『松田恒次追想録』(一九七二年、松田恒次追想録編集委員会)
村尾時之助追想録編纂委員会編『村尾時之助追想録』(一九八五年、村尾時之助追想録編纂委員会)
河村郷四追想録編纂委員会編『河村郷四追想録』(一九八六年、河村郷四追想録編纂委員会)
松田耕平追想録編纂事務局編『松田耕平追想録』(二〇〇三年、松田耕平追想録編纂事務局)

山本健一編『工業技術ライブラリー15　ロータリーエンジン』（一九六九年、日刊工業新聞社）
山本健一『マツダのＲＥ開発努力の歴史～ルマン制覇までの道のり』（一九九一年、私家版）
山本健一『忘れがたき人びと』（一九九三年、私家版）
山本健一「内燃機関の革新とバンケル・ロータリーエンジンの開発」
　(https://www.jsae.or.jp/~dat1/interview/interview22.pdf)
高橋衛編『広島経済人の昭和史』（一九八八年、広島地域社会研究センター）
高橋衛編『広島経済人の昭和史（Ⅱ）』（一九八八年、広島地域社会研究センター）
梶原一明『軋んだ車体』（一九七八年、実業之日本社）
碇義朗『マツダの新車開発戦略　チャレンジする〝山本学校〟』（一九八六年、ダイヤモンド社）
碇義朗『先駆者の条件　ロータリーエンジン開発に燃えた「マツダ」の20年』（一九九〇年、ＨＢＪ出版局）
松下幸之助「松下幸之助　松下電器産業相談役」『私の履歴書　昭和の経営者群像3』（一九九二年、日本経済新聞社）
鈴木貫太郎傳記編纂委員会編『鈴木貫太郎傳』（一九六〇年、鈴木貫太郎傳記編纂委員会）
荒牧寅雄『くるまと共に半世紀』（一九七九年、日刊自動車新聞社編集、いすゞ自動車発行）
迫勝則『さらば、愛しきマツダ』（二〇〇一年、文藝春秋）
小早川隆治編『マツダＲＸ‐7　ロータリーエンジンスポーツカーの開発物語』（二〇一七

年、三樹書房）
山岡茂樹『日本の技術5 ロータリーエンジン』（一九八八年、第一法規出版）
GP企画センター編『マツダ・ロータリーエンジンの歴史』（二〇〇三年、グランプリ出版）
坂上茂樹「マツダ10A型ロータリエンジンからバンケル一般について考える」『LEMA』（二〇一六年、日本陸用内燃機関協会）
柳田邦男『日本の逆転した日』（一九八一年、講談社）
日刊工業新聞社編『技術史を拓いた人々①』（一九八四年、日刊工業新聞社）
刀祢館正久『自動車に生きた男たち』（一九八六年、新潮社）
伊丹敬之、小林孝雄、伊藤元重、加護野忠男、榊原清則『競争と革新―自動車産業の企業成長』（一九八八年、東洋経済新報社）
森谷正規『技術開発の昭和史』（一九九〇年、朝日文庫）
桂木洋二『日本における自動車の世紀―トヨタと日産を中心に』（一九九九年、グランプリ出版）
河村泰治『自動車産業とマツダの歴史』（二〇〇〇年、郁朋社）
佐藤正明『自動車 合従連衡の世界』（二〇〇〇年、文藝春秋）
小関和夫『日本の軽自動車―カタログで楽しむ360ccの時代』（二〇〇七年、三樹書房）
小堀和則『ダイハツ～日本最古の発動機メーカーの変遷』（二〇〇七年、三樹書房）

小関和夫『カタログで知る国産三輪自動車の記録』（二〇一〇年、三樹書房）
宇田川勝・四宮正親編『企業家活動でたどる日本の自動車産業史』（二〇一二年、白桃書房）
宇田川勝『日本の自動車産業経営史』（二〇一三年、文眞堂）
週刊朝日編『値段史年表　明治・大正・昭和』（一九八八年、朝日新聞社）
岩立喜久雄「轍をたどる①②　広島の先駆　国産ＳＳＤ」『Old-timer』No.51・52（二〇〇〇年四月・六月、八重洲出版）
田辺良平『広島産業界　先駆け者伝』（二〇一三年、春秋社）
呂寅満『日本自動車工業史――小型車と大衆車による二つの道程』（二〇一一年、東京大学出版会）
近藤政市 他「三輪トラックの特性」『モーターファン』（一九五六年三月号、三栄書房）
「対談　本原幸」『ＪＡＨＦＡ　No.３』（二〇〇三年十一月、日本自動車殿堂）
『THE ROTARY GRAFFITI 1967-1987』（一九八七年、マツダ）

◉註（参考文献・資料で紹介した著作は、タイトルのみ示した）

はじめに

（1）『合理性・人間味』一四〇頁

序章

（1）『私の履歴書 第26集』一〇三頁
（2）『松田重次郎』二五頁
（3）『松田重次郎』三七頁
（4）『松田重次郎』四三頁
（5）『東洋工業と松田重次郎』四九－五〇頁

第1章

（1）『東洋工業と松田重次郎』六一頁
（2）『松田重次郎』六七頁
（3）『松田恒次追想録』五二三頁
（4）『松田重次郎』七四頁

（5）『東洋工業と松田重次郎』二〇七頁
（6）『松田重次郎』八五頁
（7）『松田重次郎』八九頁
（8）『松田重次郎』一二三頁
（9）『松田恒次追想録』三三三頁
（10）『私の履歴書　第二六集』一一四頁
（11）『松田恒次追想録』二八五－二八六頁
（12）『合理性・人間味』九二頁
（13）『松田重次郎』一五九頁
（14）『松田重次郎』一八〇頁
（15）『東洋工業と松田重次郎』一五三頁
（16）『東洋工業と松田重次郎』一五七頁

第2章

（1）『東洋工業と松田重次郎』二一三頁
（2）『私の履歴書　第26集』一三〇頁
（3）『私の履歴書　第26集』一三三頁
（4）『合理性・人間味』九八頁

(5)『松田恒次追想録』三一六－三一七頁
(6)松田恒次「にくい、にくい、トヨタ・日産―一寸の虫にも五分の魂」『朝日ジャーナル』(一九六九年七月十三日号、朝日新聞社)
(7)『松田恒次追想録』二七三頁
(8)『松田恒次追想録』二一〇頁
(9)『合理性・人間味』三三頁
(10)『松田恒次追想録』二五六頁
(11)『松田恒次追想録』二四九頁
(12)『広島経済人の昭和史』三八六頁
(13)『松田重次郎翁』一九八－二〇一頁
(14)『松田恒次追想録』三八九－三九〇頁
(15)『朝日新聞』一九四一年八月二十八日

第3章

(1)『松田重次郎翁』二〇六－二〇七頁
(2)『松田恒次追想録』五一七－五一八頁
(3)『松田重次郎翁』二一〇－二一一頁
(4)『朝日新聞』二〇一五年八月十一日

(5)『広島経済人の昭和史』三九三－三九五頁
(6)『東洋工業五十年史〈沿革編　1920－1970〉』一四七頁
(7)『東洋工業と松田重次郎』一六九頁
(8)『私の履歴書　第26集』一四二頁
(9)『広島経済人の昭和史』三九一頁
(10)『広島経済人の昭和史』三九五頁
(11)『私の履歴書　第26集』一四二－一四三頁
(12)『私の履歴書　第26集』一四四頁
(13)『合理性・人間味』四四頁
(14)『松田恒次追想録』一四－一五頁
(15)『広島経済人の昭和史』三九八頁
(16)『松田恒次追想録』二四六頁
(17)『松田重次郎』二三九頁
(18)『私の履歴書　第26集』一四七頁
(19)『広島経済人の昭和史』四〇五頁
(20)『広島経済人の昭和史』四五九頁
(21)『村尾時之助追想録』五－六頁
(22)『松田恒次追想録』五一二頁

(23)『軋んだ車体』一七五頁

第4章

(1)『松田恒次追想録』三九五頁
(2)『私の履歴書 第26集』一四八頁
(3)『松田恒次追想録』四一三頁
(4)webDICE編集部「宮川秀之さんが語る映画『ピンク・スバル』と日本が必要とするデザイン力」http://www.webdice.jp/dice/detail/3021/
(5)『中国新聞』(二〇一六年一月二十七日)
(6)『松田恒次追想録』四三四頁-四三七頁
(7)『私の履歴書 第26集』一四八-一四九頁
(8)『私の履歴書 第26集』一四九-一五〇頁
(9)『広島経済人の昭和史』四〇五頁
(10)『広島経済人の昭和史』四〇六頁
(11)『松田恒次追想録』三二一頁
(12)『松田恒次追想録』一七二頁
(13)『東洋工業五十年史〈沿革編 1920-1970〉』「松田重次郎抄伝」四頁
(14)『自動車産業とマツダの歴史』三五頁

(15) 浅原源七「巻頭」『自動車技術』(一九五〇年六月号、自動車技術会)
(16)「三輪トラックの特性」『モーターファン』(一九五六年三月号、三栄書房)
(17)『村尾時之助追想録』八四頁
(18)『村尾時之助追想録』一〇四頁
(19)『松田恒次追想録』四二八頁
(20)『村尾時之助追想録』六八－六九頁
(21)『合理性・人間味』三七頁
(22)『村尾時之助追想録』九九頁
(23)『村尾時之助追想録』一六六頁
(24)『先駆者の条件』三四－三五頁
(25) 松下幸之助『私の履歴書 昭和の経営者群像3』三八－三九頁
(26)『松田恒次追想録』二七六－二七九頁
(27)『私の履歴書 第26集』一五四頁
(28)『私の履歴書 第26集』一五六頁
(29)『松田恒次追想録』二九一－二九二頁

第5章

(1)『合理性・人間味』七三頁

(2)松田恒次「コンピューター時代と自動車産業」『経済人』(一九六八年一月号、関西経済連合会)
(3)『日経産業新聞』一九八三年一月十四日
(4)『鈴木貫太郎傳』四九三－四九五頁
(5)松田恒次「開放体制下の自動車産業」『経済人』(一九六四年八月号、関西経済連合会)
(6)『村尾時之助追想録』五六頁
(7)松田恒次「にくい、にくい、トヨタ・日産――一寸の虫にも五分の魂」『朝日ジャーナル』
(8)『合理性・人間味』五五頁
(9)『朝日新聞』一九六五年九月十七日
(10)『合理性・人間味』五五－五六頁
(11)『読売新聞』一九六四年一月三十日
(12)『朝日新聞』一九六五年九月十七日
(13)『合理性・人間味』六五頁
(14)『軋んだ車体』一一一頁
(15)『朝日新聞』一九六九年四月一日
(16)「対談　本原幸」『JAHFA　No.3』(二〇〇三年、日本自動車殿堂)

(17)『読売新聞』一九七一年八月二十五日
(18)『松田恒次追想録』三六七頁
(19)「内燃機関の革新とバンケル・ロータリーエンジンの開発」
(20)『松田恒次追想録』二一二頁
(21)『合理性・人間味』六六頁
(22)『合理性・人間味』六六頁
(23)『松田恒次追想録』三六五―三六六頁
(24)「対談　本原幸」『JAHFA』
(25)『くるまと共に半世紀』二一六頁
(26)『村尾時之助追想録』五四―五五頁
(27)『日本経済新聞』一九六〇年十月二十六日

第6章

(1)『合理性・人間味』一二七頁
(2)『軌んだ車体』一七六頁
(3)『合理性・人間味』一二九頁
(4)『広島経済人の昭和史（Ⅱ）』三八八頁
(5)『軌んだ車体』一三〇頁

（6）『軋んだ車体』一三〇頁
（7）『広島経済人の昭和史』四五二頁
（8）『広島経済人の昭和史』四五九頁
（9）『村尾時之助追想録』二一七頁
（10）『軋んだ車体』一三三頁
（11）富塚清「内燃機関禁忌集捕遺　特にレシプロ対ロータリについて」『日本機械学会誌』（一九六七年一月号）
（12）山本健一「内燃機関の革新とバンケル・ロータリーエンジンの開発」
（13）『さらば、愛しきマツダ』四八頁
（14）対談　松田恒次・根本陸夫「明日は〝広島〟に旗を立てる」『潮』（一九六九年三月号、潮出版）。
（15）『マツダの新車開発戦略　チャレンジする〝山本学校〟』三〇頁
（16）『松田恒次追想録』二七六－二七七頁

第7章

（1）「内燃機関の革新とバンケル・ロータリーエンジンの開発」
（2）『THE ROTARY GRAFFITI 1967-1987』
（3）『日経産業新聞』一九九二年十二月八日

(4)「内燃機関の革新とバンケル・ロータリーエンジンの開発」
(5)『読売新聞』一九六八年九月十九日
(6)『読売新聞』一九七〇年十二月十八日
(7)『松田耕平追想録』一六〇頁
(8)『読売新聞』一九六八年七月十四日
(9)『読売新聞』一九六八年六月十九日
(10)『読売新聞』一九六八年七月十四日

第8章

(1)『合理性・人間味』一一二頁
(2)『合理性・人間味』一二五－一二六頁
(3)『松田恒次追想録』四二五頁
(4)『松田恒次追想録』二三六頁
(5)『松田恒次追想録』三〇七頁
(6)『松田恒次追想録』三三〇頁
(7)『松田恒次追想録』五四五頁
(8)『デイリースポーツ』(二〇一五年八月六日)
(9)『松田恒次追想録』三五六頁

(10)『松田恒次追想録』三一一頁
(11)笠間達男「名言に学ぶ」『週刊教育資料』(二〇〇三年十一月十日号、日本教育新聞社)
(12)『松田恒次追想録』二五三頁
(13)『合理性・人間味』一一七頁
(14)『松田恒次追想録』二一六頁
(15)『松田恒次追想録』四四三頁

第9章

(1)『松田恒次追想録』一六四頁
(2)『合理性・人間味』三五頁
(3)『合理性・人間味』二四頁
(4)『合理性・人間味』一四頁
(5)『松田恒次追想録』四五〇頁
(6)『松田恒次追想録』三五五頁
(7)『松田恒次追想録』三六九頁
(8)『合理性・人間味』一五頁
(9)『松田恒次追想録』三三頁

(10)『朝日新聞』一九六九年四月一日
(11)『松田恒次追想録』一三八頁
(12)『松田恒次追想録』三四四頁
(13)『松田恒次追想録』二六三頁
(14)『朝日新聞』二〇一七年六月二十日

終章

(1)『マツダRX－7 ロータリーエンジンスポーツカーの開発物語』一三三頁
(2)『朝日新聞』一九九三年五月二十二日
(3)松田恒次「収益性と合理性の経営」『経営者』(一九六五年六月号、日本経営者団体連盟出版部)
(4)『日本経済新聞』二〇〇二年七月十二日
(5)「内燃機関の革新とバンケル・ロータリーエンジンの開発」
(6)『合理性・人間味』七九頁
(7)『合理性・人間味』八〇頁
(8)『松田恒次追想録』三六四頁

おわりに

（1）『松田恒次追想録』三五三頁

本文初出＝『ニューモデルマガジンX』（ムックハウス刊）二〇一七年七月号、九月号、十一月号、二〇一八年一月号〜四月号

写真資料提供＝マツダ株式会社

＊本書は、二〇一八年に当社より刊行した著作を文庫化したものです。

草思社文庫

マツダの魂
不屈の男 松田恒次

2021年6月8日 第1刷発行

著 者 中村尚樹

発行者 藤田 博

発行所 株式会社 草思社

〒160-0022 東京都新宿区新宿 1-10-1
電話 03(4580)7680(編集)
03(4580)7676(営業)
http://www.soshisha.com/

本文組版 株式会社 キャップス

本文印刷 株式会社 三陽社

付物印刷 株式会社 暁印刷

製本所 加藤製本株式会社

本体表紙デザイン 間村俊一

ISBN978-4-7942-2522-1 Printed in Japan

草思社文庫既刊

前間孝則
技術者たちの敗戦

戦時中の技術開発を担っていた若き技術者たちは、敗戦から立ち上がり、日本を技術大国へと導いた。零戦設計の堀越二郎、新幹線の島秀雄など昭和を代表する技術者6人の不屈の物語を描く。

前間孝則
悲劇の発動機「誉」

日本が太平洋戦争中に創り出した世界最高峰のエンジン「誉」は、多くのトラブルに見舞われ、その真価を発揮することなく敗戦を迎えた。誉の悲劇を克明に追い、日本の大型技術開発の問題点を浮き彫りにする。

前間孝則
戦艦大和誕生（上・下）

世界最大の戦艦大和の建造に至るまでの全容を建造責任者であった造船技術士官の膨大な未公開手記から呼び起こす。終戦前に悲劇の最期を遂げた大和、しかし、その技術は戦後日本に継承され、開花する——。